Jean Anglade est né en 1915 à Thiers, en Auvergne, d'une mère domestique et d'un père ouvrier maçon. Formé à l'École normale d'instituteurs de Clermont-Ferrand, il enseigne à la ville, puis à la campagne, tout en continuant ses études, pour devenir professeur de lettres, puis agrégé d'italien.

Il a trente-sept ans lorsqu'il publie son premier roman, *Le chien du Seigneur*. À partir de son dixième roman, *La pomme oubliée* (1969), il consacre la plus grande part de son œuvre à son pays natal, ce qui lui vaudra d'être surnommé le "Pagnol auvergnat". Romancier – il a plus de trente-cinq romans à son actif –, mais aussi essayiste, traducteur (de Boccace et de Machiavel), il est l'auteur de plus de quatre-vingts ouvrages, et explore tous les genres : biographies (Pascal, Hervé Bazin), albums, poésie, théâtre, scénarios de films.

Jean Anglade a beaucoup voyagé, et habite aujourd'hui près de Clermont-Ferrand.

LA FILLE AUX ORAGES

JEAN ANGLADE

LA FILLE
AUX ORAGES

PRESSES DE LA CITÉ

© 1999, Presses de la Cité
ISBN 2-266-10474-8

« Dans toute belle vie, ne devrait-il pas y avoir une île ? »

Henri Pourrat,
Les Jardins sauvages

1

La salle des pas perdus de la gare de Lyon offre deux téléphones publics qu'il faut alimenter en pièces de monnaie. Occupés en permanence. On doit faire la queue. Non point des cabines closes, mais des appareils muraux, encadrés de deux abatsons. Ils tiennent un peu du confessionnal. On voudrait chuchoter ; mais le brouhaha général oblige à parler fort. La queue entend toute la conversation.

— Je peux pas te dire au juste, le train a du retard… Dis à ma sœur que j'ai fait sa commission… Répète un peu, je comprends mal à cause du bruit… Si tu veux… Bonjour, mon petit cœur, comment vas-tu ?… Comment vas-tu à l'école, mon petit cœur ?…

Il ajoute une pièce dans la tirelire. La queue s'impatiente :

— On en a marre, du petit cœur... Hé ! ho ! Y a des gens pressés derrière... Accélère un peu. On n'est pas là pour parler d'amour... Aux chiottes le petit cœur !

Le suivant est un Maghrébin. Il enfile pièce sur

pièce. Pas possible ! Il téléphone en Arabie Saou-
dite !

— *Andi karrousa jedida... R'bibi.*

— *Ah ! r'bibi ! r'bibi !* proteste la queue.

— *Naahm... R'bibi... Maha as salaama*[1].

Après lui, c'est un *trabalhador* portugais. On le
comprend mieux. Le *portouguèch* n'est rien
d'autre qu'un mélange d'espagnol et d'italien prononcé avec l'accent auvergnat. La queue ronge son
frein.

Vient enfin mon tour. Je forme le numéro de
Béa. En vérité, tu t'appelles Béatrice ; mais tu
demandes, tu exiges, tu imposes cet abrégé que tu
as déniché dans le générique d'un film. Tu es plutôt snobinette sur les bords. Notre mariage, celui
de la snobinette et du paysan-navigateur, ressemble
au mariage de la carpe et du lapin. (Je suis à terre,
j'ai le droit de prononcer ce dernier mot, interdit
sur les navires. Une interdiction que personne ne
m'a jamais expliquée. J'en suis venu à accepter
cette légende : jadis, les sous-mariniers emportaient deux lapins en cage ; au cours de leurs plon-
gées, lorsqu'ils voyaient l'un d'eux tourner de
l'œil, faute d'oxygène, ils savaient qu'il fallait
remonter au plus vite. La mort des lapins annonçait la prochaine mort des hommes. Cette hypo-
thèse toutefois me satisfait peu, car il y a loin d'un
vaisseau de surface à un vaisseau des profondeurs.
Toujours est-il que tout ce qui rappelle ce rongeur
est formellement prohibé sur nos navires. Si l'on
doit absolument parler de lui, on dit le BLO, la bête
aux longues oreilles.) Dans notre couple, dis-je, tu
es la carpe et je suis le BLO.

---

1. J'ai une voiture neuve... Violette... Oui, violette... Au revoir.

Tu croyais que tous les navigateurs de France sont bretons, normands ou marseillais. Tu ne soupçonnais pas que l'Auvergne a engendré beaucoup de marins. Le plus célèbre fut Charles Henri comte d'Estaing, né au château de Ravel, à une centaine d'encablures de Clermont. Quoique appartenant à une famille d'aristocrates, il eut pour parrain et marraine deux paysans du village, Jean Beline et Anne Brunebarbe, *lesquels, requis de signer le registre, dirent ne pas savoir.* Par la suite, il se fit corsaire, combattit les Anglais, devint amiral, s'en alla aux côtés de La Fayette prêter main-forte aux Américains révoltés. Pour moi, je ne suis qu'un modeste officier mécanicien de la Compagnie des Messageries Maritimes ; mon nom ne restera pas dans l'histoire.

J'ai donc formé ton préfixe et les chiffres qui suivent. J'entends la sonnerie dans notre appartement de ville, là-bas, rue du Commerce, à Riom, Puy-de-Dôme. De notre fenêtre, on peut voir l'église du Marthuret, qu'est censée protéger la Vierge à l'Oiseau de la façade, noire comme la suie. Patronne des ramoneurs. Tout notre appartement frémit à mon appel. Dix fois, vingt fois. Pas de réponse. Incroyable, mais vrai. A la trentième sonnerie, espérant m'être trompé, je recompose les huit chiffres. Derrière moi, la queue murmure :

— Tu vois bien qu'y a personne… Elle est chez le voisin, elle joue du pipeau… Y a du monde ici qui a un train à prendre, hé ! ho !

J'attends de nouveau le trentième appel. Toujours pas de réponse. J'arrive de la Réunion, où j'ai laissé le *Tahitien*. Après huit mois d'absence. Non,

11

neuf, à cause de certaines avaries. Au cours desquels je t'ai téléphoné presque chaque quinzaine par l'intermédiaire du CRM (Centre de radio maritime) à vingt-huit francs lourds la minute. Tu étais habituée à mes longs silences. Cela fait partie de la condition des navigateurs. Je voulais te ménager cette surprise de la gare de Lyon : « J'arrive ce soir à 19 h 31. Viens m'attendre à la gare de Riom. »

Résultat : Madame n'est point au bout du fil. Je ferai seul la marche de la gare à la rue du Commerce, en la seule compagnie de la noix de coco que je t'apporte du Pacifique.

J'abandonne le téléphone. Arrêt devant le stand à livres et à journaux. J'achète *La Montagne*. Coup d'œil aux dernières nouvelles du 12 mai 1975 :

« Saigon devient Ville-Hô Chi Minh. Le 30 avril, à 5 h 18, heure française, les troupes du Viêt-cong venues du nord sont entrées dans l'ancienne Saigon, rebaptisée Ville-Hô Chi Minh, en souvenir du dirigeant de la lutte pour l'indépendance. Toute trace du régime Thieu est effacée. Partout flotte le drapeau national viêt, deux bandes horizontales bleue et rouge, frappées d'une étoile jaune. Les soldats du Sud jettent leur uniforme aux orties et s'enfuient en caleçons. Les minijupes des filles sont remplacées par la tunique et le pantalon traditionnels. Les bars, les cinémas, les bordels sont fermés. On gratte sur les murs les affiches, les mots d'ordre de Thieu. Ledit général s'est envolé avec les derniers conseillers américains… »

D'accord. Je ne reverrai plus Saigon. Je n'embaucherai plus une de ces petites lingères aux pieds nus qui offraient aux navigateurs leurs services de toutes sortes. Je souhaite beaucoup de plaisir à Ville-Hô Chi Minh.

On dit là-bas plus familièrement « l'oncle Hô ». Son pseudonyme signifie… « Qui apporte la lumière ». Il s'appelait réellement Nguyen Aï Quoc. A moins que ce ne fût Nguyen Tat Thanh. De toute façon, Nguyen-Quelque-Chose comme la plupart des hommes. Il avait une barbe de bouc, signe indubitable de sagesse. Adieu donc, Indochine qui n'était ni l'Inde ni la Chine. Salut, Viêt Nam, « Lointain Sud », tombé entre les mains du Viêt-cong, « Pouvoir rouge » après la disparition du Viêt-minh, « Ligue pour l'indépendance ». Quels que soient ton nom et ton régime, tu as cessé de m'intéresser. Si par hasard ma barque me transportait une fois encore dans une de tes baies, je ne foulerais plus ton sol de mes semelles.

Au guichet, je demande enfin mon billet :
— Un aller simple, seconde classe, pour Riom.
— Riom-le-Beau ou Riom-ès-Montagnes ?
C'est vrai qu'il y en a deux : celui du Cantal et celui du Puy-de-Dôme ; celui des fromages et celui du tabac. Où tu habites. Où ton téléphone reste muet. Cela me rappelle le voyage au Japon de mon oncle Saturnin. Charcutier à Rouillas, non loin de la Veyre où nous allions ensemble pêcher la truite. En fait, voisinent deux Rouillas, aussi minuscules l'un que l'autre : Rouillas-Bas, le long de la départementale qui court vers Saint-Saturnin, et Rouillas-Haut, accroché à la montagne de la Serre. Quatre pelés et trois tondus habitent le premier ; quatre tondus et trois pelés le second. Le fils de Saturnin, mon cousin Léon, est parti s'installer à Yokohama vendre des saucisses et du boudin d'Auvergne. Il paraît que les Japonais en raffolent

et Léon ramasse les yens à la pelle. Un jour, Léon invite son père à lui rendre visite. Un voyage compliqué, par le pôle Nord où vivent les ours blancs. L'oncle constate que les Nippons sont informés de tout ce qui se passe chez nous. Ils entretiennent une armée d'espions qui photographient nos trains, nos avions, nos chaussures, nos couteaux, nos chapelets, et ils les reproduisent. Saturnin reste un mois au Japon, se nourrissant de boudins et de saucisses. Et aussi, de temps en temps, pour changer, de riz aux baguettes. Puis il décide de rentrer. Accompagné de son fils Léon, il se rend dans une agence de voyages pour acheter un billet. On le reçoit avec le sourire, on lui demande : « Quelle est la destination de l'honorable voyageur ? — Rouillas, dans le Puy-de-Dôme, en France », répond Saturnin. Et le préposé, avec sa voix de canard : « Rouillas-Bas ou Rouillas-Haut ? »

C'est assez dire si les Japonais connaissent l'Auvergne dans tous ses replis.

— Riom-le-Beau ou Riom-ès-Montagnes ? me demande le guichetier parisien de la SNCF.

— Riom-le-Beau.

Longtemps, Riom voulut être la capitale de l'Auvergne pour faire bisquer Clermont-le-Riche. En fin de compte, il y eut un partage des pouvoirs : Clermont reçut la préfecture et la cathédrale, Riom la cour d'appel avec juridiction sur quatre départements. Riom est donc une ville de robins, magistrats, avoués, avocats, notaires, pères maristes, curés et vicaires, bonnes sœurs, astrologues. Il est difficile d'y jeter une pierre en l'air sans qu'elle n'assomme en retombant un porteur ou une porteuse de robe noire. Un jour, je m'y suis essayé et, malgré mon peu d'entraînement, j'en ai assommé deux d'un coup.

Le guichetier me glisse mon billet de carton. Deux heures d'attente. Je ressors de la gare. Pont d'Austerlitz. Je hume l'air de Paris. Plutôt nauséeux, puanteur de la Seine-égout, des péniches pinardières, des gaz d'échappement. N'importe, j'ai besoin de dépaysement. L'océan, lui, ne sent rien. Mais voici une odeur nouvelle, je la hume, je l'engouffre, je la suis. Elle m'amène à la baraque d'un vendeur de guimauve ardéchois. L'Ardèche, je connais, tu m'as souvent raconté ton stage à la Grangeasse, près de Lamastre.

— Je croyais, dis-je, que les Ardéchois vendaient uniquement des marrons chauds.

— L'hiver, je fais les châtaignes grillées. Au printemps, je fais la guimauve. En été, je fais les glaces.

Entre ses mains, l'écheveau scintillant de la pâte s'étire et s'enroule comme un boa constrictor. J'en achète six bâtons, encore tièdes, que je destine à Jeannette.

Il n'est à Riom — comme ici — que 13 h 30. Tu es sans doute en visite chez une de tes amies. Ou à la bibliothèque municipale. Ou au palais de justice. Tu fréquentes la cour d'assises comme d'autres vont au cinéma. Tu adores les beaux procès où sont jugés des assassins, des violeurs, des pères incestueux, des étrangleurs de vieilles dames. C'est plus excitant que les films de Hitchcock parce que c'est vrai. Les rôles sont tenus par des criminels authentiques, non par des acteurs. On ne sait pas d'avance quel en sera le dénouement, le verdict. C'est terriblement *thrilling*.

Deux heures donc à tuer avant le départ de mon

train. Je me promène dans Paris en pleine pollution. Pas un souffle d'air. Un brouillard opaque enveloppe la ville. Souvent, là-bas, j'ai rêvé de brouillard. D'un vrai, pas de celui-ci. Brouillard d'automne, brouillard d'hiver. Bon à manger avec des châtaignes ardéchoises. J'arrive des tropiques, de pays où le brouillard n'existe pas, tantôt noyés dans la mousson, tantôt brûlés par le soleil. Je m'enfonce avec dégoût dans cette ouate grise qui m'emmitonne sans me protéger. Je longe la murette du quai Saint-Bernard.

— T'as pas un franc ?

Avec toute sa barbe et tous ses cheveux, le clochard ressemble à un chardon-soleil. Principale différence entre les mendiants d'ici et ceux du tiers-monde, du quart-monde : les nôtres sont presque toujours des adultes. Excepté, de loin en loin, un nourrisson à la mamelle tétant une Manouche. A Calcutta, à Manille, les enfants mendient par troupeaux. On ne sait à qui donner. Au mien, j'accorde dix balles, avec l'espérance que cette charité me vaudra la faveur du ciel ; que j'entendrai bientôt ma femme au bout du fil. Il m'arrive d'être un bon chrétien par calcul. Et les autres, pas ? Les rats d'église, les punaises de sacristie, les jansénistes, les zélotes, les retirés du monde ? Sont-ils plus désintéressés que moi ? Ceux qui brûlent un cierge de cent sous pour obtenir une faveur inestimable ? Ceux qui pratiquent le pari de Pascal ? Sacré Blaise ! Il me fera toujours rire avec son marché d'Auvergnat.

La Seine coule à mes pieds. Né en mars, sous le signe des Poissons, l'eau a fait de moi ce que je suis.

De temps en temps, une péniche meugle avec sa

corne de brume. A sa poupe, l'hélice produit un bouillon d'écume. Les passants se frôlent sans se voir, mon havre-sac n'intrigue personne. Chacun court derrière son gibier. Les Parisiens sont pressés par nature, ils ont toujours un quart d'heure de retard. Moi je me promène, je flâne, je musarde, je n'ai aucune raison de courir. Ma lenteur est une provocation, elle oblige les autres à zigzaguer. Je parle aux pigeons. Je parle aux chats. Mon train part à 15 h 20. Ainsi, j'atteins le pont de la Tournelle. Salutations à sainte Geneviève. Au loin, les tours de Notre-Dame, deux grandes et une petite. Sur la chaussée, l'intensité du trafic m'étourdit. Sur les trottoirs, l'indifférence des piétons m'écœure. Je reviens sur mes pas.

Le même clochard me redemande un franc.

— Je t'ai déjà donné.

— Excuse, je t'avais pas reconnu.

Je pense toujours au téléphone muet. Pour doubler mes chances, je lui refile encore cent sous. J'appartiens à une génération qui comptait en sous les petites sommes : cinq sous, dix sous, il lui manque dix-neuf sous pour faire un franc. Le mot reste dans notre vocabulaire même si le sou est en fait démonétisé. Je suis né en 1945. J'ai donc trente ans. A la fête des Salins, à Clermont, les manèges des chevaux de bois affichaient : *10 sous la partie*. Le franc Pinay a tué les sous. La pièce de cinq centimes, pas plus grosse qu'une lentille, ne mérite pas le nom de sou.

— C'est trop, dit le mendiant. Je voudrais pas te ruiner.

Nous nous tutoyons comme de vieux amis. Je lui fais aussi l'aumône d'une poignée de main. Il a l'air d'apprécier. Ce n'est pas si souvent que...

Par chance, il n'y a que deux personnes devant les cabines téléphoniques. Je fais la queue. Nouvel appel, nouveau silence. Je regrette mes quinze balles au clochard. Elles ne m'ont valu aucune retombée céleste.

Encore une heure à tirer. Je ne vais pas la passer à téléphoner toutes les dix minutes. Dans la salle d'attente, je m'installe sur une banquette, mon havresac près de moi, que gonfle la noix de coco. Peu de monde. Un haut-parleur annonce les départs. Ça sort, ça entre. Un moment, je me trouve seul dans ce local sinistre qui pue le jus de chaussettes et la pipe froide. Entre un homme, ni jeune ni vieux. Bien peigné, bien rasé, bien mis. Moustache et barbichette à la Mistral. Il me demande la permission de s'asseoir près de moi bien que trente autres places soient disponibles. Il se présente :

— Je suis homme de compagnie. Je ne fais pas la manche. Le client paie mon entretien selon ce qu'il lui semble valoir. Désirez-vous que nous fassions un bout d'essai ? Cela ne vous engage à rien.

— Pourquoi pas ?

— J'ai fait des études qui auraient pu me conduire à un emploi régulier dans une grande école, une université. Mais j'ai en horreur le métier de fonctionnaire. J'aime ma liberté totale. De quoi voulez-vous que nous conversions ? De religion ? De littérature ? De politique ? De cuisine ?

— De ce qui vous plaira.

— Alors, puisque vous me laissez toute franchise, je commencerai par la politique. Que pensez-vous de cette phrase d'Albert Camus dans son *Caligula* : « Gouverner, c'est voler ; mais il y a la manière » ?

18

— Elle veut signifier que tous les gouvernants sont des voleurs. C'est sans doute excessif.

— Elle concerne, je pense, surtout les politiciens de poids, ceux qui ont d'importantes responsabilités financières. Non les maires des petites communes.

— Cette malhonnêteté est probablement plus à son aise encore dans un régime despotique qu'en démocratie.

— Montesquieu affirmait que la vertu doit être le premier ressort d'un «Etat populaire», c'est-à-dire démocratique. C'est malheureusement, me semble-t-il, une fleur rarissime dans ce jardin. Aussi bien que dans l'autre. La seule différence : en démocratie, les tricheries finissent par se savoir, grâce à une presse libre ; en autocratie, elles restent ignorées.

— Pas toujours, dis-je. Rappelez-vous le collier de la reine.

— Une seule émerge sur mille ou dix mille englouties. Il est permis à un prince omnipotent de commettre toutes les malversations qu'il veut puisqu'il n'a de comptes à rendre à personne. Il ne s'en prive pas. Napoléon, Hitler, Staline, Franco furent de fameux gredins qui ne passèrent jamais en justice. Mais une démocratie a le droit et le devoir de juger ses gouvernants. D'où cette nécessité chez eux de ce ressort : la vertu.

— Et que peut-on faire pour remédier à la malhonnêteté des politiciens ?

— J'ai une petite proposition. Une mesure purement symbolique, mais qui pourrait avoir des effets moraux intéressants.

— Dites un peu.

— Il faudrait obliger ces messieurs, ministres,

présidents de ceci, présidents de cela, tous ceux qui ont des relations intimes avec l'argent des contribuables et des entrepreneurs, les obliger, dis-je, à porter des vêtements sans poches. Afin qu'ils ne puissent les remplir.

— Et leur mouchoir ?

— Ils se moucheraient avec les doigts.

Je profite d'un moment où il reprend son souffle pour tirer de la mienne un paquet de cigarettes. Je lui en offre une.

— Non, merci. C'est mauvais pour la santé.

— Vous permettez quand même que j'en grille une ?

— Vous êtes libre de vous suicider à petit feu. « L'homme, dit Goethe, ne meurt pas, il se tue. » C'est une drogue. Savez-vous ce qu'on devrait faire ? Obliger les enfants des écoles maternelles à fumer une cigarette. Afin de les en dégoûter à jamais.

— Ecrivez au ministre de l'Education nationale pour lui proposer votre idée.

— J'y songe... Est-ce que je continue de vous entretenir ?

— Encore un peu.

Après la politique, nous parlons du sport. Mon philosophe évoque l'engouement forcené que les peuples manifestent envers le foot.

— Ce n'est qu'un jeu. Comme les quilles. Comme la pétanque. Mais les fanatiques y voient une petite guerre. Chaque succès devient pour eux une victoire nationale aussi importante que Waterloo ou Verdun. Afin de combattre ce chauvinisme imbécile, j'ai une troisième proposition : qu'on ne joue jamais les hymnes patriotiques au moment de la présentation des équipes. *La Marseillaise* serait remplacée par un petit air folklorique guilleret, comme *Cadet Rousselle*. Le *God save the Queen* par *O my darling Clementine*. Le *Deutschland über alles* par *Silberner Degen ein goldener Knopf*... Ainsi l'agressivité du public ne serait plus encouragée par la musique.

Regardant ma montre, j'ai dû arrêter l'entretien. Mon philosophe s'est levé, se tenant digne devant moi, un courant d'air agitait sa barbichette. Avec discrétion, je lui ai glissé un billet dans la main. Il m'a remercié d'une courbette et je l'ai vu marcher vers un autre voyageur solitaire.

J'ai repris mon sac et me suis dirigé vers les quais. Le poinçonneur a percé un trou dans mon ticket. A un vendeur ambulant, j'ai acheté un sandwich. Je voyage en seconde classe parce que c'est moins cher et parce que la société qu'on y rencontre est plus chaleureuse qu'en première. Me voici dans le couloir, ma noix de coco toujours dans l'échine. Je dois circuler. Pardon madame... Pardon monsieur... Enfin je trouve une place.

— En voiture ! En voiture !

Coup de sifflet. Le train démarre. Adieux touchants à travers la vitre. Nous sommes douze, six de chaque côté, destinés à vivre ensemble plusieurs heures. D'abord, je ferme les yeux, je me replie sur moi-même, je pense à toi. A ce petit appartement que nous avons choisi, meublé, orné en plein accord. Les murs sont couverts de bateaux : ceux où j'ai servi, celui où je sers. Le *Gers*, bitumier, construit en Norvège, appartenant à Petromer. Le *Jocelyn*, construit au Havre, qui, inversement, naviguait sous pavillon norvégien. Les bateaux sont comme les joueurs de foot professionnels qui passent d'un pays à l'autre. Les bateaux et les hommes se francisent, s'anglicisent, se germanisent. Le *Tahitien*, mon navire actuel, a été construit aux chantiers de Kiel, en Allemagne, sous le nom de *Korrigan*. C'est un porte-conteneurs de 48 850 tonnes, à 8 cales et 29 panneaux. Passé à la CMM en 1972.

Je vois les objets rapportés de tous les coins du monde. Une table marocaine tressée. Une chaise berceuse tonkinoise. Des tapis de Kairouan. Une lanterne chinoise. Une guitare congolaise appelée *botca*. Et je te vois au milieu de tous ces bibelots, époussetant, astiquant, amoureuse de tes meubles, de tes casseroles, de ta vaisselle, toi qui n'as jamais rien possédé que ta peau et tes cheveux jusqu'à ce que je te rencontre. Et puis… j'oubliais… je vois aussi Jeannette, ta fille, la mienne puisque je l'ai reconnue en lui donnant mon nom. Je ne suis pas sûr qu'elle m'aime, mais elle me supporte. Je n'ai pas eu le temps, pas assez pris la peine sans doute de me faire aimer. Nous nous voyons si peu souvent ! L'amour a besoin de durée. Tu ne lui as jamais conseillé de m'appeler papa. Elle m'appelle Raoul, par mon prénom. En revanche, mon père Auguste est fou d'elle. Il la nomme sa Plampougnette. Forme féminine de Plampougnis, le Petit Poucet auvergnat.

Je rouvre les yeux. Ça bavarde ferme autour de moi. Voyageurs et voyageuses se font des confidences à voix assez forte pour que les voisins n'en perdent pas un mot. Juste en face de moi, une grand-mère et son petit-fils de cinq ou six ans. Genre affreux jojo. Elle, complètement dépassée par la situation.

— Tutur, tiens-toi tranquille !

Il se lève, il va à la vitre, il marche sur les pieds

de l'assistance, il se rassoit, il a faim, il a soif, il s'ennuie, il déconne comme une grande personne, il empêche les autres de déconner. Il veut faire pipi : l'aïeule l'accompagne aux waters. Ouf ! On respire un moment.

— Y a des gosses vraiment mal élevés ! soupire une dame.

— De la graine de voyou ! complète son mari.

Les deux autres reviennent. Le chiard recommence son manège.

Alors, profitant de ma stature — je suis plutôt le genre armoire à glace —, la grand-mère menace :

— Tutur, si tu ne te tiens pas tranquille, le monsieur va te mettre dans son sac.

J'accepte le rôle du croque-mitaine :

— Ça tombe bien. Y en a déjà un. Ils se tiendront compagnie.

Le môme me regarde, secoue la tête, fait une grimace :

— C'est même pas vrai.

— Tu veux vérifier ? Tiens, touche sa tête.

Je descends le havresac, je fais saillir la noix de coco. Il n'ose avancer la main. Il fait seulement remarquer :

— Il bouge pas.

— Bien sûr, puisqu'il est mort.

— Mort ?

— Etranglé.

Je fais le geste. Les voisins étouffent leur rire, excepté ceux qui me croient un peu. Tutur est de ceux-ci, il se presse contre l'aïeule. Il n'ose plus ouvrir le bec. Je demande :

— Vous allez loin ?

— A Montargis.

Deo gratias, ils descendent à la prochaine. Je

remets mon sac dans le filet. Fatigué d'émotions, le chiard finit par s'endormir contre la hanche de sa mère-grand. Je referme les yeux et les oreilles. Je repense à toi.

Nous nous sommes rencontrés à Marseille en 1968. Tu avais vingt et un ans, moi deux de plus. Dans le quartier de la Madeleine. J'arrivais d'Australie sur le *Jason* avec un chargement de gigots surgelés. Je suis entré au restaurant *Kapok* par hasard. Cuisine indochinoise. On avait encore quelque peine à prononcer « vietnamienne ». Toute vêtue de blanc, en pantalon et tunique ouverte sur les côtés telle une légère chasuble, tu servais à des Italiens, des Anglais, des Marseillais des galettes de crevettes, des nems, des cœurs de bambou, des omelettes au crabe, du canard laqué, le tout arrosé de thé et de vin de riz. J'ai remarqué que tu n'étais pas une Asiate pure, que dans tes veines circulaient des sangs mêlés. Assez petite, la peau blanche, les cheveux noués en catogan derrière la nuque, les yeux à peine mandorlés, tu étais le type même de l'Eurasienne née d'un amour, d'une relation entre nos deux continents. Tu manifestais une certaine froideur, un manque d'intérêt, me semblait-il, pour cette besogne de serveuse. Tu es venue prendre ma commande, m'expliquer le menu :

— Le *bahmi*, qu'est-ce que c'est ?

— Un assortiment de viande et de poisson bien épicé, avec des oignons hachés et des nouilles.

— Marchons pour le *bahmi*. Et du riz, naturellement.

— Baguettes ou fourchette ?

— Baguettes.

J'ai acquis une certaine dextérité à leur maniement et je me plais à en faire étalage. Tu en as pris note. Tes yeux me frôlaient à peine.

— Et comme dessert ?

— Salade de fruits asiatiques.

D'avance, je savais ce qu'il y aurait dedans : morceaux de mangue, de pomme-cannelle, inévitables litchis. Tu étais sur le point de partir, je te retins :

— S'il vous plaît.

Tu fus bien obligée de tourner vers moi tes yeux : sombres, avec des rayons, on aurait dit des pâquerettes noires.

— Autre chose ?

— Vous parlez le français sans aucune trace d'accent indochinois.

— C'est que je suis venue en France toute petite. On s'est arrangé pour me faire oublier ma langue maternelle. Je n'en sais plus rien du tout.

— Dommage. Plusieurs langues, c'est comme plusieurs clés : ça ouvre plusieurs portes.

Tu haussas les épaules. Tu allais enfin t'éloigner pour porter ma commande au *Con dan bép*, à la tête du fourneau, au chef cuisinier, au patron. (Je connais sans doute plus de vocables annamites que toi.) J'ai levé la main pour te retenir un moment encore :

— Il y a une denrée que vous ne semblez pas servir dans cet établissement.

— Laquelle ?

— Le sourire.

Second haussement d'épaules. Cependant, désireuse de satisfaire la clientèle, quand tu es revenue avec un bol de *bahmi*, tu l'as accompagné d'un sourire, mais si mince que je l'ai deviné plus que remarqué. Après quoi, je t'ai observée allant d'une table à l'autre, toujours froide, toujours empressée. Tu m'apportas la théière avec une petite tasse. Pas de sucre.

Telle fut notre première rencontre. Plutôt malencontre. Après quatre mois de navigation dans le Pacifique et l'océan Indien, j'avais droit à six semaines de congé, ce qui me permettrait de pêcher la truite dans la Veyre et la carpe dans le lac d'Aydat en compagnie de mon oncle Saturnin. Mon père Auguste, ma mère Augusta m'attendaient en Auvergne. Or voici que, après le *Kapok*, j'éprouvais la démangeaison de me promener dans Marseille, de flairer l'odeur des sardines rôties, de monter faire mes dévotions à la Bonne Mère, de fréquenter les bassins, les musées. Ce que je n'avais jusqu'alors jamais pensé faire. Et, deux fois chaque jour, j'allais prendre mes repas au *Kapok*. Tu venais régulièrement me proposer le menu, avec ton sourire imperceptible.

Après une semaine de ces familiarités, j'osai enfin te demander ton prénom. Et toi :

— Pourquoi voulez-vous le savoir ?

— Parce que je suis, maintenant, un vieux client de la maison.

— Béatrice. Mais on m'appelle Béa.

— C'est un très joli prénom. Vous savez ce qu'il veut dire ?

— Non.

— « Celle qui rend heureux ». Vous êtes condamnée à rendre heureuses les personnes qui vous approchent.

— Je n'ai jamais rendu heureux qui que ce soit. Je n'ai pas cette compétence.

— Ça m'étonnerait.

26

— Je le sais mieux que vous. Qu'est-ce que vous prendrez comme dessert ?

La tête du fourneau, le patron, remarqua mon assiduité. Ses cheveux blancs, ses dents bréchues, sa maigreur décelaient la septantaine. Une voix de canard, comme chez tous les Asiates. Un soir que j'étais resté un moment seul dans la salle, il vint me parler, me proposant, puisque je mangeais chez lui deux fois par jour, de me prendre comme pensionnaire, à un prix intéressant.

— Je ne compte pas rester à Marseille plus d'une dizaine de jours. Ensuite, je pars pour l'Auvergne.

— L'Auvergne ? Je connais. Les fusils de chasse, les bicyclettes...

— Non, ça, c'est Saint-Etienne. La porte à côté. L'Auvergne, c'est plutôt les couteaux, les pneus Michelin.

— Oui, oui, Michelin, je connais. Plantations d'arbres à caoutchouc.

Il parle un excellent français. Il a fréquenté une école française avant la guerre, La Fontaine, Robespierre, Victor Hugo, il connaît tout ça. A Saigon, il était cuisinier à l'hôtel *Métropole*. Ensuite, il y a eu Hô Chi Minh, et Diên Biên Phu. Il est parti avec sa famille. Ils se sont installés à Marseille. Voilà l'histoire du *Kapok*.

— Et Béatrice, c'est votre fille ?

— Non, non. Une petite Cholonnaise. Fille d'un militaire français. Orpheline. Venue en France à huit ou neuf ans. Protégée par la FOEFI. La Fédération des œuvres françaises en Indochine. Elle a beaucoup voyagé. Mais la voici chez moi en sécurité. Je compte la marier à un de mes fils.

Celui-ci, je le connaissais. L'opposé de son

père : chauve, joufflu, ventru. Il passait entre les tables, promenait partout, y compris sur toi, son regard de propriétaire. Tu étais donc inaccessible. Destinée à ce poussah. Il ferait ce qu'il voudrait de ta figure encore un peu enfantine, de ton corps que je devinais charmant sous l'*Ao Daï*, la tunique fendue ; il te pétrirait de ses mains boudinées. Et c'est d'abord ce qui, tout de suite, me passionna : ton inaccessibilité. Le guide chamoniard Jacques Balmat dut éprouver un sentiment comparable en considérant vers 1780 le plus haut sommet des Alpes. Tu étais mon petit mont Blanc.

La nuit suivante, je rêvai de toi. Je te vis en robe blanche et couronnée de seringa. C'est un signe qui ne trompe point.

Le lendemain, je pris le train pour l'Auvergne.

La grand-mère et son affreux jojo sont en effet descendus à Montargis. Remplacés par deux femmes qui entrent en riant comme des canes. La cinquantaine avancée. L'une, vêtue comme une minette, bas résille, jupe courte, buste bien soutenu, se penche vers l'autre. Et celle-ci, époustouflée :

— Quelle merveille ! Quelle merveille ! A nos âges !

— Y a pas d'âge, dit Blaise Pascal.

— Mon Dieu ! Si Blaise Pascal s'en mêle ! Mais, dans ce domaine, tu as plus d'expérience que moi.

La minette lui envoie une tape sur les mains. Elle a les dents d'une blancheur de porcelaine, les lèvres vermillonnées. Je crois deviner la confidence : « Je suis amoureuse ! » Ou bien : « J'ai un autre amant ! » Toutes deux pourraient être ma mère. Je connais bien Blaise Pascal, mon compatriote, mon voisin de Clermont. Il fait semblant d'encourager les amours tardives : « L'amour n'a point d'âge. Il est toujours naissant. » En fait, il veut dire tout autre chose : un amour déjà vieux de trente, quarante, cinquante ans a la même fraîcheur que s'il venait de naître ; il procure autant de plaisirs que de chagrins ; le temps n'a pas de prise sur lui. Je peux affirmer aujourd'hui, 12 mai 1975, après cinq ans d'usage, qu'il en est bien ainsi du mien pour toi. Qu'en est-il du tien ? Puis-je croire que tu m'aimes alors que ton téléphone refuse de me répondre ?

Pendant que les deux quinquagénaires poursuivent leurs chuchotements, je me lève afin de me dégourdir les genoux, je passe dans le couloir. Sous mes yeux, défilent la plaine du Gâtinais, les meules de paille bâchées, les clochers pointus. A Gien, nous atteignons la Loire en demi-crue ; elle passe à peine sous le pont. Nous la suivons jusqu'à Nevers. Nouveaux échanges de voyageurs. Dans deux heures, j'atteindrai Riom. Tu ne seras pas à la gare pour te jeter dans mes bras.

A mon retour d'Aydat, je devais rejoindre le bord du *Jason* le 12 juin 1968. A toutes fins utiles, j'arrivai à Marseille le 8. Comme par hasard, je me trouvai sur le midi au restaurant *Kapok*, qui n'était qu'à quelques pas de Saint-Charles. Tout semblait m'y attendre, le *Con dan bép*, sa femme, son fils, ma table habituelle. Excepté Béa. Au garçon qui me servit, je demandai de ses nouvelles. Il voulut bien me renseigner :

— C'est son jour de repos. Elle aime aller au zoo.

Muni de mes baguettes, je consommai mon riz jusqu'au dernier grain ; je bus mon thé ; je réglai l'addition.

— A ce soir ! me lança le garçon avec un rien d'ironie dans le sourire.

Pourvu de ce seul indice, pareil à celui qu'on fournit aux chasseurs de trésors, je remontai le boulevard Longchamp. Au-delà du palais homonyme, j'entrai dans le zoo, où se promenaient plusieurs centaines de visiteurs. Chercher Béa dans cette foule, c'était comme chercher une aiguille dans un char de foin. Au loin, sur sa colline, la Bonne Mère m'observait. Il m'arrive de temps en temps, comme j'ai dit, de prier la Vierge quand je n'ai pas d'autre recours. Je levai les yeux vers elle et, prenant l'accent de Marseille pour être mieux entendu, je prononçai une courte oraison :

— Bonne Mère ! Té ! Si vous vouliez bien mettre Béa sur mon chemin, je vous en aurais une reconnaissance infinie.

Je commençai de rôder çà et là, passant des singes aux girafes, des chacals aux ours, des dromadaires aux serpents à sonnette. Pas trace de Béatrice. Je m'attardai au coin des enfants, occupés à fouir le sable, sous l'œil des mères et des nourrices.

Et voici que le miracle se produisit ! Je reconnus soudain un profil, un catogan noir sur une nuque, des cheveux tirés, un œil à peine bridé. Mon cœur sauta sous mes côtes. Assise sur un banc vert à l'ombre d'un tilleul, vêtue comme toutes les jeunes femmes libérées, c'est-à-dire n'importe comment, un foulard jaune au cou, une jupe écossaise, des sandales blanches, tu tricotais, les yeux baissés, dans une pose très *Dentellière*, digne de l'école de Delft. Jetant parfois un vague regard sur les chiards

30

éparpillés, tandis que tes doigts et leurs aiguilles menaient leur passacaille.

Comme le jaguar qui veut sauter sur la gazelle, je m'approchai par-derrière, sans être vu. Je murmurai :

— Béa !

Un coup de canon ne t'aurait pas fait sursauter davantage. Tu te retournas, tu me reconnus :

— Vous !

— Je m'appelle Raoul Mercier. Comme le champagne. Mais je suis officier mécanicien aux Messageries Maritimes. J'ai vingt-trois ans. Dans quatre jours, je m'embarque sur le *Jason*. Voulez-vous savoir ce que je gagne ?

— Je n'en ai rien à faire.

Je te le dis quand même, en comptant les primes. Retraite à cinquante-cinq ans. Les chiffres ne te produisirent aucun effet. Je sortis alors une photo de mon portefeuille et la lui glissai de force entre les mains. On m'y voyait en casquette et uniforme blancs à l'ombre d'un cocotier. Ça jetait un jus terrible. Rien qu'avec ce portrait j'avais fait tomber une douzaine de pépées aux Indes, au Brésil, à Madagascar. Il est vrai que là-bas les filles tombent facilement. Et toi :

— Qu'est-ce que c'est ?

— Une preuve. De ce que je suis. Est-ce que ça me ressemble ?

— A quoi jouez-vous ?

— Je ne joue pas. Je suis très sérieux.

— Dites-moi ce que signifie votre présentation.

Et moi, retirant ma casquette pour plus de gravité :

— Voulez-vous être ma femme ?

— Votre… ?

Tu éclatas de rire. Un rire de surface, non des profondeurs. Je me tenais debout devant toi, toujours assise en compagnie de ton tricot. Tu t'écartas vers une extrémité du banc, comme si tu allais fuir ce maboul qui te demandait en mariage. Je ne bougeai pas d'une ligne. Peu à peu, tu redevins grave :

— Vous ne me connaissez pas. Savez-vous si je ne suis pas déjà mariée ?

— Vous n'avez pas d'anneau.

— Ça ne prouve rien. Pour faire la plonge au *Kapok* je n'ai pas besoin de bague. Pourquoi voudriez-vous que je vous épouse ?

— Parce que je suis amoureux de vous. Ça m'a pris au premier regard. On appelle ça le coup de foudre.

— J'ai peine à vous croire. Comment ressentez-vous cet amour ? Qu'est-ce que ça vous fait ?

Je posai une main sur ma poitrine, j'expliquai qu'il me gonflait le cœur, les poumons, l'estomac, le sexe.

— Vous vous trompez sûrement. Ce que vous prenez pour un gonflement d'amour est peut-être simplement de l'aérophagie. Ça gêne la digestion. Le fils de mon patron en souffre aussi. Il vous faut prendre après les repas une infusion de marjolaine. Elle vous fera roter l'air en excès. Nous avons dans le quartier de la Madeleine un bon médecin chinois.

Tu te foutais carrément de ma fiole. Je jurai que je ne roterais jamais mes sentiments. Que tu étais la femme de ma vie. Ta réponse :

— Alors, je vous plains. Je suis infréquentable.

— Comment ça ?

— J'ai un caractère de chien. Quand je suis en colère, j'aboie, je mords. Mais j'ai aussi un caractère de chèvre. Je n'obéis à personne, je n'en fais qu'à ma tête.

— Jamais je ne vous demanderai l'obéissance.

— On me l'a dit mille fois : «Tu es une sale bête!» Ah! je pourrais vous en raconter de belles que j'ai commises! Les sœurs me l'ont assez répété : je n'ai aucune qualité, je n'ai que des défauts.

— Quelles sœurs ?

— Les religieuses qui m'ont élevée. J'ai été enfermée dans deux couvents. Mais elles ont fini par m'ouvrir la porte pour que je m'envole.

— Quand nous serons ensemble, j'arrangerai ça. Je reprendrai votre éducation.

— Je suis inéducable. Une vraie sauvage.

— Je vous apprivoiserai.

— Il n'est pas possible qu'on m'aime.

— Voulez-vous parier ?

J'ai toujours aimé les défis. C'est un peu par défi que je suis devenu marin, moi, fils, petit-fils, arrière-arrière-petit-fils de culs-terreux. Les mains retenues sur tes genoux par le tricot, tu te taisais enfin. Tu me regardais. Je te regardais. Oh! tes yeux obliques! Oh! tes cheveux luisants et noirs comme l'ébène! Oh! ton nez adorable! Oh! ceci! Oh! cela! Je me sentais gonflé d'amour de la tête aux pieds. Tu semblas avoir enfin conscience de cet effet pneumatique. Je crus voir… je vis réellement tes lèvres s'écarter… me faire cadeau d'un vrai sourire… et de cette confidence :

— J'ai vingt et un ans.

Nos âges s'accordaient à merveille. Et puisque tu m'avais révélé le tien, c'est que les négociations ne se trouvaient pas rompues. Il restait un point litigieux :

— Vous dites que vous m'aimez ? Mais moi, je ne vous aime pas.

— L'amour est contagieux, comme la scarlatine.

— Je l'ai eue dans mon enfance. A présent, j'en suis préservée.

J'avançai une main, avec l'espoir que tu y placerais la tienne. Tu compris cet appel, nos paumes s'effleurèrent, pour un geste de simple urbanité. Très vite, la tienne se retira.

— Dans mon pays, quand les petits garçons et les petites filles doivent se donner la main en jouant, elles enveloppent la leur d'un mouchoir.

Autour de nous, les hirondelles criaient en rasant le sol du parc zoologique. Et soudain :

— Vous dites que vous m'aimez ?... On va voir si c'est vrai.

Tu appelas, vers les enfants qui jouaient dans le sable :

— Jeannette ! Jeannette !

Pour des raisons peu claires, je n'ai aucune sympathie pour les enfants des autres. Sans doute parce que je vois chez la plupart des êtres trompeurs, qui n'annoncent en rien ce qu'ils deviendront à l'âge adulte. On dit que le petit Napoléon Bonaparte avait peur du bruit et du sang ; que son père Charles refusait de l'emmener à la chasse. On dit qu'Adolf Hitler fut un bébé adorable. Qu'Albert Einstein se complaisait à mutiler des insectes et à étouffer des pigeons. Mais que seront mes sentiments lorsque j'aurai des enfants à moi ?

Du groupe des chiards sortit une gamine d'environ deux ans, avec des fossettes plein les joues, des dents de lait plein la bouche. Et toi, un regard vers elle, un autre vers moi :

— Je vous présente ma fille Jeannette.

J'ai des yeux pour voir. Et je n'eus pas d'effort à fournir pour répondre :

— Elle est jolie comme une fleur.

La petite se tenait loin de moi, les bras serrés autour de tes genoux, protégeant sa mère contre mes entreprises. Tu jugeas bon de m'expliquer un peu :

— Non, je ne suis pas mariée. Cette enfant est le résultat d'une rencontre accidentelle. A dix-huit ans, j'ai connu un garçon qui semblait très désireux de m'épouser. Cela se passait... Peu importe le lieu... Mais ensuite, il est décédé sans avoir eu le temps de tenir sa promesse. J'ai été veuve avant d'être mariée. Voilà. Il m'a laissé ce souvenir.

— Je comprends, dis-je, un peu amer. Vous avez beaucoup voyagé, comme m'a dit votre patron du *Kapok*. Si j'avais su, j'aurais apporté des sucettes. J'en apporterai la prochaine fois.

— J'aime pas les sucettes, ça colle, me prévint la chiarde.

Et toi :

— Question langage, elle est très en avance. Elle parle comme un avocat.

— J'apporterai des caramels.

— Est-ce qu'il y aura une autre fois ?

— Cela ne dépend que de vous. Je pars pour quatre mois. Si à mon retour je vous trouve dans des dispositions favorables, nous reprendrons cette conversation.

Moulins. Cinq minutes d'arrêt. Théodore de Banville. *Nous sommes les petits lapins / Assis sur nos petits derrières*. Moulins aux beaux clochers.

Le beffroi et son jacquemard. Jacot, Jacquette en espoir de maternité, Jacquelin et Jacqueline.

On repart. Le pont du chemin de fer gronde sous nos roues. Au-delà de la ville, je distingue le pont en pierre de Règemortes, il franchit l'Allier en treize enjambées. Des mouettes volent sur la rivière, venues de l'océan, je reconnais leurs cris et leurs ailes.

Dans le compartiment, tout le monde dort ou fait semblant.

Est-ce ce même soir que Ngo, le fils du *Con dan bép*, te fit sa demande ? Avait-il deviné la mienne ? Jeannette se trouvait à l'étage en compagnie de la patronne, qui se plaisait à jouer à la grand-mère. Au rez-de-chaussée, le patron et toi, vous étiez occupés à débarrasser les tables lorsque le poussah se mit à te parler dans sa langue maternelle. Tu protestas que tu ne comprenais plus un mot d'indochinois, qu'il était inutile de vouloir te rafraîchir la mémoire, un membre coupé ne repousse pas.

— Il faut dire vietnamien, non plus indochinois, qui est un vocable colonialiste.

— OK.

— Il ne faut pas dire OK non plus. C'est de l'américain. Et les Américains sont en train de massacrer notre peuple. Ils sont pires que les Français.

Il prit dans un vase un œillet rouge et te le tendit de sa main grasse. Comme tu te contentais de remercier, il précisa que, lorsque, en Cochinchine, un garçon présente une fleur rouge à une fille, cela signifie : « Veux-tu m'épouser ? » Tu lui rendis l'œillet, disant que ça ne t'intéressait pas. Il en parut frappé de stupeur. Et toi :

— J'accepte de rester à ton service encore long-temps. De travailler le jour et la nuit. Mais je ne serai jamais ta femme. Pourquoi le serais-je ?

— Parce que j'assurerai ton avenir et celui de ton enfant.

— Pas d'autre motif ?

— Ben… il me semble que c'est suffisant.

— Tu ne sens rien ? Rien qui te gonfle ?

— Qui me gonfle ?… Qu'est-ce que tu veux dire ?

— Si tu ressentais quelque chose, tu me le dirais sans que je te le demande.

— Qu'est-ce qui devrait me gonfler ?

— Rassure-toi, je ne sens rien, moi non plus. Rien du tout quand je suis près de toi. On ne va pas se marier dans ces conditions, sans le moindre gon-flement !

Il éclata de rire :

— Mais je suis gonflé ! Ça ne te suffit pas ?

— Je ne parle pas de graisse. Je parle de senti-ment. Non merci.

Je partis sur le *Jason* livrer du vin en Nouvelle-Calédonie. Quatre mois plus tard, nous rappor-tâmes une cargaison de mattes de nickel néces-saires à la frappe des monnaies. A ton intention, deux tubercules d'igname. Cette plante produit un rhizome en forme de massue qui peut peser jusqu'à vingt kilos. On le fait cuire à l'eau ou rôtir comme notre pomme de terre. Les Kanaks qui la cultivent rendent visite à la plante chaque matin et jouent de la flûte ou chantent pour encourager sa pousse.

Sitôt débarqué à Marseille, je me rendis au *Kapok*. J'expliquai au *Con dan bép* le mode d'emploi des tubercules. Ayant pris place dans le restaurant, j'eus l'honneur d'être servi par toi comme un client ordinaire. Ton visage resta impassible quand tu m'apportas une portion de canard laqué, dont la couleur est obtenue grâce à une sauce très rouge, si bien que la peau de la volaille brille comme une laque. Tu allais de table en table. J'observais chacun de tes gestes, chaque expression de tes traits. Tu semblais ne pas me reconnaître. Au cours de ces zigzags, il t'arriva cependant, exprès ou non, de me frôler de ta tunique.

Je fis le premier geste. Tandis que tu m'apportais une seconde théière, je glissai dans ta poche ma carte de visite : *Raoul Mercier, officier mécanicien de la marine marchande-AYDAT, Puy-de-Dôme,* où j'avais écrit ces lignes : *Je vous aime. Je vous redemande en mariage, vous et votre fille. Rendez-moi cette carte avec au dos votre réponse. Si c'est non, je ne vous verrai plus.* Tu la fis attendre jusqu'au-delà des litchis. Mais lorsque, à ma requête, tu m'apportas l'addition, tu y joignis la carte, avec un *Peut-être.*

Il y eut entre nous, dans le parc du zoo, une conversation plus explicite. Tu n'arrivais pas à comprendre pourquoi je t'avais choisie.

— Est-ce que je suis la première femme de votre vie ?

— Un navigateur ! Imaginez ce qui nous arrive sur les cinq parties du monde ! Les rencontres, les facilités, mon uniforme...

— Alors, pourquoi moi ? Donnez-moi, je vous prie, quelques bonnes raisons.

— Une seule : votre singularité. Mi-asiate, mi-européenne. Sans lien avec l'arbre qui vous a produite, comme une mandarine tombée, à la merci du premier passant venu. Si vous m'acceptez, je serai pour vous un père, un frère, un mari, un amant. Je traiterai Jeannette comme ma propre fille. Je vous ferai oublier toutes les épreuves qui ont jalonné votre route depuis Saigon jusqu'ici.

Tu réfléchis à ce micmac. Enfin, tu prononças un mot qui me fit sursauter :

— Vous êtes noble.

Noble, moi ? Je me connais bien. Il m'est arrivé plus d'une fois de me comporter en parfait dégueulasse. Mais je n'allais pas te faire ce genre de révélation. J'acceptai cet adjectif, avec un sourire intérieur. Tu complétas le compliment en me tendant pour la première fois une main que je couvris de baisers, en plusieurs couches, dessus et dessous. Une main qu'aucun mouchoir n'enveloppait et dont la nudité me disait OUI.

Suivit un déménagement assez compliqué. Tu remplis de vos toilettes une valise en carton. Adieux à la famille du *Con dan bép*. Ngo serrait les lèvres et les maxillaires sans prononcer une syllabe ; mais si ses yeux avaient été des pistolets... C'est quand ils pâlissent que les Asiatiques deviennent vraiment jaunes. (Les Noirs ne changent pas, leurs rougeurs, leurs pâleurs sont toutes internes.) Jeannette passa de main en main pour les embrassades, comme le *bousset* où s'abreuvent dix moissonneurs auvergnats. Un taxi nous transporta à Saint-Charles.

Changement de train à Tarascon. Les cent tunnels du Cévenol. Je gagnai la sympathie de Jeannette au moyen de quelques Petit Lu. Et d'une chansonnette que monsieur Méliodon nous avait apprise à l'école de Sauteyras :

Il était un petit chat,
Miaou! Miaou!
Il était un petit chat
Qui n'écoutait maman ni papa.
Un jour en buvant son lait,
Miaou! Miaou!...
Il vit une mouche qui volait.

Poursuite de la mouche. Elle se sauve par la fenêtre ouverte. Le petit chat y saute aussi.

Il tomba de très très haut,
Miaou! Miaou!...
Heureusement dans un baquet d'eau.
Il en sortit frissonnant,
Miaou! Miaou!...
Mais maint'nant il écout' sa maman.

Nous avons chantonné ainsi de tunnel en tunnel. Je sentais sur moi les yeux de Béatrice, émerveillés de ma patience. A la vingtième galerie, Jeannette s'assoupit contre mon flanc. Cette tiédeur enfantine, cette tête confiante et abandonnée, ce parfum de cheveux m'emplirent d'une douce émotion, prélude à mes sentiments paternels.

Nous arrivâmes à Clermont à la nuit close. Un porteur se chargea des valises, j'avais les bras suffisamment occupés par Jeannette endormie.

Nouveau taxi. Malgré les ténèbres, je reconnaissais chaque carrefour, chaque maison, chaque arbre, chaque auberge. Beaumont et son commissariat. Theix et sa laiterie. Etang de La Cassière. Nous longeâmes enfin le lac d'Aydat. J'avais envoyé à mes parents un télégramme qui avait dû les remplir de stupeur : ARRIVE CE SOIR AVEC FEMME ET ENFANT. RAOUL. Au bout du village, après l'église, la ferme des Mercier nous attendait, toutes fenêtres éclairées. Au ronflement du moteur, mon père Auguste et ma mère Augusta parurent en ombres chinoises. A l'intérieur, la chienne Félicia aboyait d'enthousiasme. Sans me voir, sans m'entendre, elle m'avait reconnu, comme le chien d'Ulysse.

Qui se ressemble s'assemble. Non seulement mon père et ma mère portaient le même prénom, mais chacun paraissait le décalque de l'autre. Tous deux grands, maigres, grisonnants avant l'âge, la voix forte, les mains noueuses. Pétrifiés par l'étonnement, ils regardaient notre trio sortir de la voiture, s'avancer vers eux, se demandant s'ils vivaient un rêve. Augusta me reconnut enfin :

— C'est notre Raoul ! C'est bien lui !

Jeannette se mit à crier parce que le père avait gardé son grand feutre qui le rendait pareil à un épouvantail.

— Le chapeau ! dis-je.

Il l'ôta précipitamment, découvrit sa tête demi-chauve, bredouillant pardon, pardon. Déjà ma mère m'étreignait. Puis vint le tour d'Auguste. Mes deux compagnes restaient derrière moi, intimidées.

— Présente-nous… Présente-nous… ces personnes.

— Voici Béatrice, qu'on appelle Béa, et que je compte épouser prochainement. Et Jeannette, sa fille, âgée de deux ans…

— Deux ans et demi ! rectifia la petite.

— … qui deviendra aussi la mienne, et par conséquent votre petite-fille.

— Entrez ! Entrez ! Qu'on vous voie !

Nous sommes entrés dans la grande pièce dallée de lave. Félicia s'est jetée sur moi, dressée sur son arrière-train, comme si elle avait voulu pratiquer le bouche-à-bouche. Dans la cheminée fumaient des bûches de sapin. Cette seule odeur, sous les solives noires, me rend mon enfance. Pendant quinze ans, j'ai vécu fumé et enfumé comme un hareng saur. Au fond de la salle, près de l'horloge à balancier, les attributs professionnels d'Auguste : la casquette cernée d'un galon blanc et marquée de l'oiseau-flèche, la veste bleue avec le même volatile sur la poche de poitrine, les trois boutons dorés ; les deux sacoches, une en cuir pour les lettres, l'autre en toile pour les objets recommandés. Car il exerçait une double profession. Le matin, facteur des postes, il portait les plis et les paquets à cheval sur son vélomoteur ; l'après-midi, il se consacrait à l'agriculture.

— Dans la famille, expliqua-t-il, on est paysans depuis le commencement du monde. Y a que notre Raoul qui a préféré l'eau à la terre. Un jour, peut-être, il nous reviendra. Mais je suis moderne, attention ! J'élève la FPN. Vous savez ce que c'est, la FPN ? La frisonne pie noire. Quatre mille litres de lait par an ! J'ai un tracteur, une machine à traire. Et le téléphone ! Aujourd'hui, celui qu'est pas moderne, madame, il est foutu. A la poste, on est moderne aussi. Autrefois, je faisais mes tournées, y compris le dimanche matin, à bicyclette ou à pied. Par tous les temps. En hiver, on ne voyait plus les chemins, bouchés par les congères. Je m'enfonçais dans la neige jusqu'aux genoux. Ou bien, fallait chausser des raquettes. Maintenant, les routes sont dégagées par la DDE.

42

Auguste était assez fier de toutes ces majuscules dont l'agriculture moderne se nourrit : la FNSEA, l'UDSEA, l'ADASEA, la SAFER, les GAEC, les CUMA, la CDJA et même la SICAUIAC. Il traduisait pour les profanes que nous étions.

Augusta, elle, s'occupait de Jeannette :

— Quelle jolie petite fille ! C'est donc la vôtre, madame ?

— Je suis veuve d'un premier mariage.

— Veuve ? A votre âge ?

— A cause d'un accident.

— Sans l'accident, bien sûr, vous n'auriez pas connu notre Raoul.

— Naturellement.

— Vous vous appelez donc… ?

— Béatrice. Ça veut dire : celle qui rend heureux. Mais dites simplement Béa.

— Béa !… Qui rend heureux !… Un nom bien convenable. Nous, c'est Auguste et Augusta. Ça ne veut rien dire du tout.

— Je crois que si. Il me semble qu'Auguste veut dire « respectable ».

— Pas possible ! Guste ! Ecoute un peu. Paraît que ton nom veut dire « respectable » !

— Pourquoi pas ? Je me crois digne de respect autant que le président de la République.

Son crâne luisait sous la lampe électrique. Jeannette le considérait toujours avec un peu de frayeur quoiqu'il eût enlevé son chapeau. Il lui adressa la parole :

— Moi, je t'appellerai Plampougnette.

Et toi :

— Qu'est-ce que ça veut dire ?

Je racontai l'histoire de Plampougnis.

Les regards de ma mère revenaient vers toi, le

plus souvent. Elle osa poser enfin la question qui lui brûlait les lèvres :

— Vous êtes étrangère ?

— Je suis française. Je m'appelle Bartaleuf.

— Baffaleuf ? C'est un nom auvergnat. Je connais plusieurs Baffaleuf.

— Non. Bartaleuf.

— Où êtes-vous née ?

— Au Viêt Nam.

— Au Viêt Nam ! Mon Dieu ! Mais c'est la guerre, là-bas !

— J'en suis partie en 1956.

— Et vos parents ?

— Ma mère est morte. Mon père, qui était un militaire français, je ne l'ai jamais connu. A peine rencontré deux ou trois fois.

— Pauvre enfant ! Mais vous aurez bientôt une vraie famille.

Problème : comment allait-elle nous faire coucher puisque nous n'étions pas encore mariés ? La ferme contenait deux chambres et une chambrette où dormait autrefois un domestique lorsque les Mercier avaient les moyens de payer des gages. Valet de charrue, toucheur de bœufs, rateleur de foin. Généralement un garçon de treize ou quatorze ans, satisfait de gagner ses trois soupes par jour, une paire de sabots et dix pistoles par an. C'était avant la guerre de 14-18. A présent, la main-d'œuvre était hors de prix. Je couchai donc sur son lit-cage qui couinait de toutes ses jointures à chacun de mes mouvements. Jeannette et toi, vous reçûtes la chambre qui avait été la mienne jusqu'à mon entrée dans la navigation. Où restaient quelques souvenirs de mes débuts : une marinette, c'est-à-dire une aiguille aimantée enfermée dans

44

un flacon de verre et flottant sur l'eau grâce à deux tranches de bouchon ; un astrolabe composé de cercles métalliques emboîtés les uns dans les autres ; une ancre chinoise en bois ; au-dessus du petit bureau, une goélette à trois mâts découpée dans des boîtes de camembert. Aux murs, des photos en couleurs représentent les paquebots du siècle : le *Normandie*, le *Queen Elizabeth*, l'*Ile-de-France*, le *Liberté*, le *La Fayette*. Et surtout les trois *France*, lancés en 1864, 1912 et 1962.

Saint-Germain-des-Fossés. Un militaire prend place dans notre compartiment. Uniforme kaki, godasses rangers, calot glissé sous une patte d'épaule. Bien tondu, les yeux troubles, joufflu, il a une tête de veau. Je lui verrais bien deux brins de persil dans les narines.

— Je viens de Lyon, profère-t-il bien que personne ne lui demande rien. Je vais en perm à Clermont.

Pas de réponse. Les deux femmes qui me font face continuent de se chuchoter des histoires graveleuses en pouffant derrière leur main. A ma droite, un vieillard dort la bouche ouverte.

— Toc-toc ! Billets, s'il vous plaît.

Le contrôleur prend nos tickets, perce dedans un petit trou carré. Il ne faut pas confondre le trou carré qui se fait en cours de route et le trou rond du départ. Chacun présente son carton. Sauf le militaire, qui fouille toutes ses poches, éperdument.

— Cherchez bien, dit le contrôleur. Je vais repasser.

Il s'éloigne.

— Merde, dit le troufion. Je l'ai perdu. On m'a

déjà contrôlé après Roanne. Où c'est donc que j'ai pu fourrer ce putain de billet ?

Tous les regards convergent sur lui. Il va y avoir des explications avec la SNCF. Chacun écarquille les yeux et les oreilles pour n'en rien perdre. Le troubade continue sa fouille en grommelant merde, merde, cent fois merde. Le contrôleur revient :

— Alors, ce billet ?

— On m'a déjà contrôlé entre Roanne et Saint-Germain. Je l'ai paumé.

— Où allez-vous ?

— A Clermont.

— Je regrette. Mais je dois vous en délivrer un autre. Je pourrais vous faire un billet depuis Paris. Je me contenterai de Saint-Germain. Avec une pénalité de dix pour cent.

Il tapote sur sa calculette, quart de place, dix pour cent. Résultat :

— Trente-huit francs.

— J'ai pas un rond.

— Dans ce cas, je dois vous faire descendre à la prochaine gare : Vichy.

— Et comment je fais pour aller de Vichy à Clermont ?

— En auto-stop. J'applique le règlement.

Alors, il se produit une chose extraordinaire : l'assistance sort de sa pure curiosité, prend fait et cause pour le jeune permissionnaire contre la SNCF. Chacun met la main à la poche. En un clin d'œil, les trente-huit francs sont réunis. Le contrôleur rédige son billet, encaisse et s'en va, pas très glorieux. Il ne faut pas désespérer de l'homme. Rappelle-toi l'abbé Pierre et Mère Térésa.

On arrive à Vichy. Capitale de la pastille. Ses casinos, ses carottes, son carnaval, ses souvenirs historiques. Ne pas confondre vichyste et vichyssois. Ne pas confondre Auvergne et Bourbonnais. La limite entre ces deux provinces est des plus indécises. Le chancelier Michel de l'Hospital, qui a sa place à Clermont et sa statue à Riom, ne se sentit jamais l'âme auvergnate. Pas plus que Pierre Laval, de sinistre mémoire, que ses adversaires politiques appelaient Bougnaparte. «Mon village, Châteldon, affirmait-il, a toujours été un fief des Bourbons. Je suis donc bourbonnais par ma naissance, par mon domicile, par mon accent, par mon tempérament. Mais cela fait tellement plaisir à mes ennemis de me croire auvergnat que je les laisse dire.» Car, naturellement, tout le monde hors d'Auvergne connaît les qualités fondamentales de l'Auvergnat : avarice, avidité, ruse, crasse, ignorance, traîtrise.

Par bonheur, Georges Brassens nous a réhabilités.

Pendant quelques semaines, nous avons vécu sous le toit du facteur-agriculteur. Je vous ai présentées toutes deux à Aydat, à son lac, à Sidoine Apollinaire, à sa forêt, à ses hameaux. A mon oncle Saturnin, charcutier à Rouillas-Bas. A mes cousins vignerons à Romagnat. A ma tante Séraphine, couturière à Ceyrat. C'étaient chaque fois des cris d'enthousiasme devant la frimousse de Plampougnette. D'un sourire, elle mettait tout le monde dans sa poche. Le mariage fut prévu en l'église Saint-Barthélemy, malgré tes réticences :

— J'aimerais mieux un mariage civil. Je ne suis pas sûre d'être très chrétienne.

Il n'en était pas question. Ma mère, pieuse jusqu'au bout des ongles, en aurait fait une jaunisse.

— Dans la famille, pas de mariage de chiens !

Auguste, communiste par principe, ne voulait pas contrarier sa femme. Moi, favorable à tous les apparats, à toutes les musiques, à toutes les lumières. Lorsque les bans eurent été publiés, l'abbé Septour vint nous rendre visite. C'était un homme déjà âgé, dévoué corps et âme à sa paroisse, dont il avait raconté l'histoire en une brochure bilingue imprimée à ses frais. Je ne sais si beaucoup d'Américains ou de Britanniques ont eu jamais l'occasion de lire la version anglaise : *Aydat, cradle of a Roman emperor*[1]. Tous les habitants de la commune connaissaient la longue soutane élimée, d'un noir déteint qui tournait au verdâtre, qu'il ravaudait lui-même et s'obstinait à porter malgré les recommandations de Vatican II. Il frappait aux portes. On savait ses habitudes :

— Entrez donc, monsieur le Curé. Vous prendrez bien un verre ?

— Une moitié seulement.

Il plaçait sa main dessus pour arrêter le niveau à mi-hauteur. Il demandait des nouvelles de la famille, des travaux, des vaches, des pommes de terre. A peine était-il question de religion dans ses propos. Il se contentait de rappeler les heures des messes ; pour conclure :

— Je serai heureux de vous y voir, si rien ne vous en empêche.

Plus d'une fois, il recevait d'un paroissien ce genre d'excuse :

— J'aimerais bien venir, monsieur le Curé. Mais vos messes tombent juste aux heures où je vais à la chasse.

1. Aydat, berceau d'un empereur romain.

— C'est bien embêtant. Et le samedi soir, à la prière commune ?

— C'est le moment où je tire mes vaches.

— Je comprends, je comprends. Vous prierez tout seul, en chassant, ou contre le ventre de vos bêtes.

— Pour sûr ! Vous pouvez y compter, monsieur le Curé !

L'abbé Septour partait content de cette promesse. A force de visites et de demi-verres, les fins de journée lui conféraient une démarche un peu titubante. « Notre curé a son pompon ! » se soufflaient les paroissiens avec un sourire d'indulgence. Ils prétendaient qu'il tenait dans sa cave sept sortes de vins de messe ; il ne risquait pas d'être pris au dépourvu. Son goût pour le sang du Christ était la seule faiblesse qu'on lui connût. Pas comme le curé de Saint-Genès-Champanelle. Celui-ci possédait une automobile Citroën qui lui rendait bien service pour amener le bon Dieu à domicile ; mais il aimait aussi transporter certaines paroissiennes qu'il faisait asseoir à sa droite ; de sorte que lorsqu'il manœuvrait le levier des vitesses, sa main s'égarait quelquefois ; mais les choses n'allaient plus loin que si la paroissienne, désireuse de conforter un serviteur de Dieu, y mettait de la complaisance. Un jour qu'il montait de Fontfreyde à Saint-Genès, un bloc de pierre roula de la montagne juste devant sa voiture. Expédié sans doute par un jaloux. Dès lors, l'abbé s'efforça de mieux respecter le code de la route.

Son confrère d'Aydat avait passé l'âge des zigzags. Tous ses soucis allaient à ses ouailles, avec la volonté de n'oublier personne dans ses implorations du dimanche :

— Mes très chers frères, c'est aujourd'hui la date de l'ouverture de la chasse. Adressons à Dieu une prière pour qu'aucun de nos chasseurs ne soit victime ou cause d'un accident... Voici bientôt la rentrée des classes. Ayons, mes très chers frères, une pensée pour nos écoliers et pour nos écoles, qu'elles soient chrétiennes ou qu'elles soient laïques... La confrérie «Le Bousset d'Auvergne» a choisi un restaurant d'Aydat pour son banquet annuel. Prions pour ses membres afin que leur retour chez eux ne soit attristé par aucun incident désagréable... Prions pour nos pompiers... Prions pour nos joueurs de pétanque... Prions pour nos cantonniers... Prions pour nos pêcheurs à la ligne...

L'abbé Septour entra donc chez les Mercier et fit la connaissance de mon Eurasienne et de sa fille.

— J'aime le mélange des races, affirma-t-il. Je déteste les frontières : elles inspirent des inimitiés qui vont jusqu'à la guerre, jusqu'aux génocides. Lorsque Dieu créa l'univers, il le donna à tous les hommes sans tracer de limites. Les frontières sont les inventions du diable.

Il assit ensuite Jeannette sur ses genoux, lui chanta *Les Petites Marionnettes* :

> *Ainsi font, font, font,*
> *Trois p'tits tours et puis s'en vont.*

Il conquit tout de suite les grâces de l'enfant, qui mit pareillement en danse ses dix doigts. Le spectacle de ce vieux curé et de cette môminette jouant ensemble était une chose à ravir.

Tout à coup, une inquiétude traversa l'esprit de

l'abbé. S'adressant à toi, Béatrice, il demanda si ta fille était baptisée.

— Baptisée ? Baptisée ? Baptisée ?

Tu ne semblais pas comprendre le mot. Le prêtre s'expliqua mieux :

— Il y a beaucoup de chrétiens en Indochine. En faites-vous partie ?

— J'ai été élevée à Saigon au couvent des Oiseaux. Quant à Jeannette… non… je ne lui ai pas… pas encore…

— Vous n'y êtes pas opposée ?

— Puisque j'accepte un mariage religieux.

— Très bien. Nous ferons les deux choses en même temps. Je baptiserai d'abord la petite. Ensuite, je vous unirai par les liens sacrés que vous souhaitez.

Les cérémonies se déroulèrent ainsi. Avec tout le tralala possible. La tante Séraphine de Ceyrat vous habilla toutes deux. En un premier temps, tu avais pensé revêtir la tunique et le pantalon que portent les grand-mères vietnamiennes. Protestations de la tante :

— Je ne sais pas faire les pyjamas.

Finalement, tu voulus bien te laisser occidentaliser au-dehors comme tu l'étais en dedans. Ta robe fut copiée sur le catalogue des *Trois Suisses*. Je ne dirai pas les découpes et les surjets, les volants et les bouillons, je ne connais rien à ce travail. Dans sa jupette courte et flottante, Jeannette était adorable. Elle s'amusait à toupiller, la jupe s'envolait-volait comme un tutu de petit rat, découvrant sa culotte rose.

— Hou ! grondait Augusta, une main sur les

yeux. Une petite fille bien élevée ne doit jamais montrer ce qu'elle a dessous.

Ce qui faisait rire tout le monde et encourageait l'enfant à répéter ses tourbillons.

L'abbé voulut aussi la préparer. A deux ans et demi, il n'était pas facile de comprendre ce que sont Dieu, la Création, le péché originel, la nécessité de s'en laver. C'était la première fois qu'il devait enseigner une catéchumène aussi jeune. Après s'être longuement gratté la tonsure, il recourut à une comparaison médicale et demanda si Jeannette avait reçu un vaccin.

— Oui, dit Béa. Quadruple. Ou quintuple. Je ne sais plus.

Et lui, s'adressant à Plampougnette :

— Tu te souviens de ce vaccin ?

— Oui. On m'a piquée dans le dos pour m'empêcher d'attraper des maladies.

— Est-ce que ça fait mal ?

— Un petit peu.

— Eh bien, le baptême, c'est aussi une sorte de vaccin. Mais il ne fait pas mal du tout. Je te verserai juste une goutte d'eau sur la tête. Et mon vaccin à moi, le baptême, te protégera contre d'autres maladies qu'on appelle la méchanceté, la colère, la gourmandise, l'avarice, l'égoïsme, le mensonge. Parce que, si on les attrape, on est très malheureux et l'on rend malheureux ses parents, ses amis. Et bientôt, plus personne ne vous aime.

Encore dut-il expliquer ce que sont l'égoïsme, l'avarice. Au terme de ses leçons, il promit à Jeannette que, sitôt qu'elle serait baptisée, elle ressentirait dans son petit cœur une joie immense, pareille à une merveilleuse lumière.

Vint le jour du double sacrement. A cause des

fonctions d'Auguste, toute la commune avait voulu nous honorer. Aydat, Mareuge, Fohet, les deux Rouillas, La Cassière se pressaient dans l'église. Quoique je l'eusse peu fréquentée depuis ma première communion, je retrouvai avec plaisir ses énormes piliers de lave grise, ses voûtes romanes que faisaient semblant de soutenir des croisées d'ogives, fausses nervures comme il y a de fausses fenêtres, purement décoratives. Ses vitraux, offerts par monsieur X... ou madame Y... Sa pietà dans une niche, ses bénitiers, son confessionnal, la corde de la cloche à laquelle jadis je m'étais pendu tant de fois. Et tout au fond, à gauche, derrière l'autel, la console portant la mystérieuse inscription latine : *HIC SUNT DUO INNOCENTES ET S. SIDONIUS. Ici dorment deux innocents et saint Sidoine.* Les assistants s'installèrent sur les bancs. L'abbé Septour prit la parole :

— Mes très chers frères et très chères sœurs, nous sommes réunis pour célébrer deux sacrements : d'une part, le mariage de Raoul Mercier et de Béatrice Bartaleuf ; d'autre part, le baptême de la petite Jeannette. Dans un moment, notre cloche sonnera à toute volée pour annoncer à notre paroisse et au monde entier, au ciel et à la terre, aux oiseaux de la forêt, aux poissons du lac, ce double événement très heureux...

En bonne logique, le mariage fut célébré avant le baptême. Bénédiction, échange des consentements et des anneaux :

— Je vous déclare unis par les liens du mariage selon le rite de notre sainte Eglise catholique, apostolique et romaine.

Vint le tour de Plampougnette. Encadrée par sa marraine Séraphine et son parrain Auguste, elle s'avança, un peu tremblante, vers l'autel. Comme l'église ne possédait pas de fonts baptismaux, elle reçut debout, les mains jointes, les yeux baissés, une goutte d'eau lustrale sur le front, tandis que l'abbé prononçait en latin la formule :

— *Ego baptizo te, Jeannette, in nomine Patris, et Filii, et Spiritus Sancti.*

La vaccination contre le péché ne fut vraiment pas douloureuse.

Nous sortîmes de l'église, moi dans mon grand uniforme d'officier mécanicien de la marine marchande, toi dans ta robe des *Trois Suisses* : devenus monsieur et madame Mercier. Félicitations, pluie de baisers et d'accolades. La cloche se mit en branle, suscitant les abois de tous les chiens du village et attirant la gaminaille prête à crier « Vive la mariée ! » et à recueillir les dragées multicolores que mon père lui jetait avec le geste auguste du semeur.

Retour à la mairie. Devant l'officier d'état civil, je signai l'acte de reconnaissance par lequel Jeannette devenait ma fille adoptive. Le cortège monta ensuite au cimetière où je vous présentai à mes ancêtres qui y dormaient. En passant, je jetai aussi une poignée de dragées dans la Veyre, dans l'eau joyeuse et irisée qui, dès mon enfance, m'avait séduit comme une sirène, sans qui je ne serais pas devenu marin, sans qui je ne t'aurais pas rencontrée à Marseille.

Dernière pratique : visite aux personnes qui, en raison de leur âge ou de leurs maladies, n'avaient pu assister aux bénédictions. Après les saluts et les embrassades, tu offrais des dragées dans une assiette creuse, moi une tabatière. Les femmes se servaient dans la première, les hommes dans la seconde. Ils déposaient la prise sur le dos de l'autre main, en construisaient une petite pyramide, se penchaient, la humaient enfin avec gourmandise, se pinçaient le nez pour que leurs narines en fussent bien tapissées. Ainsi s'affirmaient les amitiés entre voisins puisque, comme l'affirme un dicton, « voisinage est demi-parenté ». Suivait parfois un certain nombre d'éternuements de bon augure :

— Nous avons bien prisé, le mariage est assuré.

Le dîner et le souper — mais la tête du second joignait la queue du premier — eurent lieu dans la grange de notre ferme. Et ils se prolongèrent jusqu'à l'aube suivante.

Nous n'eûmes pas de voyage de noces car Auguste avait besoin de moi pour la fenaison. Elle nous retint deux semaines à Aydat. Ma mère te jugea bien vaillante en cette occasion. Sa faveur cependant se refroidit lorsque j'exprimai notre désir d'avoir un logement indépendant.

— Pour quoi faire ? Notre maison est assez grande pour vous recevoir tous les trois. Vous ferez ici ce que vous voudrez. Nous ne vous commanderons jamais.

Je dus expliquer que, née dans une ville, tu supportais assez mal la campagne ; que tu avais besoin des rues, de la foule, des magasins, des cinémas. Ma mère s'en montra offusquée : comment pouvait-on ne pas aimer la campagne ? C'était pour elle comme ne pas aimer le pain. Auguste intervint pour lui faire comprendre :

— Les jeunes et les vieux ne peuvent pas rester longtemps sous le même toit. Tu vois bien qu'ils ont besoin de leur lune de miel.

Quelle lune de miel ? Augusta n'en avait jamais eu. Elle dut bien se résigner ; mais elle considéra dès lors avec moins de faveur cette étrangère qui était venue du bout du monde pour lui prendre son fils. Je me mis donc en quête d'un domicile où tu te sentirais la seule maîtresse des meubles et des casseroles.

Avec l'aide d'une agence, je trouvai un appartement à Riom-le-Beau, capitale judiciaire de l'Auvergne, fière autant de sa cour d'appel, de ses prisons, de sa guillotine que de ses maisons Renaissance. Rue du Commerce, notre petit appartement permettait d'avoir de son troisième étage une vue plongeante.

La famille de nos propriétaires, les Coupat, était composée d'un vieux couple et d'une jeune fille prénommée Oursine. Lui, retraité de la police ; elle, femme au foyer ; la demoiselle, élève à l'école normale de Clermont, visible seulement les dimanches et le temps des vacances scolaires. C'est madame Juliette Coupat qui mena seule les négociations :

— J'ai un peu honte de vous demander un loyer pareil. Mais voyez-vous, cet argent est indispensable à mon ménage. Trois personnes à entretenir. Ma fille est nourrie la semaine à son école ; mais ses toilettes coûtent cher, comme il convient à une future institutrice. De plus, je lui fais donner des leçons de piano, d'abord parce qu'elle a le goût de la musique, ensuite parce que ce pourrait être une seconde ressource à côté de son traitement. Coupat touche sa retraite de policier ; mais il ne m'en donne qu'une faible partie ; le reste, il le dépense tout seul. Je sais bien trop comment : il le boit.

Elle s'essuya les yeux. Nous signâmes le bail. Le charme de Jeannette produisit son effet habituel : les Coupat furent conquis. A tel point qu'on ne la voyait guère à notre troisième étage, elle était la moitié du temps en résidence au premier. Elle y gagnait mille douceurs, fraises, cerises, pompe aux pommes, et en remontait la bouche sucrée. Oursine faisait sur elle ses premières armes pédagogiques en lui apprenant des chansons qu'elle accompagnait de ses longs doigts fuselés ; ou bien elles construisaient ensemble avec des cubes des maisons, des ponts, des tours. Je m'étonnai de ce prénom, Oursine :

— Je le dois à mon parrain, monsieur Beaupré, historien et collectionneur. Je vous le ferai connaître. Il vous en donnera l'explication.

Chaque après-midi, nous allions un peu à la rencontre de la ville. Pas totalement judiciaire. Au Pré-Madame, sous les marronniers, nous observions les joueurs de pétanque et entrions quelquefois dans leurs parties. Nous pratiquions le badminton dans le jardin de la sainte chapelle sous le regard évasif du chancelier Michel de l'Hospital.

Nous allâmes dans leur atelier admirer le travail des frères Jaffeux. Emaillage sur dalles, sur cette lave grise que les minéralogistes nomment andésite mais qui, en Auvergne, est simplement pierre de Volvic. Chaque plaque était recouverte d'une première couche de vernis sur laquelle l'artiste traçait son dessin. Les futures couleurs étaient ensuite étalées à la spatule, les blancs et les grisailles modelés au moyen d'une aiguille fichée dans un manche de bois.

Sous les larges fenêtres de l'atelier, à la lumière naturelle du jour, les Jaffeux puisaient dans d'innombrables petits récipients grands comme des pots de yaourt des poudres d'oxydes métalliques :

de cobalt pour le bleu, de cuivre pour le vert et l'orange, d'étain pour le blanc. La cuisson s'opérait dans un four électrique, couleur par couleur, sans aucun repère de température : l'homme ouvrait la porte et la contrôlait à la vue comme une ménagère celle de ses pommes de terre.

Les Jaffeux reproduisaient ainsi des peintures connues ou créaient des œuvres originales. Miniatures ou immenses tableaux composites. Ils avaient par exemple raconté l'histoire de saint Amable dans sa basilique. On l'y voyait à Rome éclatant de rire devant le souverain pontife. Les papes, cependant, n'ont pas souvent l'occasion d'une hilarité. Il faut dire que Riom s'est mis sous la protection d'un saint télépathe. Un jour, donc, qu'il se trouvait en présence du Saint-Père, le voilà qui se fend la pipe. « Pourquoi ris-tu, cher Amable ? — Parce que je viens de voir, dans mon église de Riom, un ouvrier maçon qui s'est donné sur les doigts, avec son marteau. »

Plus tard, revenant dans sa paroisse, Amable se trouve accablé par les bagages qu'il transporte. Il en appelle à Dieu, qui met à sa disposition un rayon de soleil auquel il accroche ses besaces. Ainsi poursuit-il sa marche d'un pas alerte, tandis que le rayon le suit fidèlement.

Saint Amable est honoré un dimanche de juin par une procession où l'on voit un groupe de *brayauds*, c'est-à-dire de porteurs de culottes blanches, coiffés d'un bicorne, promener sa châsse à travers la ville. Devant eux, des fidèles ordinaires portent une roue de fleurs. Elle rappelle un vœu fait par les Riomois au temps où les Normands mettaient à sac la région : il fut promis à la Vierge, si Riom était épargné, qu'on lui offrirait chaque année un cierge aussi long que les remparts de la ville. C'est ainsi que jadis un fil enciré et embobiné, long de trois kilomètres, entrait dans la procession avant d'être suspendu dans l'église de Marsat où la Vierge a résidence secondaire. De nos jours, les fleurs remplacent la cire, ce qui ne peut déplaire à Marie pleine de grâces.

Elle a résidence aussi dans l'église du Marthuret, rue du Commerce, non loin de notre domicile. Sous la forme d'une statue blanche et coloriée, mais que les intempéries ont noircie : la Vierge à l'Oiseau. On y voit l'enfant Jésus avoir un mouvement de recul à cause de l'oiseau qui lui mordille l'index. La Mère sourit à son effroi et caresse ses petits pieds. Ce chef-d'œuvre de la statuaire gothique figurait naguère à la façade de l'église. En 1929, le maire Etienne Clémentel l'y fit remplacer par une copie en pierre de Volvic qui ne craint pas le sale. L'authentique statue blanche s'est réfugiée à l'intérieur.

Une légende l'attribue à un sculpteur injustement accusé d'un crime et condamné à la pendaison. Pour occuper ses longs loisirs en attendant la corde, il entreprit cet ouvrage dans sa cellule. Chaque jour, le gardien venait constater l'avancement de son travail. Des magistrats eux-mêmes s'y intéressèrent. L'homme ne se pressait guère de terminer et cherchait à gagner du temps. Il en gagna suffisamment pour que le véritable criminel fût arrêté, reconnu, condamné à sa place. Ce fut le premier miracle de la Vierge à l'Oiseau.

Nous fîmes aussi la connaissance de monsieur Beaupré, professeur d'histoire au collège, collectionneur d'automates et d'horloges. Barbu comme un prophète. Il habitait rue Croisier, en face de la sous-préfecture. Sa maison était un univers magique, rempli d'oursons, de panthères, de violonistes, de bûcherons, de pompiers, de curés, de gendarmes, de magistrats en robe. Avec, naturellement, une guillotine, des bourreaux, un condamné.

Il nous présenta monsieur Deibler, orné de sa barbiche et de son chapeau melon. Il appuya sur un bouton : le violoniste se mit à jouer la *Romance en fa* ; le gendarme tira son sabre ; les pompiers manœuvrèrent leur pompe à bras ; le bûcheron scia sa bûche ; les soldats défilèrent ; le condamné glissa sur la planche, le fer du mouton lui trancha la tête, monsieur Deibler souleva son chapeau pour lui dire adieu. C'était criant de vérité.

Jeannette poussait des couinements de plaisir. Elle apprenait en même temps les principes sur quoi repose la société humaine : la Morale, la Justice, le Respect des lois et de la Force publique. Les horloges, non moins instructives, indiquaient les heures de Paris, de Moscou, de Saigon, de New York. C'est ainsi que la petite apprit que la Terre est ronde comme une pomme. Monsieur Beaupré lui montra sur un globe la place de la France. Elle crut comprendre que les habitants de la moitié inférieure marchent la tête en bas, ce qui doit être très embêtant quand ils font pipi.

Et toi, curieuse comme une fouine :

— Il est ici 16 heures. Quelle heure est-il à Saigon ?

— Saigon est en avance sur nous de six heures quarante. Il est donc là-bas en ce moment 22 h 40 : nous sommes en plein jour. Ils sont dans la nuit noire.

Tu rêvas un moment de la nuit saigonnaise, chargée d'étoiles, de fusées multicolores, d'explosions, de crépitements.

On en vint au prénom d'Oursine qu'il avait donné à sa filleule, la demoiselle Coupat.

— Suivez-moi, dit-il. Vous allez comprendre.

Nous le suivîmes comme les poules vont aux champs. Il commença de nous instruire pendant que nous marchions :

— Savez-vous ce que c'est qu'une sainte chapelle ?

— Vaguement.

— C'est une chapelle construite pour recevoir une importante relique. La nôtre, sans doute un morceau de la vraie croix qui s'est éparpillée à travers les âges. Elle fut édifiée par le duc Jean de Berry, fils du roi Jean le Bon, le vaincu de Poitiers. Celui-ci avait partagé son royaume entre ses quatre descendants. Un jour donc, âgé de vingt-cinq ans, blond, le teint frais, la bouche fleurie, le duc Jean débarque chez nous. Tandis que son frère Charles V s'applique, avec l'aide de Du Guesclin, à chasser les Anglais de France, Berry se contente de pressurer ses paysans et ses bourgeois pour payer ses frasques. Il aime les toilettes extravagantes, les joyaux, les plumes et les plumets. Les fameuses *Très Riches Heures du duc de Berry* le montrent coiffé d'un bonnet d'écarlate bordé de fourrure, dans une robe traînante à triples manches, pendantes, boursouflées, galonnées. Les dames portent des chapeaux d'astrologues, des atours, des bourrelets qui leur enflent la tête comme des potirons ; des crêpes les enveloppent comme des voilures…

Monsieur Beaupré connaissait par cœur ses sujets historiques. Nous arrivâmes devant la porte qui conduisait à la sainte chapelle, contiguë au palais de justice. Fermée au public, non à lui qui y avait ses entrées particulières. Déchue de ses fonctions religieuses, mutilée par la Révolution, elle était ensuite devenue un dépôt d'archives judiciaires, partagée à mi-hauteur par un plancher. Prosper Mérimée lui avait rendu son ancien visage. C'était à présent une salle de concerts et d'expositions. Les vitraux représentaient des prophètes dont monsieur Beaupré avait copié la barbe.

Nous admirâmes la lumière somptueuse qui en ruisselait. Le doigt tendu vers les nervures du vaisseau, notre guide désigna les clés de voûte, où nous pûmes lire avec son aide la devise de Jean de Berry : *Oursine le tems venra*.

— Le temps viendra. Le temps de quoi ? Quelle Oursine ? Depuis six siècles, les spécialistes, les déchiffreurs d'énigmes s'arrachent les cheveux là-dessus. Oursine est une autre forme d'Ursule, une sainte massacrée à Cologne par les Huns. Les ursulines sont des religieuses très estimables qui, au lieu de s'enfermer dans un couvent à l'abri de toutes les intempéries, se consacrent au soin des malades et à l'éducation des jeunes filles. Pour la beauté du nom, pour son contenu de mystère, j'ai voulu qu'il fût donné à ma filleule.

Ce soir-là, nous sommes rentrés tout songeurs, conscients de l'avantage qu'offre un parrain collectionneur d'histoires, d'automates et de pendules. Nous sommes passés au pied du beffroi que les Riomois appellent le *Reloge* : une horloge qui fournit deux heures, l'une exacte et solaire, l'autre officielle et approximative.

En approchant de notre domicile, nous avons reçu sur la tête le prélude de la *Sonate 14*, dite *Au clair de lune, Adagio sostenuto*, où la main droite égrène des triolets soutenus par les martèlements de la gauche. Morceau de bravoure d'Oursine Coupat ; elle ne se lassait pas de l'étudier, de le bichonner. Jeannette a poussé un cri de joie :

— Elle est revenue ! Je vais voir ma copine !

Toi et moi sommes montés seuls à notre troisième. Nous sentions déjà entre nous la présence du *Capitaine-Fracasse*, mon prochain bateau. Tes yeux me regardaient avec reproche.

— C'est dans combien de temps ?

— Dans quatre jours. Je ne te laisse pas seule. Tu auras ta fille. La compagnie des Coupat et de monsieur Beaupré.

— Que ferai-je de mes dix doigts et de ma tête ?

— Tu auras beaucoup d'occupations. Le ménage. L'éducation de Jeannette. Tu la conduiras à l'école maternelle et tu iras la rechercher. Tu te promèneras dans Riom-le-Beau. Tu regarderas la télévision. De temps en temps, vous irez au cinéma, au concert, à une conférence. Tu emprunteras des livres à la bibliothèque municipale. Vous prendrez l'autobus et vous monterez à Aydat rendre visite à Auguste et Augusta. Je te téléphonerai au moins une fois par semaine. Tu me tricoteras des chandails et des chaussettes.

— Avec les aiguilles de ta grand-mère !

— On fait maintenant des aiguilles perfectionnées, en matière plastique.

— Je voudrais faire un travail absorbant.

— Mon programme est très absorbant. Je gagne assez pour que tu n'aies pas besoin d'un salaire.

— Je serai donc une femme entretenue ?

— Entretenue et vénérée.

— Tu es vraiment noble.

63

Je fis semblant de ne pas comprendre ce qu'il y avait d'offensant dans cette noblesse.

Vint le mois de septembre. Je fis mes préparatifs pour rejoindre Le Havre, où m'attendait le *Capitaine-Fracasse*, un bananier en partance pour la Guadeloupe, sous les ordres du commandant Hélias. Là-bas, c'était l'été sempiternel ; l'île devait ressembler à une corbeille de fleurs et de fruits. Je vous embrassai toutes deux et je montai dans le train de Paris. Comme promis, chaque semaine je te téléphonais grâce au CRM, au Centre de radio maritime installé à Saint-Lys, près de Toulouse. A vingt-huit francs la minute. L'indicatif en était le début de la célèbre chanson :

> *Adieu marin ! Vire au guindeau !*
> *Good-bye farewell, good-bye farewell.*

J'appris ainsi qu'aux occupations que je t'avais suggérées, tu en avais ajouté une typiquement riomoise : tu allais assister aux procès d'assises. Le programme était affiché près de la petite porte de la rue Saint-Louis ; mais tu entrais par la grande.

Nous avions remarqué ensemble le palais de justice, construit sous Louis XVIII, à l'emplacement du château de Jean de Berry. On aurait pu, pour le bâtir, sacrifier un proche champ de pommes de terre, la place ne manquait point. On préféra jeter bas le souvenir le plus mémorable laissé par l'amoureux d'Oursine. Il ressemble, affirment les guides, au palais Pitti de Florence. Un tout petit Pitti. Du moins en a-t-il la longue façade. La pierre de Volvic y triomphe partout, spécialement dans les dalles hexagonales, les marches monolithiques du grand escalier, les balustres, les rinceaux, les médaillons. Tout cela serait un peu gris sans le grand tapis sang-de-bœuf. Ecarlates aussi les fauteuils des juges. Peu de sièges pour le public. Comme au théâtre, des loges latérales reçoivent les spectateurs privilégiés.

Tu as assisté au procès de Pascal B…, beau jeune homme à la fine moustache, à la voix douce, au regard indifférent. Il avait avoué l'assassinat de quatre personnes, en commençant par l'institutrice qui lui flanquait autrefois des calottes, en finissant par son dernier bienfaiteur, un bûcheron ardéchois qui l'avait recueilli. L'autre Pascal affirme que la véritable justice n'a besoin ni de manteaux d'hermine ni de bonnets carrés ; mais le peuple a besoin de symboles : le drapeau, la balance, le glaive, les robes rouges. Le jeune assassin, lui, regardait sans émotion cet étalage de pourpre. Il fut condamné à perpète.

Ce qui fait la force de Riom en ses jugements de cour, c'est leur réputation d'honnêteté et d'indépendance. On le vit bien en 1942 lorsque, dans cette même salle, comparurent Edouard Daladier, Léon Blum, Georges Mandel, Paul Reynaud, le général Gamelin, tenus pour responsables de la guerre, selon la volonté d'Adolf Hitler, désireux de s'en exonérer, et de son porte-parole Philippe Pétain. Avant même que ne fût achevée l'instruction, ledit maréchal avait proclamé que, d'ores et déjà, lui, chef de l'Etat français, condamnait ces coupables aux plus lourdes peines ; la Cour suprême, ajoutait-il, restait néanmoins saisie de leurs cas.

Etrange procès où les accusés se trouvaient

condamnés avant les audiences. Pour donner à l'événement plus d'éclat, le Mobilier national avait prêté des lustres, des fauteuils dorés, des tapisseries. Or voici que, dès l'ouverture des débats, le président affirme avec force que la Cour suprême n'a pas à connaître les condamnations déjà prononcées ; que les défenseurs des accusés s'exprimeront librement. Les véritables responsabilités commencèrent à se découvrir. Hitler fit connaître sa déception : « En somme, ce qu'on leur reproche seulement, c'est de n'avoir pas réussi à me battre ! » Les audiences furent soudain suspendues. De cette sinistre affaire, Riom sortit sans reproche.

Aux heures où Jeannette fréquentait la maternelle, tu pus donc te régaler de cette justice irréprochable. Voir de près des violeurs, des égorgeurs, des étrangleurs, des empoisonneuses, des parricides. Après quoi, tu revenais tranquillement, tu flânais dans le jardin public, tu admirais les jets d'eau, tu récupérais ta fille. Tes journées étaient bien remplies.

Je suis rentré quatre mois plus tard. Chargé de bananes et d'ananas.

Les choses ont duré ainsi pendant cinq ans. Nos relations avec les Coupat demeuraient excellentes. Un seul problème se répétait chaque fin de mois : à qui devions-nous verser le montant du loyer ? Le premier, tout naturellement, tomba entre les mains de Juliette, avec qui j'avais négocié notre bail. Mais, un peu avant l'échéance du second, l'ancien policier était monté à notre étage, avait étalé sous nos yeux des titres de propriété attestés par trois générations de Coupat. Conclusion :

— C'est moi qui dois recevoir l'argent.

Comme de son côté sa femme nous suppliait de le lui remettre, nous mîmes au point une certaine manœuvre : le matin de l'échéance, tu descendais chez les Coupat et, d'un geste rapide, tu déposais les billets au milieu de la table. Aussitôt, la femme et le mari se jetaient dessus comme deux chiens sur le même os. Tu disais au revoir m'sieur-dame et prenais la fuite, les laissant se débrouiller. Des éclats de voix te suivaient jusqu'à ton troisième étage.

— Riom ! Trois minutes d'arrêt !

J'enfile les brides de mon havresac que gonfle la noix de coco. Je salue la compagnie, je saute sur le quai où personne ne m'attend. Une averse récente a mouillé la chaussée, les platanes de l'avenue Virlogeux s'égouttent sur ma casquette. Je me sens aussi tout dégouttant d'inquiétude. Je marche dans la nuit mal éclairée. Un coucou insomniaque m'interpelle :

— Cocu ! Cocu ! T'es cocu !

Je lui réponds par un bras d'honneur. Je passe devant la caserne Vercingétorix. Devant un arc de triomphe. Toute la ville me semble hostile. Jamais la Vierge du Marthuret ne m'a paru aussi noire.

Me voici devant l'immeuble Coupat. Par l'escalier obscur, je monte en courant jusqu'au troisième étage. La minuterie ne fonctionne pas. A tâtons, j'atteins la sonnette. Elle fonctionne, mais la porte reste close. C'est bien ce qu'on appelle « visage de bois ».

Inutile d'insister. Je redescends, je sonne chez les Coupat. Une voix demande à travers la porte :

— Qui est-ce ?

— Raoul Mercier.

Je devine qu'on pousse le cache de l'œilleton. Mais la minuterie est en panne, je n'ai pas de visage. L'ancien policier ne craint pas la visite des intrus ; il tient à leur disposition un Manurhin 73 ; mais il ne semble pas rentré ; Juliette est seule. Oursine a terminé ses études d'institutrice, elle enseigne à Saint-Amant-Roche-Savine.

— Parlez-moi un peu, demande madame Coupat avant d'ouvrir.

— J'arrive de la Réunion. Et je trouve ici porte close.

Elle m'ouvre enfin, elle m'ouvre les bras :

— C'est bien Raoul ! Ce cher Raoul !... Entrez donc. Coupat est en ville.

Trois baisers à l'auvergnate. Elle a pris la peine de s'envoyer une giclée d'eau de Cologne.

— Non, non. Avez-vous la clé de l'appartement ?

Tu as coutume de la lui confier lorsque tu sors avec Jeannette. Pour le cas où... Juliette me la présente :

— Vous aurez peut-être... une surprise.

— Quelle sorte ?

— Vous allez voir.

Je remonte quatre à quatre. Me voici dans la place. Chez moi. Chez toi. Chez nous. Ombre et silence. La lumière électrique efface l'ombre, pas le silence. La pendule est arrêtée. Nous avons l'habitude de la remonter chaque dimanche. Conclusion : l'appartement est vide depuis au moins une semaine. Dans le vestibule, dans la cuisine, rien de changé. Les autres fois, à chacun de mes retours, tu avais coutume de vaporiser notre lit. Pch ! pch !

68

Nos premières étreintes en étaient toutes parfumées. J'avais l'impression de te rouler au soleil dans un champ de lavande, sans souci du garde champêtre. Aujourd'hui, ça ne sent que l'absence.

Enfin, une enveloppe, scotchée à la clé de l'armoire, avec une adresse dont je sens la raillerie : *Monsieur Raoul Mercier navigateur.*

Je l'ouvre. J'y trouve tes explications. Tu en as marre de vivre seule neuf mois de l'année. Sans autre but que de cuisiner, d'astiquer, de raccommoder. Telle une sœur converse. Pauvreté, obéissance, chasteté. La sainteté en moins. Sans autre plaisir que d'assister aux procès d'assises. Pas le droit de travailler pour d'autres personnes que pour ton patron dont les ordres arrivent des antipodes sur ondes courtes une fois par semaine.

Quand tu étais petite, tu as obéi successivement à ta mère, au couvent des Oiseaux, aux soldats français, aux Vietnamiens, aux Laotiens, aux religieuses de Saint-Rambert et à celles de Saint-Martin, aux Griffon de la Grangeasse, aux Gonthier de Grenoble, au marchand de diamants, au *Con dan bép* de Marseille. A présent, tu dois obéissance et respect à un homme invisible qui doit s'offrir dans les mers australes une quantité de jeunes Tahitiennes, Malgaches, Mauriciennes, et qui te laisse sécher de solitude. Tu en as marre de la chasteté.

Dans une ville où la magistrature épie chacun de tes gestes. Alors, tu t'en vas. Tu feras la pute s'il le faut pour vivre.

« Naturellement, j'emmène Jeannette. Et quand elle sera un peu plus grande, j'en ferai une pute également. Nous serons deux putes associées, mais libres, sans devoir d'obéissance ni de respect à personne. Ne cherche pas à nous retrouver : nous allons à l'autre bout du monde. A l'opposé des mers australes. Je ne demande pardon ni à toi, ni au bon Dieu, ni à personne. Celle qui n'a pas su te rendre heureux. Et réciproquement. Béatrice. »

Je rêve ! Dites-moi que je rêve ! Je découvre dans ces lignes une Béa que j'ignorais. Très injuste, d'abord. De quelle solitude veux-tu parler, vivant en compagnie de ta fille, entourée d'amis, à proximité de tes beaux-parents ? Tu te plains de ne pouvoir exercer un travail salarié ? Mais tu gardes en même temps un très mauvais souvenir de tes anciens patrons. Il est vrai que je reste longtemps en mer ; mais ne le savais-tu pas avant de dire oui ? C'est le sort de tous les navigateurs et de leurs femmes. Adouci de nos jours par les communications hertziennes. Lis un peu *Pêcheur d'Islande, Mon frère Yves*, les romans de Conrad, de Vercel, de Le Tourmelin. La chasteté te pèse ? Et à moi, donc ! Il est vrai que de loin en loin, selon les occasions, lors de certaines escales… Mais il me semble qu'une femme supporte plus facilement qu'un homme ce genre de privation. Ma tante Séraphine, qui a son franc-parler, lorsque je l'évoquais devant elle, me répondait en riant : « Les chaleurs ? Un peu d'eau froide, et ça nous passe. »

Et toi, si je te demandais à chacun de mes départs : « Me seras-tu fidèle ? », tu éclatais pareillement de rire : « J'ai payé assez cher un moment d'égarement ! » Allusion à la naissance de Jeannette. Tu ajoutais : « C'est comme la religion. Je peux rester très longtemps sans pratiquer. » Je m'embarquais donc tranquille.

Je lis et je relis ton petit mémoire accusateur.

Puis je l'assassine : je le cloue à la porte du placard avec mon couteau javanais.

Je fouille les armoires pour constater que tu es réellement partie, avec tes vêtements. Et ceux de Jeannette. Et ses jouets. Notamment cet ourson dont je me suis donné tant de mal à réparer les yeux, les bras, les jambes.

Pour aller où ? Il faudra que j'alerte la police. Que je dépose une plainte pour enlèvement d'enfant, puisque cette gamine m'appartient autant qu'à toi depuis que je l'ai reconnue.

Tu as eu l'audace de laisser sur le buffet deux photos : l'une où l'on nous voit, joue contre joue, devant l'église d'Aydat le matin de notre mariage ; l'autre où tu es seule, en maillot de bain, sur la plage du lac. Je m'en saisis, je les déchire, je les piétine. Et je piétine de même tout ce qui me rappelle ton ouvrage : les rideaux des fenêtres, les coussins du canapé, le puzzle artistique accroché au mur dont tu as ajusté toutes les pièces et qui représente la baie d'Along. J'écrabouille la noix de coco que je vous destinais à toutes deux.

De temps en temps, je retourne au mémoire toujours cloué à la porte, je le relis pour alimenter ma fureur. Ensuite, je vais fracasser un vase, lacérer une nappe. Un moment, un court moment, je songe à me suicider. Mais j'écarte ce projet, à la pensée que ma mort pourrait te faire plaisir. « Faut-il qu'il m'ait aimée pour en venir là ! » Je n'ai d'ailleurs à ma disposition ni corde ni arme à feu. Le couteau fait trop mal. Le gaz sent mauvais. Me jeter par la fenêtre n'est pas une garantie de mort rapide.

Enfin, je m'effondre au milieu de ce désastre. Sans quitter mes souliers, pour te narguer, toi si méticuleuse, si ennemie des grains de poussière, des taches, des traces de semelles, je m'allonge sur le lit. J'enfonce ma figure dans l'oreiller, où je retrouve l'odeur de tes cheveux. Ton parfum naturel, amer et doux, a la saveur du gingembre. Et voici que je me mets à pleurer, ce qui, je crois bien, ne m'était plus arrivé depuis le décès de ma grand-mère Annette, quand j'avais onze ans.

Elle dort dans la partie haute du cimetière d'Aydat, sous un modeste tapis de pouzzolane : *Ci-gît Annette Mercier 1877-1956*. Pendant une semaine, je versai sur elle, jour et nuit, un déluge de larmes. Y compris en classe. Y compris pendant les récréations. Ce qui ne m'empêchait pas de jouer aux billes avec la même attention que les autres. Eux trouvaient mes larmes naturelles, mais ils ne me faisaient pas de cadeau pour autant et n'hésitaient pas à me « faire bloquette » ou à m'« envoyer dans les fleurs » à l'occasion.

Ce 12 mai 1975, je pleure donc dans ton oreiller. De surprise, de douleur, de rage. Puis je m'endors. Sans éteindre la lumière.

La faim me réveille au milieu de la nuit. Je n'ai plus envie de mourir. Je me lève, je contemple les décombres dont j'ai parsemé l'appartement. Je passe à la cuisine. Dans le frigo, il ne reste que trois pots de yaourt. Je trouve une petite cuillère. J'en consomme un. Puis, ayant examiné la date de péremption, je constate — il est 23 h 50 — que dans dix minutes ils seront périmés. Pour leur épargner cette déchéance, je consomme aussi le deuxième et le troisième. « Il ne faut rien laisser perdre », recommande souvent ma mère Augusta. Sur un rayon, je découvre aussi quelques boîtes de conserve. Je me tape un cassoulet après l'avoir fait tiédir sur le gaz. En fin de repas, je me déshabille un peu, j'enlève mes godasses, je me recouche. Dans l'odeur de tes cheveux.

Au commissariat de l'avenue Virlogeux, je dépose une plainte pour abandon de domicile et enlèvement d'enfant. Le commissaire tape avec deux index sur une Remington modèle 1935 les termes de ma déposition.

— Si nous retrouvons votre femme et si elle refuse de vous rejoindre, m'avertit-il, nous ne pourrons l'y obliger. Mais vous serez en droit d'engager une procédure en demande de divorce afin de défendre vos droits paternels.

— Je verrai cela aux résultats de votre enquête.

J'erre à travers la ville comme une âme en peine. Avec la tentation de demander à chaque passant que je rencontre, au balayeur municipal, aux ménagères, aux sergents de ville : « N'avez-vous pas vu ma femme Béatrice, ma fille Jeannette et une valise complète ? » Un peu comme l'ogre dépouillé par les deux enfants qu'il engraissait pour les manger le matin de son anniversaire : « N'avez-vous pas vu Jeannot et Jeannette, mon cheval et ma charrette, mon or et mon argent ? » A quoi, les passants m'auraient répondu : « Mais oui ! Je les ai vues qui s'en allaient vers Maringues ! » en désignant l'orient. Et aussi : « Mais oui bien ! Je les ai vues qui se dirigeaient vers Combronde ! » en tendant le doigt vers l'occident.

Dieu que cette ville se montre indifférente à mes peines ! Les enfants crient dans les cours de récréation, les avocats montent vers le palais de justice, des moineaux boivent aux fontaines, des chiens lèvent la patte contre les arbres.

A midi, pour me redonner un peu de courage, je

73

déjeune au restaurant des *Petits Ventres*. Puis je rentre chez moi avec la pensée de réparer les dommages que j'ai commis. Au passage, madame Coupat me regarde comme un enfant abandonné :

— Entrez donc un moment prendre le café.

— Je l'ai déjà pris.

— Alors, un digestif. Vous devez avoir beaucoup de choses à digérer.

J'accepte son invitation. Le mari est déjà retourné à ses occupations ordinaires, belote, manille, 421. Il ne rentrera pas avant la nuit. Juliette a fermé les persiennes, le salon est baigné de pénombre. Je prends place sur le canapé. Elle dispose devant moi une table basse, des petits-fours, des verres-ballons. J'accepte son cognac.

— Pauvre monsieur Raoul ! Ça doit être dur, de revenir après des mois d'absence, et de ne trouver personne au nid, pas de femme, pas d'enfant !

J'accepte sa pitié. Je promène des regards peu intéressés autour de moi, sur le buffet et la table en ronce de noyer, le portrait de Coupat en uniforme de flic, un diplôme encadré, des photos de famille dont plusieurs d'Oursine enfant. Sur la dame aussi, sa queue de cheval, ses lèvres fardées avec excès, sa poitrine plantureuse. Elle cherche à faire oublier son âge. Je fais mine de m'intéresser :

— Que devient votre fille ?

— Elle a un poste isolé, dans les monts du Livradois. Peu d'élèves. Son piano lui manque.

Elle me désigne le Steiner d'acajou, son couvercle baissé. Rien n'est sinistre comme un piano fermé, si ce n'est un cercueil ouvert. L'absence, la mort. La mort est une absence qui dure. Juliette raconte des choses que je n'entends pas, plongé dans mon chagrin, dans les questions que je me pose moi-même. Au-delà des volets, la ville bruit modestement, comme il convient à une cité judiciaire. Soudain, je m'aperçois que madame Coupat m'interroge avec insistance :

— … vous ne trouvez pas ?

— Pardon ?

— Je disais : il me semble que votre femme avait de drôles de goûts. Qu'est-ce que vous en pensez ?

— Quels goûts ?

— Cette habitude d'aller suivre les procès des grands criminels. Pendant que sa petite était à l'école, elle se rendait au Palais comme on va au cinéma.

— Les audiences ressemblent à des films policiers.

— Moi, je préfère Raymond Souplex dans *Les Cinq Dernières Minutes*.

— A chacun ses goûts.

— Prenez donc un autre gâteau. Vous n'aimez pas les petits-fours ?

Elle m'en glisse de force dans la main. Tout à coup, profitant de cette approche, je m'aperçois qu'elle a saisi ma dextre, qu'elle ne la lâche plus, qu'elle soupire :

— Oh ! monsieur Raoul ! Oh ! cher Raoul ! Nous sommes deux solitaires… Si vous vouliez… on se consolerait un peu l'un l'autre…

D'abord, je la lui abandonne, par courtoisie. Avec sa cinquantaine bien soutenue, elle pourrait être ma mère. Elle ne demande qu'un peu de consolation. Cela pourrait se faire immédiatement, sur le canapé. Elle porte ma main à sa bouche, la baise soigneusement. Mais non, je ne vais pas accepter… cette sorte d'inceste. Pas infliger cet affront à un policier à la retraite. Je suis noble. Doucement, je retire ma main. Je m'écarte. Nos cuisses ne se touchent plus.

— Nous nous reverrons, dis-je, sans rien promettre. Merci de votre sympathie. A bientôt.

Je lui échappe. Je remonte à mon troisième étage. Je ramasse les débris de ma noix de coco, de la baie d'Along, des rideaux ; je les jette à la poubelle. Je voudrais t'arracher de même de mes pensées.

Voici le poste de radio qui t'a si souvent apporté de mes nouvelles par l'intermédiaire du CRM, ondes courtes. Voici le téléphone grâce à quoi je t'appelais de Nouméa, de Papeete, de Panamá. Un moment, j'ai l'intention de les détruire aussi. Puis j'y renonce, ce qui prouve qu'il me reste un très faible espoir de te retrouver, de te parler un jour de nouveau par ces moyens. Minuscule tison dans la cendre de nos souvenirs.

Le lendemain, j'annonce à Juliette Coupat que je quitte Riom provisoirement, que je me rends dans ma famille, à Aydat, mais que je garde l'appartement en location. Je lui rends la clé, pour le cas où ma femme reviendrait.

— On ne sait jamais ! répond-elle, sarcastique.

Comme je m'apprête à m'éloigner, elle me rappelle que Béa n'a pas réglé le montant du loyer d'avril. Je remplis le chèque correspondant.

Et je repars sous mon havresac où j'ai rassemblé les débris encore consommables de la noix de coco. Ils feront plaisir à ma mère.

Voici donc où nous en sommes, toi perdue dans le vaste monde, et moi remonté à mes sources. Divorcés pour le meilleur et pour le pire. Après cinq années d'amour conjugal, fraternel, paternel.

Comment cela a-t-il pu se produire ?

2

J'ai été dès mes premières saisons attiré par l'eau. D'abord par le bruit de l'eau. La ferme de mes parents était construite entre deux ponts sur la Veyre. Celle-ci traverse le village d'Aydat de la tête aux pieds, comme une aorte. Riche en écrevisses, en poissons de toutes espèces, elle l'abreuve, elle le nourrit. A toute heure du jour, j'allais me pencher sur elle, j'admirais ses bouillons, ses sauts de rocher en rocher, écumante de rage après les pluies de printemps, réduite à quelques serpents d'eau par les sécheresses de l'été. Plus bas, elle s'apaise, s'élargit, alimente les bassins d'une pisciculture, se perd enfin dans le lac.

Celui-ci, comme la plupart des lacs d'Auvergne, est une création du volcanisme. Non point lac de cratère établi dans un entonnoir bouché, sur le modèle du Pavin, du Chauvet, du Montcineyre, du gour de Tazenat, si profonds qu'ils touchent au plafond de l'enfer ; mais lac de barrage, plus superficiel, comme la Cassière, le Guéry, le Chambon. La congrégation des puys semble trinquer en élevant ces coupes remplies d'hydrociel.

— J'ai à peu près l'âge du puy de Dôme, affirmait mon grand-père Francisque, puisque j'ai quatre-vingt-huit ans et lui quatre-vingt-huit siècles. C'est ce que j'ai lu dans les livres.

La maison en possédait une douzaine, en comptant un almanach Vermot, le catéchisme du diocèse de Clermont et un livre de messe. Je me rappelle *L'Auberge sanglante de Peyrebeille, Victor Mornac, la terreur des Monts-Dore* et un *Essai sur les volcans d'Auvergne* par le comte de Montlosier. Mon grand-père avait mis le nez dans ce dernier et il n'ignorait rien sur la formation de nos montagnes.

Il y a donc quatre-vingt-huit siècles, ayant contemplé le globe terrestre sorti de ses mains, déjà usé par des milliers de millénaires, Dieu le Père jugea bon de le rajeunir un peu en construisant des montagnes nouvelles aux lignes arrondies, que les Auvergnats de l'époque appelèrent «chaîne des Puys» : puy de Dôme, puy Pariou, puy de Mercœur, puy de la Coquille. Quand ils furent bien en place, il leur fit une bouche au sommet de la tête et ils se mirent à vomir des flammes et des étoiles comme les feux de Bengale. Et aussi des fumées et des pierres. Et encore des torrents de lave incandescente. Une de ces coulées traversa la Veyre et lui fit barrage.

Il fallut des années pour que, derrière cette digue naturelle, se formât un lac de soixante-cinq hectares. Quand il fut plein, l'eau passa par-dessus la digue et retrouva son ancien lit. Des éléments volcaniques, les *cheyres*, jalonnent les alentours. Dieu y sema des pins, des sapins, des genêts, des genévriers, des alisiers pour les grives. Entre les arbres, une herbe rêche, coupante, dite poil-de-bouc. Il ensemença pareillement le lac de brèmes, de perches, de brochets, de chevesnes. Puis Dieu s'adressa aux Auvergnats éberlués :

— Je vous conseille d'élever les animaux ruminants à pieds fourchus. Entre les animaux aquatiques, mangez de ceux qui ont des écailles et des nageoires. Mangez de tous les animaux qui volent à l'exception des impurs : l'aigle, le griffon, le hibou, la chouette, la chauve-souris, l'autruche, le charadrius, le porphyrion.

Regardant autour de lui, l'Auvergnat ne vit ni porphyrion, ni charadrius, ni autruche. Il vit en revanche des chouettes et des hiboux. Les sachant impurs, il les cloua sur les portes de ses granges.

Moi-même, j'ai su pêcher avant de savoir lire grâce à l'enseignement de mon oncle Saturnin. C'est lui qui m'apprit à confectionner avec des brins de plume des mouches artificielles, rousses, grises, noires selon le poisson qu'elles devaient tromper. A les accrocher aux hameçons, du dix-huit minuscule pour les goujons au quadruple zéro pour les brochets. A nouer les hameçons à la ligne, grosse comme un fil d'araignée. A monter la canne de bambou tige à tige, comme le clarinettiste monte son instrument. A respirer l'odeur un peu amère du vernis qui faisait palpiter de gourmandise nos narines. A faire glisser la soie tressée dans les anneaux.

Quand le soleil et les nuages se combattaient, nous dispensant une agréable tiédeur, nous partions tous les deux et remontions le cours de la Veyre pour une pêche sportive. Ce torrent s'enfile sous l'arche d'un troisième pont à Veyréras, auquel par la même occasion il donne son nom. Plus haut, il s'amincit, mais récupère l'eau d'un bief de moulin. Plus haut encore, il serpente au milieu des pâturages tout jaunes en mai de pissenlits en fleur. Des troupeaux de vaches rouges se penchent sur la Veyre et en boivent la moitié. Elle n'avait que des truites à nous proposer. L'oncle en mesurait la dimension à la largeur de sa main, les quatre doigts et le pouce réunis ; et si elles étaient trop courtes, il les rejetait, disant :

— Allez grandir, mes bravounes.

Nous avancions le long des rives, nous courbant pour passer sous les branches des vergnes. De plus en plus filiforme, la Veyre nous conduisait à sa source, au pied du puy de Bessade.

D'autres fois, accablés de chaleur, nous préférions la pêche immobile, toute faite d'attente, de chuchotements, de clapotis. En aval du barrage naturel, nous nous installions sous un saule, le derrière entre les racines, l'échine contre le tronc. Ou encore, sous nos immenses chapeaux de paille, nous prenions place dans une barque que Saturnin avait construite. Relevée par-devant comme une gondole, large et aplatie à la poupe.

Le lac s'étendait devant nous, lisse et merveilleusement bleu par beau temps, gris et renfrogné sous les nuages, reflétant comme un miroir les humeurs du ciel. Nous ramions doucement jusqu'à l'île, déserte d'hommes mais encombrée de végétation, refuge des pies et des tourterelles. J'enfonçais une main dans l'eau pour recevoir sa caresse froide jusqu'à mon coude. C'était déjà le bonheur de naviguer. Nous débarquions avec nos pliants, nos boîtes, nos lignes, provoquant la fuite et les criailleries des volatiles. Nous nous mussions dans une anse, sûrs que personne ne viendrait nous déranger. Les pédalos des Clermontois ne s'aventuraient point dans cette réserve.

Au terme de nos divagations, nous rentrions à la ferme avec notre boîte plus ou moins pleine. L'oncle Saturnin l'avait aussi confectionnée avec des douves de bouleau que le temps avait brunies. Le couvercle en jouait sur des charnières de cuivre. La courroie, de cuir brut, large comme un baudrier de garde champêtre, était douce à mon épaule. Au fond, une litière de paille, sur laquelle les poissons savouraient une douce agonie : chevesnes blonds, barbillons orangés, brochets aux reins verts, brèmes pâles. Mais surtout truites arc-en-ciel, truites pommelées, truites saumonées. A cette vue, Augusta poussait des cris de plaisir. Une heure après, elle encensait tout Aydat de notre friture.

Les Aydatois disaient seulement l'île du Lac. Mais certaines personnes instruites l'appelaient l'île Saint-Sidoine.

A en croire les historiens les plus sérieux — Grégoire de Tours, le professeur André-Georges Manry, madame Bayle-Ilpide —, à en croire aussi mon instituteur, monsieur Méliodon, une villa gallo-romaine occupait au Ve siècle tout notre village, y compris la pisciculture, l'église, les terrains adjacents. Elle appartenait à une grande famille arverne, les Avit, dont elle portait le nom, Avitacum. Roulant de bouche en bouche, usé par un emploi pluriséculaire, le nom est passé par *Avitac*, *Aïtac*, *Aïdac*, pour finir en *Aydat*.

Pendant les soirées d'hiver, monsieur Méliodon invitait les habitants de la commune à venir l'entendre. C'étaient des cours du soir sans obligation.

On disposait des bancs et des chaises. Les paysans et paysannes retrouvaient avec émotion le tableau noir, la carte de France, le panneau du système métrique qu'ils avaient jadis fréquentés. Ils écoutaient religieusement l'instituteur faire la description de cette immense demeure antique où vivaient en permanence une cinquantaine de personnes, autour du sénateur Flavius Avitus, de ses fils Ecdicius et Agricola, de sa fille Papianilla :

« Avitacum comprenait une maison d'hiver et une maison d'été ; l'habitation des maîtres, celle des clients, celle des esclaves ; des thermes, une piscine. Une piscine, direz-vous, à côté du lac ? Oui, piscine couverte, chauffée en décembre. Alimentée par la Veyre, dont les eaux s'y déversaient à grand fracas par six conduits de plomb aboutissant à six gueules de lion. On s'y baignait en commun, esclaves et maîtres. La villa comptait aussi un moulin, une boulangerie, des écuries, une bergerie, des ateliers. Et un terrain pour pratiquer le jeu de paume, sous d'énormes tilleuls qui ombrageaient la pelouse de leurs ramures embrassées. On employait quatre sortes de balles : la bourse, une sorte de sac de cuir ; la trigonale, plus légère ; la villageoise, remplie de son ; la voleuse, garnie de plumes qui la faisaient voler comme un oiseau. Lorsque les joueurs étaient en sueur, ils allaient se baigner dans la piscine. Ou dans le lac à la saison chaude. Ils se défiaient à la nage, prenant pour but l'île boisée où ils abordaient hors d'haleine.

« Dans cette villa arverne vint un jour un jeune homme originaire de Lugdunum (Lyon) : Sidonius, appartenant à une autre grande famille, celle des Apollinaire, dévoués au culte d'Apollon. Il épousa la fille de Flavius Avitus, la jolie Papianilla, qui fit de lui un Auvergnat de cœur. Conquise par César avec le reste de la Gaule, l'Auvergne vivait alors sous l'autorité de Rome, où des empereurs se succédaient en pratiquant le jeu du veau et du boucher, chacun égorgeant son prédécesseur avant d'être égorgé à son tour. Or, par suite de circonstances inouïes, soutenu par l'estime de tous les Gaulois d'importance, Flavius fut élu au pouvoir suprême en l'année 456. Etrange ironie du destin ! Cinq siècles après Vercingétorix, un Arverne montait sur le trône d'Auguste ! Par la même occasion, son gendre Sidoine devint le poète officiel du nouveau souverain, car il avait le don d'écrire en latin des vers louangeurs. Fonction un peu comparable à celle de notre ministre de la Culture. Comblé d'honneurs, Sidoine eut même sa statue en bronze doré dans la bibliothèque nationale.

« Malheureusement, l'empereur Avitus ne fit pas mieux à Rome que ses devanciers. Lui qui avait toujours mené en Auvergne une vie austère changea d'attitude une fois dans la capitale du monde. Entouré de courtisans et de courtisanes, de jaloux, d'ambitieux, de parasites, de rivaux, de charlatans, de bouffons, il connut les voluptés les plus basses. Mille bouches les lui suggéraient : "Connais-tu la joie de t'avilir ? Un branlement de ta tête peut secouer le monde. Tu peux tout ; donc rien ne t'est interdit. Ah ! l'éternelle vertu, quelle chose fastidieuse ! Elle est bien douce la saveur du repentir, auprès de l'amertume de n'avoir jamais fauté !" Après quatorze mois de règne, il fut chassé de Rome, reprit la route de l'Auvergne, mourut en chemin. Sidoine, tombé de sa hauteur, regagna seul la villa d'Avitacum, où l'attendait son épouse Papianilla, aussi patiente que Pénélope.

« Le vide de son existence nouvelle l'effrayait. Fallait-il donc, lui que tout Rome avait adulé, qu'il ne fût plus rien que le seigneur Apollinaire, que les paysans saluaient par les chemins, à qui, le jour de la Saint-Jean, ils apportaient un agneau né de la veille ; à qui de temps en temps ils demandaient d'être le parrain d'un de leurs fils ? Lui-même passait son temps à pêcher et chasser, à renvoyer la paume avec ses beaux-frères, à recevoir ses voisins, à échanger des correspondances avec ses amis lointains. Il se pencha sur son reflet dans l'eau du lac : "Où cela me conduira-t-il ?" Le reflet eut l'air de grimacer parmi les plis de l'onde : "A la mort. A une mort philosophique. — J'ai trente ans. J'en suis encore loin, si Dieu veut. — Tu n'as que le temps de te préparer, car tu as fort à faire. — A faire quoi ? — Tu le sauras bientôt." Pendant les années qui suivirent, il ne fut rien d'autre, en effet, qu'un pêcheur à la ligne. Chaque matin, il allait tremper plusieurs fils à la fois. Sa barque somnolait sur les eaux scintillantes. Le lac en ce temps-là était extrêmement poissonneux, à tel point qu'il nourrissait maintes familles de pêcheurs professionnels. La nuit, parfois accompagné d'un porteur de lanterne, Sidoine fouillait la Veyre en amont ou en aval du lac. Les truites effarées accouraient vers la lumière, vers le fer de son harpon. Ils rentraient au petit matin, transis, et goûtaient avant de s'endormir une modeste joie : celle de voir le premier rayon du soleil jaillir par-dessus la crête qu'aujourd'hui on nomme Serre, à quoi s'accroche le village de Rouillas-Haut.

« Un jour, à peine rentré, Sidoine envoya la moitié de sa pêche à son ami Domice qui enseignait les lettres latines en Augustonemetum. Accompagnée de cette dédicace :

J'ai pris quatre poissons, peints de ciel et de flamme,
Et je t'envoie ceux-ci, daigne les accepter.
Ce sont les deux plus gros, rien n'est plus mérité.
N'es-tu pas la plus grosse moitié de mon âme ?

« Le temps passa. Rome et la Gaule connurent maintes vicissitudes. L'Auvergne avait sa part, sous la garde d'Eparchius, évêque d'Augustonemetum. En l'année 472, celui-ci convoqua Sidoine afin de lui annoncer qu'il l'avait choisi pour successeur.

« — Moi, évêque ? Je ne suis pas digne. Il y a dans cette ville vingt hommes plus dignes que moi. De quelles œuvres puis-je me vanter ? Des vers, des discours, voilà tout ce que j'ai su produire. J'ai commis tous les péchés du monde. Ne te moque pas de Dieu en m'appelant pour te remplacer, Maître.

« — Laisse-moi, répondit Eparchius, te raconter une histoire. Au début de ma carrière, je fus chargé d'enseigner l'hébreu à un groupe de jeunes moines qui voulaient se consacrer à l'étude des Ecritures. Or, l'hébreu, je n'en savais pas un mot. Je l'appris à mesure que je le leur enseignais. Tu feras de même : tu apprendras la sainteté en l'enseignant chaque jour aux autres. Tu enseigneras l'amour de Jésus en le pratiquant.

« C'est ainsi que, malgré lui, Sidoine Apollinaire monta sur le siège épiscopal. Agé de quarante-deux ans, il se sépara de sa famille et entreprit courageusement de faire face à ses devoirs. Il quitta son riche domaine et s'établit dans une pauvre maison près de sa cathédrale et n'eut plus avec Papianilla, restée sur les bords du lac, que des relations fraternelles. S'il lui arrivait de remonter à Avitacum, il en emportait chaque fois, malgré les hauts cris de sa femme, quelque pièce précieuse, un vase d'argent, une aiguière, un plateau de vermeil ; il vendait cela et en distribuait le produit aux pauvres. Alors, en bonne Auvergnate, Papianilla se mettait en quête de sa vaisselle dilapidée et la rachetait.

« La grande affaire de sa vie fut de résister aux Wisigoths qui, venus de Toulouse, envahirent l'Auvergne, assiégèrent sa ville-capitale. Il mobilisa les citoyens, obtint quelques succès, mais fut vaincu par le nombre. Arrêté, déporté, il passa deux années d'exil dans une forteresse des Pyrénées. Les barbares lui permirent enfin de retrouver son siège. Il usa la fin de sa vie en inépuisables charités, mourut en odeur de sainteté à l'âge de cinquante-huit ans au milieu de sa cathédrale ; mais il fut enterré, selon ses dernières volontés, dans une modeste chapelle, Saint-Saturnin, sur le terrain dit "des Plats", aujourd'hui disparue.

« Plusieurs siècles passèrent. Cinq ou six peut-être. Chaque fois que sa patrie d'adoption se trouvait menacée, elle implorait l'aide posthume de saint Sidoine. La chapelle menaçait ruine. On décida de transférer ses reliques dans l'église Saint-Genès, au centre de la ville devenue Clarus Mons. Tout était prêt pour la cérémonie. L'évêque du moment avait lui-même visité la crypte qui devait les recevoir. Alors surgit une femme tout en pleurs et en gémissements :

« — Pour l'amour du Christ, Monseigneur, accordez-moi une grâce. Je viens de perdre deux enfants de neuf et dix ans. Ils se sont noyés dans le lac d'Aïtac. Sans confession ! Accordez-moi,

Seigneur, de placer les corps de mes deux innocents dans le même cercueil que saint Sidoine. Les voyant en cette compagnie, le bon Dieu pardonnera leurs péchés et les recevra en Son paradis.

« Ainsi fut fait. Plus tard, Saint-Genès fut détruite à son tour. On conserva seulement un morceau de sarcophage portant cette inscription : HIC SUNT DUO INNOCENTES ET S. SIDONIUS. Ledit fragment fut placé, je ne sais quand, dans l'église Saint-Barthélemy, où tout le monde peut encore le voir, derrière l'autel. »

Tels étaient les récits que notre instituteur, monsieur Méliodon, faisait à ses élèves et aux Aydatois qui voulaient l'écouter. Son admiration pour Sidoine était si forte qu'il avait donné à sa fille le prénom de Papianille. Mais nous l'appelions plus familièrement Papillote.

Il racontait merveilleusement l'histoire de Rome, de la Gaule, de la France. Si merveilleusement que je n'y croyais pas. Entends par là que, très longtemps, je n'ai fait aucune différence entre les histoires inventées et les histoires prétendument authentiques. Entre Barbe-Bleue qui avait l'habitude de pendre ses femmes et Robespierre qui coupait le cou aux jolies marquises de son époque. Et même à une reine de France. Et à un pauvre bonhomme de roi aussi pacifique que Sancho Pança.

Je n'arrivais pas à croire qu'une bergère de Domrémy, Jeanne, avait pu réunir assez d'hommes d'armes pour bouter les Anglais hors de France. Pas davantage que, sous la conduite d'un petit caporal corse, les armées françaises avaient conquis la moitié de l'Europe. Confondant le faux et le vrai, le cinéma et la réalité, j'appréciais sans les croire le talent des historiens qui avaient créé ces étonnantes figures. Et si l'on me montrait la reproduction dans le dictionnaire de tel ou tel tableau — *Prise de la Bastille, Bonaparte et les pyramides* — je n'y croyais pas plus, pas moins qu'aux illustrations de Charles Perrault.

Il m'a fallu des années, des montagnes de preuves, tel le cheveu de Jeanne d'Arc que j'évoquerai, pour que je fasse le partage. Encore m'arrive-t-il, de loin en loin, malgré mes tempes grises, considérant ce que je sais de notre Histoire nationale, de me dire : « Incroyable ! Incroyable ! » Et de me pincer l'oreille pour m'assurer que je ne rêve pas.

De ce Sidoine Apollinaire, auquel je croyais sans y croire, j'avais une vision très spéciale lorsque je me trouvais dans la barque de mon oncle Saturnin. Me penchant sur les eaux qu'il avait illustrées, je le voyais soudain monter des profondeurs et nager vers l'île. Il y prenait pied, en sortait ruisselant. Je remarquais qu'il portait un caleçon de bain et un bonnet d'évêque. Une coiffure qui m'était familière, même si j'en ignorais le nom officiel de mitre : nous la construisions à l'école par pliage avec une feuille de cahier. Et l'évêque tout mouillé me tenait un beau discours :

— Cher enfant, je te conseille de naviguer comme j'ai fait afin de découvrir le monde. Le monde est grand et donne de grandes pensées. Si tu restes toute ta vie à Aydat, tu n'en auras jamais que des petites.

J'ai appris à lire avant l'école grâce aux pâtes à potage dont ma mère agrémentait notre soupe et qu'elle appelait des *alphabés*. Mon père, facteur des postes, par conséquent homme de lettres, m'enseigna la signification de ces majuscules comestibles et les assemblages qu'on en pouvait faire. De sorte que, chaque soir, avant de manger ma soupe, je la lisais.

Ma connaissance des chiffres me vint du jeu des petits chevaux que je pratiquais chez une voisine, madame Lescure, en compagnie de son fils Riri. C'est donc grâce au dé que je lançais — non sans l'avoir longuement secoué dans son gobelet en soufflant dessus — que j'ai appris les chiffres de un jusqu'à six. La pratique des dominos me permit d'atteindre douze. Monsieur Méliodon compléta ces connaissances de base.

Mon auguste père n'envisageait pour moi qu'une carrière : celle des PTT conjuguée à l'agriculture. Pour m'y préparer, il m'emmenait quelquefois le jeudi dans ses plus proches tournées. Nous montions jusqu'à Fontclairant, jusqu'à Zanières. De Phialeix, nous avions un regard sur tout le lac, si beau, si bleu, si grand que la mer, me semblait-il, ne pouvait l'être davantage ; sur les cheyres boisées qui entouraient sa rive méridionale ; sur Aydat, son église, son cimetière ; sur mon école, accrochée à la colline au-dessus de Sauteyras. Par-dessus le marché, les dents scintillantes des monts Dore ; et, plus loin, la tête ronde du puy de Dôme, coiffée d'une calotte blanche comme celle du pape.

Entre Phialeix et Fohet, nous prenions un moment de repos en nous asseyant sur la pierre couchée. Il s'agissait d'un bloc granitique de section carrée aux extrémités arrondies, long de sept ou huit mètres, qui se trouvait là en bordure d'un champ, au-dessus de la route. Il devait peser dix ou douze tonnes. Monsieur Méliodon l'appelait « menhir » et nous expliquait qu'il s'agissait du monument d'une antique religion, autour duquel Gaulois et Gauloises se réunissaient pour danser. Pourquoi était-il couché, plutôt que debout ? Mystère et boule de gomme. Etait-il tombé ? Ou n'avait-il jamais été planté ? A présent, témoin d'un peuple et d'une croyance effacés, il faisait un peu pitié dans sa prostration. La plupart des automobilistes passaient sans le voir[1].

— Dans mon enfance, narrait le maître d'école, les gens des environs, lorsqu'ils allaient enterrer quelqu'un à Fohet ou à Aydat, déposaient un moment dessus le cercueil qu'ils portaient sur leurs épaules. Pas seulement pour reprendre haleine. Pour que le défunt communiquât aussi avec l'esprit des ancêtres qui avaient taillé cette énorme pierre. Pour le leur recommander.

Mon père et moi prenions les choses autrement. Il tirait de sa musette du pain, du fromage, du saucisson, et nous cassions la croûte. Les alouettes turlutaient dans le ciel, les tourterelles roucoulaient dans les arbres. Aucune source ne coulait à proximité du menhir.

— Nous trouverons bien à boire chez notre prochain client, disait Auguste.

Nous partions la bouche sèche. Déjà, il tenait à la main le pli à délivrer. A notre approche de la ferme, les chiens aboyaient pour avertir le maître. Celui-ci sortait de son étable, un bigot encore au poing.

Le facteur annonçait :

— Une lettre de votre gars qui fait son service à Besançon. Faut-il que je vous la lise ?

1. Depuis, la pierre couchée a été mise en position verticale.

— C'est pas de refus. Attendez que j'appelle la femme.

Il criait : « Marie-Louise ! » Elle accourait, les mains blanchies par la pâte du saint-nectaire qu'elle était en train de pétrir. Auguste ouvrait l'enveloppe délicatement, en retirait la feuille, commençait la lecture : « Chers parents… » Le paysan écoutait de toutes ses oreilles, le menton appuyé sur le manche de son bigot, dans la position dite « du cantonnier au repos ». Au terme de la lecture, mon père demandait :

— Vous ne pourriez pas donner un peu à boire à ce petit ? Il meurt de soif.

— Bien sûr que si. Qu'est-ce qu'il veut : du sirop de cassis, du lait, de la limonade ?

— Donnez-lui un peu d'eau rougie. C'est ce qui convient le mieux à un futur facteur des PTT.

— Est-ce qu'il aimera le canon autant que son papa ?

— Le vin est notre carburant. Sans lui, comment ferions-nous pour rentrer le soir avec vingt ou trente kilomètres dans les jambes ?

Il exagérait à peine. Il n'était d'ailleurs pas seulement messager des bonnes et des mauvaises nouvelles. Certains clients — principalement des vieilles personnes — le chargeaient aussi de menues commissions :

— Vous voudrez bien, facteur, m'apporter un tube d'aspirine… Une pelote de laine blanche… Une boîte d'allumettes… Un kilo de sucre…

Au profit de ces fermes sans téléphone, il devenait un téléphone vivant :

— Envoyez-nous donc le docteur Chaumerliac, le grand-père ne va pas fort en ce moment. Et, pen-

91

dant que vous y êtes, envoyez-nous aussi le curé d'Aydat. Vaut mieux prendre ses précautions.

Il se vantait même à ses copains, au café de la Veyre, loin de mes oreilles, de rendre service à des femmes seules :

— J'étais entré chez la Marinette, une veuve de Mareuge, pas encore trop abîmée. Comme je lui apportais une lettre, je la trouve penchée sur son baquet en train de faire la lessive. Et elle, sans se retourner : « Posez-la sur la table, je suis occupée. » Moi, je me dis que je dois profiter de cette occupation. Je m'approche d'elle, je lui dis : « Ne vous dérangez surtout pas. Continuez votre lessive ! » Je soulève ses cotillons et je lui fais son affaire par-derrière. Elle demande : « Mais qu'est-ce que vous me faites, facteur ? — Rien qu'une politesse, madame. — Ah ! je m'en doutais ! »

Chaque fois, bien qu'ils connussent l'histoire et n'y crussent qu'à moitié, les buveurs du café hurlaient de rire.

Malheureusement, les rencontres féminines que faisait Auguste au cours de ses tournées n'étaient pas toujours aussi galantes. Ainsi celle de La Garandie, chez les Duclos. Il avait à remettre un pli recommandé à Francis envoyé par les services des impôts. C'était le temps de la chasse et il ne s'étonna guère de ne pas obtenir de réponse lorsque, ayant entrouvert la porte, il eut appelé :

— Y a quelqu'un ? Y a-t-il quelqu'un ? Francis Duclos ! C'est pour une recommandée.

Tout était bien en ordre dans la salle, l'horloge égrenait son tic-tac, les yeux d'un chat luisaient sous le dressoir, une soupe mijotait sur les braises de la cheminée et répandait une bonne odeur de choux. Elle attendait le retour du chasseur.

Auguste pouvait laisser un billet annonçant un second passage pour le lendemain. Il jugea plus simple de chercher autour de la maison. Antoinette Duclos ne devait pas être bien loin.

Tout en l'appelant de sa voix forte, il passa dans la grange où dort le matériel agricole : tombereaux, tarare, charrues. Il trébucha sur un escabeau couché par terre. Ce fut alors qu'à hauteur de ses yeux il distingua une paire de souliers. Puis quelque chose qu'il prit pour un épouvantail suspendu à une poutre, la tête de côté. Un épouvantail du sexe féminin puisqu'il portait une jupe. Enfin, il comprit. Seigneur Jésus ! Ce n'est pas un mannequin, mais la pauvre Antoinette en personne, pendue par le cou.

Auguste voulut la secourir s'il était encore temps. Il redressa l'escabeau, sortit son couteau, trancha la corde. Madame Duclos ne pesait guère plus qu'un épouvantail véritable. Il la coucha sur un lit de foin ; mais son visage violet, sa langue tirée lui firent comprendre l'inutilité de ses soins.

Pendant ce temps, à la chasse, Duclos fusillait les perdrix. Mon père courut chez une voisine, la mère Jamot, qui jouissait du téléphone communal. Il appela le docteur Chaumerliac de Ceyrat, les gendarmes de Saint-Amant-Tallende et attendit, près de la morte, l'arrivée de ces personnes, pendant que la mère Jamot pleurait et gémissait :

— Ça ne m'étonne pas qu'elle se soit supprimée. Elle avait une maladie qui ne pardonne pas. Elle en aura eu son compte de souffrir.

Le médecin confirma la mort par strangulation. Un qui fut bien ennuyé : Duclos lui-même. Il dut fournir des explications à la police :

— A quelle heure êtes-vous parti pour la

chasse ?… Avez-vous des témoins ?… Vous arrivait-il d'avoir des disputes avec votre femme ?… D'où provient cette corde ?…

Il dut supporter non seulement sa peine, mais les soupçons des gendarmes ; prouver qu'il n'avait pas de ses mains pendu Antoinette.

— A propos, dit Auguste en tendant son Bic, j'ai une lettre recommandée pour toi. Me faut ta signature.

Duclos tourna longtemps entre ses doigts le crayon à bille, avant de tracer longuement, patiemment « Duclos Francis » sur le registre du facteur. Quelques jours plus tard, après avoir été tourné et retourné, lui, sur le gril de l'interrogatoire, il fut exonéré de toute charge. Et mon père poursuivit ses visites.

Dans sa seconde profession, celle d'agriculteur, il avait presque complètement renoncé au labourage, première mamelle de la France, pour se consacrer au pâturage. Avec l'aide de moi-même devenu adolescent. Trois fois par jour, j'accompagnais nos six vaches à l'abreuvoir marqué *R.F. 1906*. Le jeudi, elles et moi allions brouter l'herbe ou aspirer le suc des primevères. J'appris toutes les bonnes pratiques indispensables à la vie des champs : à traire, à faner, à planter les pommes de terre, à les arracher à la pioche en enfonçant le fer aussi loin que possible du pied pour ne pas blesser les tubercules ; à lier les gerbes de seigle ; à les battre au fléau dans la grange ; à séparer dans le vannoir le grain de la balle. Mon avenir semblait tout tracé, aussi net que la route nationale : je prendrais la suite de mon père à la ferme et à la poste.

L'eau, cependant, restait ma passion dissimulée. A la bibliothèque de l'école, j'empruntais les livres qui m'entraînaient sur les mers lointaines. Avec des écorces de pin, je modelais des voiliers que je peignais de bleu sous leurs mâts blancs, leur donnant de jolis noms collés sur une étiquette : *L'Alouette, L'Abeille, Papianille.*

La fille de monsieur Méliodon était une ravissante enfant aux cheveux de paille, aux yeux véronique. Elle attirait les regards comme le miel attire les mouches. A l'école, chacun de nous s'empressait pour lui rendre de menus services : pour ramasser son crayon tombé, pour lui approcher une règle. Nous lui apportions des buvards publicitaires car elle en faisait la collection. Tout cela durait tant qu'elle était assise. Le maître ne l'appelait jamais au tableau noir. Car, sitôt qu'elle sortait de son pupitre, au prix de grands efforts, elle n'était plus qu'une pauvre infirme. La poliomyélite l'avait atteinte, comme ce président des Etats-Unis. Ses jambes pouvaient cependant la soutenir, prisonnières de charpentes métalliques, et elle se déplaçait avec l'aide de deux cannes.

— Quand je serai grande, affirmait-elle, mes jambes guériront et j'apprendrai à danser.

Au moment des récréations, elle sortait de la classe avec les autres ; mais elle ne se mêlait pas à nos jeux : elle restait dans un coin de la cour, assise dans un fauteuil de bambou, à nous contempler ou à faire du tricotin.

Comme la plupart de mes compagnons, j'étais amoureux de Papianille. Voilà pourquoi j'avais baptisé de son nom un de mes voiliers.

Je fréquentais le lac assidûment. A la saison chaude, monsieur Méliodon emmenait toute sa classe sur la plage étroite, douce à nos pieds nus. Nous nous mettions en caleçon de bain, comme l'évêque Sidoine, et il nous apprenait à nager. Le plus émouvant est qu'il n'hésitait pas à débarrasser sa fille de ses armatures et à la confier à l'eau. Ses jambes infirmes y jouaient convenablement leur rôle de nageoires et elle apprit la brasse aussi bien que les autres.

— C'est que, nous expliqua-t-il, dans l'eau elle sent à peine le poids de son corps grâce au principe d'Archimède.

En dehors de nos jeux aquatiques, nous pratiquions le foot-aux-échasses, dans un pré, derrière l'église. Réservé aux garçons, mais souvent applaudi par les filles. Perchés sur nos échasses, nous poussions le ballon avec nos pieds de bois, en suivant les règles du foot ordinaires. Nous emmêlant les uns dans les autres, ce qui provoquait sur le gazon des chutes innombrables, mais sans gravité. Seul le gardien de but jouait sans échasses, afin de bien disposer de ses quatre membres. J'ai toujours regretté que le foot-aux-échasses ne fasse point partie des disciplines olympiques.

Quand j'eus onze ans, Papillote en eut douze. Elle continuait de s'appuyer sur ses cannes, mais dissimulait ses jambes charpentées sous un pantalon. Puis elle nous quitta, s'en alla poursuivre ses études dans un pensionnat de Clermont.

En juin, juillet, août, les rives du lac étaient de plus en plus fréquentées. C'était l'année 1956, les guerres coloniales allaient prendre fin, toutes les espérances étaient permises. Le père de mon copain Bruno Carpinelli proposait ses glaces aux baigneurs. Il les fabriquait lui-même en pétrissant du lait, de la crème, du sucre, des parfums dans une bacholle ; en disposant cette pâte dans un tambour métallique entouré d'un mélange réfrigérant composé de glace et de sel qui la refroidissait jusqu'à moins 15 degrés. Il appelait la clientèle par une formule qui lui était propre :

— Vous voulez la santé ou vous voulez la polmonite ? Si vous voulez la santé, manzez les glaces dou signor Carpinelli.

Autour de lui, il y avait toujours foule. Bruno me faisait bénéficier de quelques cornets gratuits que le père me livrait :

— Avec les compliments de la maison !

Un loueur de barques et de pédalos s'installa près de la plage, construisit une petite jetée de planches et de piquets. Je lui proposai mes services.

— Que veux-tu que je fasse de toi ? demanda cet ancien matelot.

— Je peux détacher les barques, les amarrer, donner la main aux dames pour ramer. Si une personne tombe à l'eau, je la repêcherai, je nage comme un poisson.

Il voulut bien m'engager deux jours par semaine. Cet été-là, je gagnai un peu d'argent, que ma mère déposa sur mon livret de caisse d'épargne. Mais j'y gagnai bien davantage : l'art de gouverner une barque, de dresser une voile, d'avancer contre le vent.

— Le vent souffle d'où il veut, expliquait mon patron. Pas moyen de le changer. Alors, pour voguer par exemple de l'est à l'ouest quand lui arrive de la direction opposée, il te faut amurer la voile, c'est-à-dire l'orienter pour qu'elle le reçoive en oblique. Au lieu de reculer, la barque se défile par côté. Elle avance en crabe. Elle fait ainsi la branche gauche d'un zigzag, qu'on appelle bordée. Au bout de cette bordée, tu orientes la voile autrement, la barque avance vers la droite. Cette manœuvre s'appelle le louvoiement.

Il concluait sa leçon par un geste démonstratif et ondulatoire :

— Dans la vie, faut savoir louvoyer de même.

Lorsque nous avions un moment de panne, il me racontait sa vie de matelot. Il avait été soutier sur un paquebot à charbon, l'*El Biar*, entre la France et l'Algérie. Un travail de galérien aujourd'hui disparu grâce aux chaudières à FO. A fuel-oil. Un combustible qu'on reçoit épais comme le goudron et qu'il faut liquéfier en le chauffant à la vapeur.

— J'aurais aimé faire le tour du monde. Voir ces îles dont on parle tant, Tahiti, Bora Bora, les Comores. Malheureusement, je n'étais pas allé dans les écoles navales. Je n'étais qu'un marin d'entrepont. Je suis resté sur l'*El Biar* jusqu'au moment où je l'ai pris en dégoût.

Il faisait quand même partie d'une association d'anciens matafs. Ces vieux loups de mer se réunissaient tous les trimestres à Clermont, au café Brousse, pour se raconter leurs voyages. Ils se passaient des cartes postales illustrées, admiraient Alger la Blanche, Oran et ses étages, Mostaganem et ses jardins.

Les jours de grand vent, le lac se mettait en colère, produisant en son milieu une modeste houle et sur les bords des vaguelettes écumeuses. Mais jamais ces tempêtes que Sidoine Apollinaire décrit dans ses lettres, capables de renverser les esquifs des pêcheurs. Ce peu d'agitation suffisait cependant à me donner une idée approximative des typhons et ouragans que décrivent les grands navigateurs. Ainsi, Joseph Conrad :

« Il le contempla, ce navire battu, solitaire, qui

faisait effort dans un décor sauvage de montagnes d'eau noire éclairées par les lueurs des mondes lointains, qui avançait lentement, rejetant, au cœur muet du désordre, l'excès de sa force, en un blanc nuage de vapeur — et la vibration profonde de l'échappement semblait le barrissement inquiet d'une créature marine, impatiente de reprendre le combat. Brusquement, cela cessa. L'air tranquille gémit. Jukes, au-dessus de sa tête, vit scintiller quelques étoiles au fond d'un gouffre de nuées. Au-dessous de ce puits étoilé, les nuages d'encre formant margelle surplombaient directement le navire… [1] »

Loin d'être effrayé par ces descriptions, j'avais soif de tempêtes.

Cette passion de l'eau ne m'empêchait pas d'éprouver admiration et respect pour la vieille maison des Mercier. Construite en 1736, comme l'attestait une date gravée au linteau de l'étable. En basalte gris-bleu, dit communément pierre de Font-freyde, où se trouve une carrière abandonnée. Couverte de lauzes phonolitiques, ainsi nommées parce qu'elles sonnent sous le marteau comme une cloche. Surmontée d'une cheminée puissante, en briques soudées. Longtemps, le sol du rez-de-chaussée avait été en terre battue. Auguste, dans les débuts de son ménage, l'avait pavé de dalles grossières mais inusables. Le meuble principal était la cheminée à manteau, ornée d'un contrecœur en fonte représentant un poisson. Peut-être emblème chrétien. Peut-être souvenir de Sidoine Apolli-

1. *Typhon* (Ed. Gallimard).

naire. Je couchais dans une chambre sous les combles, d'où j'avais vue sur les crêtes neigeuses des montagnes.

Chaque fois que je rentrais de l'école, j'allais saluer nos vaches, Charmante, Blonde, Parise, Clermonte, Barrade, Cousine :

— Bonsoir mesdames !

Elles balançaient la queue en guise de réponse. Je collais une oreille contre leur flanc énorme, j'écoutais à l'intérieur la rumination des quatre estomacs que nous avait décrits monsieur Méliodon. Mon père, lui, m'avait enseigné les gestes de la traite, le seau à coincer entre les genoux, le lavage des trayons, la pression graduelle à exercer sur leur longueur et leur épaisseur.

Amène-moi un pis de vache bien gonflé, et je le trais sous tes yeux comme si je n'avais rien fait d'autre de ma vie.

Quand le pacha d'un de mes bateaux rassemble son équipage dans le *briefing room*, il m'arrive d'examiner ces Bretons, ces Normands, ces Flamands, ces Provençaux, et de me dire que je suis probablement le seul marin du bord qui sache traire une vache.

A l'âge de quinze ans, j'appris aussi à tondre les brebis. On commence par dégager le ventre et le collet au moyen des forces, ces énormes ciseaux à ressort. Après quoi, je liais deux par deux les quatre pattes. Quand je couchais la bête sur mes genoux, elle posait sa tête avec confiance dans le creux de mon bras gauche. Ma main droite procédait à la tonte, qui finissait par la queue. Bien menée, la toison devait être enlevée tout d'une pièce. La brebis sautait alors sur ses pattes, s'ébrouait, s'écartait un peu, puis restait là plantée, toute confuse de se sentir aussi nue.

Nos vaches n'avaient pas d'autre emploi que de produire du lait, des veaux et du fumier. Pour le travail, nous disposions d'un tracteur que je sus conduire très jeune. Marque Energic, fonctionnant à l'essence, six vitesses avant, trois vitesses arrière, refroidissement à air. Installé sur la selle de fer qui moulait exactement mes fesses, je dominais avec orgueil les chemins, la route, les piétons. Les chiens furieux m'aboyaient aux roues. Debout dans le tombereau que je remorquais, mon père leur faisait ce geste que j'ai ensuite beaucoup pratiqué et qu'on appelle « bras d'honneur ».

Auguste pensa me gagner à sa profession en m'inculquant le goût de la mécanique agricole. Lui-même était capable de démonter entièrement son tracteur, de répandre toutes ses pièces dans la cour de la ferme et de remonter l'ensemble sans qu'il y en eût une seule de trop. Si par hasard il trouvait telle ou telle défectueuse, il la réparait dans son atelier à la lime et à l'ébarboir. Quand c'était impossible, il enfourchait sa bicyclette, descendait à Clermont prendre une pièce de rechange chez Yvan Béal et remplaçait la mauvaise.

Il me communiqua son goût des engrenages, des pistons, des boîtes de vitesses, qu'il avait acquis lui-même en faisant son service militaire au 13e train des équipages. Sans le savoir, il croyait me rapprocher de lui et il obtint le résultat contraire.

Dans le même souci, il me présenta à ses abeilles. Sur le plateau de Fontclairant, il possédait une dizaine de ruches coiffées de paille qu'il

101

découvrait au printemps et dans lesquelles il versait du sucre cristallisé lorsqu'il jugeait leur provision insuffisante. Après quoi, il leur recommandait :

— Travaillez, mes mouches !

En automne, il recueillait leur miellée. C'était le délice des délices que de consommer à la petite cuillère un morceau de rayon accompagné de pain gris. Les abeilles ne le piquaient jamais, car il avait fait avec elles un pacte d'amitié. Il leur parlait, leur faisait part des bonheurs et des malheurs de sa famille. C'est ainsi qu'après le décès du grand-père Francisque il attacha un bout de crêpe au bonnet de chaque ruche afin qu'elles partageassent notre deuil. Il les appelait. Les ouvrières sortaient de leur abri, se posaient sur ses mains, ses épaules, sa figure. On eût dit qu'elles l'habillaient de leur affection. J'essayai prudemment de l'imiter ; sans obtenir un résultat aussi spectaculaire.

Un jour, il se produisit même un accident. Alors que quelques avettes s'étaient ainsi posées sur mon front et sur mes joues, le ciel éclata et se fendit en deux : un avion Mirage venait de percer le mur du son. Soudain, je ressentis une douleur atroce dans le cou. Affolée par l'explosion, une abeille venait de me piquer. Quelques secondes plus tard, je tombai dans les vaps. J'y restai bien trois jours, me dit-on. C'est ainsi que je découvris mon allergie au venin des mouches à miel. On en comptait vingt mille par ruche. Cela me faisait en tout deux cent mille ennemies possibles.

Dans la ferme, j'en avais deux autres : les oies de ma mère. Pour des raisons qui m'échappent, elles ne pouvaient souffrir mes jambes nues. Sitôt que je passais à proximité, elles s'élançaient en feulant vers mes mollets. Heureusement, notre chienne Félicia, me voyant menacé, leur volait dans les plumes et les mettait en fuite, toutes cacardantes.

Il n'était pas question de me plaindre de ces accidents. Auguste m'enseignait que l'Auvergnat ne doit pas « s'écouter », succomber aux charmes du moindre méchef.

Un jour que nous déchargions des bûches, lui sur le char et moi par terre les recevant, l'une d'elles me tomba sur le cassis, heureusement protégé par un chapeau de paille. Etourdi par le coup, ne sachant plus très bien si je me trouvais au ciel ou sur la terre, je me mis à courir, à sauter comme un cabri autour du char. Et le père de me crier dans son patois :

— *Co i re! Co i re do to!* Ça n'est rien ! Rien du tout !

La mère tamponna néanmoins ma bosse avec de la teinture d'arnica. J'ai bien retenu la leçon.

A l'opposé des oies, j'avais une volaille amie. Une pie à laquelle nous donnions seulement son nom d'Ajasse. Apprivoisée dès son plus jeune âge, elle avait le droit d'entrer dans la maison. Une vitre manquante à la fenêtre de l'étable lui permettait de dormir dans un nid de paille, capitonné de mousse, qu'elle s'était construit, car les pies sont des architectes remarquables. Elle voletait de pièce en pièce. Nous avions parfois la surprise de la voir jaillir d'un placard sans avertissement. Avec son costume de cérémonie, son gilet blanc, sa jaquette noire à queue fourchue, elle se posait au milieu de la table, picorait les miettes de pain, laissait en échange une belle fiente. Ce qui mettait en colère Augusta :

— Elle est comme les mauvaises gens : une

merde pour remerciement ! Quelque jour, elle recevra un coup de balai !

Je la défendais, disant qu'elle voulait seulement nous jouer une farce. Ajasse, comprenant que je me faisais son avocat, se posait souvent sur mon épaule ou sur ma tête. Certains jours, je ne pouvais m'en défaire, je la trouvais entre mes pieds, devant moi, derrière moi, avec le même attachement un peu pot de colle que notre chienne Félicia. Des bagarres éclataient d'ailleurs entre les deux bêtes, jalouses l'une de l'autre ; les plumes et les poils volaient en l'air. En somme, la pie était pour moi une sorte d'oiseau-chien.

Elle avait coutume de paraître le matin à l'heure des soupes. Un jour, elle ne vint pas. Ni le lendemain. Ni les jours suivants. Quelque malheur lui était arrivé. J'errai autour de la maison et dans Aydat, criant :

— Ajasse ! Ajasse !

Vainement, nous laissâmes béantes les fenêtres. Mon oiseau-chien fut perdu. Aucune autre pie ne la remplaça.

Dans ma douzième année, je passai honnêtement les épreuves du Certificat d'études. Il me restait encore quatre ans à tirer pour atteindre la limite de l'obligation scolaire.

— J'ai envie, dit mon père, de t'inscrire à l'école de Marmilhat. Tu y apprendras l'agriculture, les engrais, les assolements et tout le fourbi. Ensuite, je te ferai entrer à la poste et tu prendras ma suite, sous mon képi et dans mes bottes.

Je dis non, parce que j'étais allergique aux

abeilles et aux oies et que je n'aimais pas les topinambours.

— Tu mangeras des patates. On vendra les ruches, on n'élèvera plus d'oies, on gardera le reste. Notre famille travaille sur ces terres depuis plus de deux siècles, c'est gravé sur la porte de l'étable. Tu es mon fils unique. Tu ne peux pas abandonner ce bien qui te protégera de la famine, toi et tes enfants.

— Je veux faire de la mécanique.

— Tu mécaniqueras sur le tracteur tant que tu voudras. Comme moi-même.

— Ce qui m'intéresse, c'est la mécanique des bateaux. Je veux être mécanicien dans la marine marchande.

Auguste me regarda comme on regarde un fou.

— Dans la marine marchande ! Quelle idée barioque ! Où l'as-tu prise ?

— Y a longtemps que je la rumine. Je veux naviguer.

— Eh bien, tu navigueras sur le lac d'Aydat.

— Je veux faire le tour du monde. Pour avoir de grandes idées.

— Sur l'eau ?

— Sur les mers.

— Tu veux être un *chidanliau* ?

C'est le nom qu'on donnait jadis aux mariniers, aux navigateurs de l'Allier et de la Loire, obligés de se soulager par-dessus bord. Je lui expliquai que dans les gros navires on trouvait des cabinets *assis*, ce qui était mieux que chez nous.

— Et que deviendra notre bien ?

— Tu le cultiveras jusqu'à la fin de tes jours. Tu n'es pas bien vieux ! Tu peux travailler encore trente ou quarante ans.

— Et après ?

— Tu me laisseras ta maison. Quand j'aurai assez navigué, je m'y retirerai.

— Et les terres ?

— Je les donnerai en fermage. Elles resteront ma propriété.

Toute la famille, consultée, exprima son opposition à mes projets.

— Tu sais bien, dit ma mère, que les bateaux font naufrage.

— L'homme n'est pas plus fait pour aller sur l'eau qu'une sardine n'est faite pour marcher sur la route, soutint mon oncle Louis, ancien chasseur alpin.

Ma tante Séraphine se voila la face avant de prétendre que les marins mènent une vie de patachon ; ils ont une femme dans chaque port : ils attrapent d'affreuses maladies qu'ils ramènent chez eux, si bien qu'ils rendent leur épouse légitime *sifilétique*. Mon oncle Saturnin, grand pêcheur sur lacs et sur rivières, soutint ma cause ; mais, seul contre tous, il ne faisait pas le poids. Je m'obstinai. Je menaçai, si l'on m'empêchait de suivre ma voie, de faire une fugue, d'aller m'engager comme mousse sur un chalutier breton.

Au terme de ces palabres, mon père me plaça comme interne au centre d'apprentissage de Belle-Ombre, sur les hauteurs de Clermont, recommandant au directeur de me visser si je ne donnais pas entière satisfaction :

— Il veut apprendre la mécanique. Faites-la-lui entrer par la tête, par les mains ou par les fesses.

Je n'eus besoin d'aucune punition. Pendant trois ans, j'appris la mécanique, qui est la science des forces et du mouvement, et ses applications dans les moteurs électriques, les moteurs hydrauliques, les moteurs éoliens, les moteurs à essence et les moteurs à huile lourde. Nous recevions aussi un enseignement général de français, d'histoire-géo, d'anglais et d'italien. L'internat m'apprit à vivre en groupe, à supporter les autres et à me faire supporter. Je ne remontais à Aydat qu'au cours des vacances scolaires ; mais la passion que je mettais à mes études me consolait de mon exil.

En 1961, je trouvai Papillote presque guérie. A présent, elle marchait sans s'appuyer sur des cannes. A peine lui restait-il un léger balancement dans sa marche qui lui conférait le mouvement d'une gondole.

Je sortis de Belle-Ombre avec un brevet professionnel de motoriste. Mon père fit semblant d'en exprimer de la satisfaction :

— Te voilà mécanicien. Bravo. Je peux te trouver une place dans un bon garage. A Theix ou à Beaumont. Pas trop loin d'Aydat.

— Je n'ai pas renoncé à la marine.

— Oh ! la tête de bourrique ! cria-t-il en levant la main.

A seize ans, j'avais déjà quelques poils de moustache sous le nez, je n'étais plus un gamin qu'on peut faire changer d'avis avec une torgnole. Aucun parlement familial ne me détourna de ma vocation. Monsieur Méliodon suggéra de me faire inscrire à une école nationale de la Marine marchande. J'avais le choix entre plusieurs. J'optai pour Le Havre, qui me semblait plus ouvert au monde marin que Paris, Paimpol ou Marseille.

Ladite école, en fait, se trouve au cap de la Hève, à Sainte-Adresse, dont je connaissais le nom grâce au texte que Prosper Mérimée dicta par jeu à la cour impériale et sur lequel, à son tour, monsieur Méliodon vérifiait notre force en orthographe chaque fin d'année : *Pour parler sans ambiguïté, ce dîner à Sainte-Adresse, près du Havre, malgré les effluves embaumés de la mer, malgré les vins de très bons crus... fut un vrai guêpier...* Pour nous consoler de nos trébuchements, monsieur Méliodon, un farouche républicain, ne manquait pas de nous rappeler que l'empereur Napoléon III avait commis soixante-quinze fautes, c'est-à-dire pratiquement une par mot difficile, sa femme Eugénie soixante-deux, ce qui prouvait que l'un et l'autre étaient aussi nuls en dictée qu'en politique étrangère. En revanche, le prince de Metternich Winneburg, ambassadeur d'Autriche, avait failli trois fois seulement.

Après vingt ans d'efforts, Le Havre sortit enfin des décombres à quoi l'avaient réduit les bombardements américains. Les côtes étaient hérissées de bunkers où les gosses jouaient à cache-cache. J'eus le bonheur, le 3 février 1962, au milieu d'une foule énorme, de voir le troisième *France* appareiller du quai Johannès-Couvert pour sa première traversée vers New York. Malgré la pluie, des milliers de mouchoirs, une immense acclamation saluèrent le « paquebot du siècle ».

Luxueux comme un palace terrestre, il avait été construit en trente-sept mois aux chantiers de Penhoët ; avait épousé la mer en 1960 ; reçu au Havre ses aménagements intérieurs. Toute la presse chantait ses merveilles : cheminées antifumée, stabilisation antiroulis, climatisation générale, cabines pourvues de téléphone, salles de cinéma, télévision, bibliothèque riche de deux mille titres.

Le psychologue américain J.T. Matthews expliquait que les passagers des grands navires sont inconsciemment à la recherche des émotions de leur premier âge, et même de leur vie prénatale. Ils aspirent à se faire bercer par les mouvements de ce grand sac placentaire en milieu salin. Ils se laissent soigner, dorloter, distraire comme des nourrissons. Les commissaires de bord, les stewards ont la charge de ces gâteries. Un fond sonore émollient joue le rôle des berceuses.

A bord du *France*, ces gros poupons pouvaient jouer à la toupie magnétique, au ping-pong, au mini-golf, aux chevaux de bois. Les toutous de compagnie bénéficiaient d'un chenil surveillé, d'une moquette lavable, des services de doggie-sitters formées à la psychologie canine. Compte tenu de son poids total et de son prix de revient, le *France* était estimé à 9,50 nouveaux francs le kilo, à peu près le prix du jambon de Bayonne, ce qui n'était vraiment pas cher.

Les six cents passagers de ce voyage inaugural étaient tous des oiseaux de haut vol : académiciens, vedettes de cinéma et de la chanson, banquiers, industriels, ministres. Millionnaires en dollars ou en francs suisses. Parmi d'autres élèves de l'ENMM, je me disais que j'aurais certainement un jour l'occasion de fréquenter de tels privilégiés. Gens qui s'alimentent uniquement de foie gras et de caviar en buvant du champagne Mercier.

Le *France* s'en alla sous la pluie vers l'autre rive de l'Atlantique. Vers son imprévisible destin.

A Sainte-Adresse, nous étions tous d'ardents colonialistes. Persuadés que la prospérité de notre flotte marchande était liée à nos possessions d'outre-mer.

— Si nous perdons l'Algérie comme nous avons perdu l'Indochine, enseignait notre prof d'économie, notre niveau de vie baissera de quarante pour cent.

Quelques semaines après le départ du *France*, les accords d'Evian mirent fin à une guerre qui n'osait dire son nom et que les Algériens eux-mêmes appellent la Révolution. Or il s'est produit depuis le contraire de ce que nos spécialistes avaient prophétisé. Pendant les vingt ans qui suivirent, jamais notre industrie, notre agriculture, notre commerce ne furent aussi prospères. Une prospérité légitime qui succédait à une prospérité d'exploitation. Favorisée par le traité de Rome et la création de la Communauté économique européenne. Tous les peuples colonisés se libéraient d'ailleurs les uns après les autres. A Cuba, l'avocat Fidel Castro et le docteur Guevara défiaient de leur barbe et de leur cigare les impérialistes américains. Les Beatles soulevaient l'enthousiasme des jeunes Européens en chantant *Lucy in the sky with diamonds*. Sur tous les murs fleurissaient des graffiti pacifistes.

Je passai quatre ans à l'ENMM, dans la filière Machines. Les cours théoriques alternaient avec les contacts pratiques que nous fournissaient les visites aux cargos mixtes l'*Astrolabe* et l'*Alidade*, retenus dans le bassin de la Manche. J'appris tout ce qu'on peut savoir sur les turboréacteurs et leurs chaudières, les groupes électrogènes Diesel, les installations frigorifiques, les bouilleurs à basse pression producteurs d'eau douce à partir de l'eau de mer. Toute hélice me devint aussi familière que les doigts de ma main, avec ses pales, son tube d'étambot, son presse-étoupe.

Quand nous nous trouvions dans une salle de machines, nous avions l'impression d'être enfermés dans une usine, non sur un bateau. Mais nos pensées s'aéraient lorsque nous montions sur les ponts pour regarder la mer et entendre les mouettes.

Quoique spécialiste des machines, j'appris les rudiments de la navigation.

— Cela peut vous servir un jour. Il y a tant de cas de par le monde ! affirmait Gros-Pif, notre professeur, un peu porté sur le whisky. Ce qui importe d'abord, c'est de savoir où l'on est.

Il nous apprenait les diverses façons de nous positionner. Au moyen du sextant, par l'observation du soleil et des étoiles. Et surtout au moyen du satellite GPS (Global Positioning System).

Mais le plus troublant *positioning system* me vint de Mélanie, une prostituée qui, par l'âge, aurait pu être notre mère et qui pratiquait son enseignement sous une toile, dans une chaloupe amarrée dans l'anse des Régates. Nous étions toujours quatre ou cinq amateurs de découvertes à prendre patience sur le quai, comme il arrive autour des cabines de la gare de Lyon. Chacun attendait son tour. Poussé par la curiosité et par les incitations des copains, je me glissai moi aussi sous cet auvent, où je fus reçu par les bras chauds et les lèvres épaisses de Mélanie.

— Quel âge as-tu ? me demanda-t-elle d'emblée.

Elle avait coutume de compter demi-tarif aux mineurs ; je pus bénéficier de cette franchise. Comme je tremblais un peu d'émotion et d'inex-

111

périence, elle me rassura, me chuchota des mots tendres, et le positionnement se déroula dans le bonheur. Au moment où je me trouvai bien situé par rapport à son sextant, elle me conseilla, avec un brin de moquerie :

— Tu peux bouger, mon petit coq. C'est même recommandé. Tu n'es pas devant le photographe.

Je sortis de la chaloupe parfaitement informé.

En 1965, je quittai l'école avec un brevet d'élève officier mécanicien, portant le titre familier de *zef*. La remise solennelle des diplômes s'accompagna d'une fête avec discours, vin d'honneur, banquet, à laquelle les parents étaient conviés. Mais ni Auguste ni Augusta n'affrontèrent le voyage entre l'Auvergne et Sainte-Adresse, retenus par leur bétail. Le paysan est attaché à ses vaches comme son ancêtre le serf l'était jadis à la glèbe.

— Te voilà donc matelot ! grogna mon père lorsque je reparus à Aydat. Au moment où l'agriculture se modernise de plus en plus ! C'est écrit dans tous les journaux.

Tous les journaux ? Il recevait une fois par semaine le *Paysan d'Auvergne*, rempli de sigles et d'abréviations auxquels il ne comprenait pas grand-chose. Mais chaque profession a les siens. La marine en use et en abuse, tantôt français, tantôt angliches : *LPP* (Longueur entre perpendiculaires), *TE* (Tirant d'eau), *EVP* (Equivalent vingt pieds), *ACH* (Ateliers de construction du Havre), *AFO* (Ateliers français de l'Ouest), *CGM* (Compagnie générale maritime), *HMS* (Her Majesty Ship), ou des *TRF* (Très basse fréquence)… Il y a des dictionnaires pour déchiffrer tout cela.

J'accomplis mon temps de service militaire dans la marine nationale.

Attaché au port de Toulon, je crus que j'allais enfin quitter la terre ferme, traverser les mers et les océans, aborder à des rivages lointains. En fait, pendant douze mois, je passai d'un bateau à l'autre, du croiseur *Surcouf* à la frégate *Provence*. J'y fus employé à curer les intercales, à ravauder les câbles, à décrasser les machines, à brosser les réservoirs. Je devenais mataf seulement le dimanche, quand j'avais le droit de revêtir mon uniforme, de coiffer mon béret à pompon et à ruban *Marine nationale*, et de descendre dans la ville dépenser mes économies.

Avec d'autres, je fréquentais les bars à putains de la rue d'Alger. Par prudence et par calcul, peu désireux de devenir *sifilétique*, je ne succombais point aux tentations. La seule traversée que j'eus l'occasion de faire me conduisit aux îles d'Hyères sur une vedette touristique. Jusqu'à Porquerolles, une république de nudistes.

En Auvergne, sur le plateau de la Serre qui domine les deux Rouillas, s'est installé de même un camp entouré de haies et de fil de fer barbelé, où vivent en été cette sorte de républicains. La plupart viennent de Suisse ou de Hollande, reconnaissables aux deux majuscules de leurs caravanes. *CH*, pour les premiers, ce qui veut dire Chocolat. *NL* pour les seconds, ce qui veut dire Non-Licheurs, car ils ne boivent, ne mangent rien de ce que produit la région ; ils apportent leur fromage, leur pain, leurs boîtes de lait ; au terme de leur séjour, ils se rhabillent et retournent chez eux sans avoir dépensé un florin.

Les paysans de l'endroit, qui ne voient pas l'intérêt qu'il peut y avoir à vivre tout nu, appellent abusivement ce clos le « boxon ». Parfois, ils rôdent autour, sous prétexte de chasser la grive ou de chercher la morille, s'efforçant de distinguer à travers les buissons à quoi ressemble un Suisse ou un Hollandais « en peau ». Des farceurs ont complété à la peinture noire les panneaux de protection. Ce qui donne ce genre de résultats : *Boxon, défense d'entrer. Transformateur du boxon. Boxon réservé à la FFN et à la FIN*. Encore des initiales à déchiffrer.

Au cours de mes derniers mois toulonnais, j'envoyai, avec une photocopie de mon brevet de *zef*, des demandes d'emploi à diverses compagnies de navigation. Ayant reçu plusieurs réponses positives, je choisis la plus favorable et me trouvai sur le *Tamerlan*, un navire frigorifique construit par les ACH, port en lourd maximum de 1 800 tonnes, long de 76 mètres, d'une capacité de 2 500 mètres cubes. Après avoir battu divers pavillons, il appartenait à la société France-Polynésie et naviguait dans l'océan Indien. Port d'attache : Toamasina, l'ancienne Tamatave de Madagascar.

Lorsque ma mère sut que, pour m'y rendre, je devais prendre l'avion, elle versa d'abondantes larmes :

— Pourquoi pleures-tu ?

— Parce que les avions sont encore plus dangereux que les bateaux. Si tu ne meurs pas noyé, tu finiras carbonisé.

— Et dire, ajouta mon père, que tu aurais pu vivre ici tranquillement derrière la queue des vaches ! Devenir centenaire !

— On peut mourir aussi d'un coup de pied de vache !

— Et en plus, il se fout de nous ! J'ai pas connu une seule personne morte d'un coup de pied de vache. De ma vie ! Tandis qu'y a tous les jours des bateaux qui coulent ou des avions qui s'écrasent.

— L'oncle Saturnin est bien revenu du Japon.

— De temps en temps, y en a qui s'écrasent pas. C'est des exceptions.

Pour me protéger, Augusta me donna une médaille de la Vierge d'Orcival à qui elle croyait dur comme fer, me faisant promettre de la garder toujours à mon cou. Non sans mélancolie, je quittai mes deux vieux, emportant un flacon que j'avais rempli avec la terre du jardin. Ainsi, j'aurais toujours un peu d'Auvergne avec moi. Je le glissai dans mon havresac, avec quelques livres inspirés par la même province : un roman d'Henri Pourrat, *Gaspard des Montagnes* ; des souvenirs de Jean-Emile Bénech, *Les Pieds dans l'herbe* ; un recueil poétique de Pierre Moussarie, *Pistes secrètes* :

Ma mère, qui vécut si longtemps à genoux,
Pour la lessive et la prière...

Puis je montai dans l'autobus départemental qui devait me transporter à Aulnat. Gardé par ma médaille d'argent, je pris ensuite place dans l'avion d'Air France.

Je pensais goûter un grand plaisir à découvrir du plus haut des cieux des paysages que je ne connaissais que de réputation : les Alpes, la Méditerranée, l'Egypte. En fait, nous voyageâmes presque toujours au-dessus des nuages et je pus à peine me rendre compte, à travers le hublot, si nous survolions des terres ou des mers. Lorsque nous franchîmes la ligne invisible de l'équateur, les hôtesses nous servirent une coupe de champagne.

Après douze heures de vol et une escale à Djibouti, je remis le pied sur le plancher des vaches. Ou plus exactement des zébus, ces bovidés à bosse dont les cornes ressemblent à des pinces de lucane. Je trouvai Toamasina sous la pluie. Elle crépitait sur les toits de tôle rouillée, glissait le long des murs moussus, évacuait les ordures éparses. Mais, cinq minutes après, le soleil séchait les feuillages des cocotiers.

J'eus d'abord l'impression de débarquer dans une ville chinoise, peuplée de garçons et de filles aux yeux obliques, aux cheveux raides. Enfants d'épiciers, d'artisans venus du pays jaune, ils fréquentaient l'école Sun-Yat-Sen où ils apprenaient l'arithmétique, le commerce et l'écriture à clefs. A mieux y regarder, je distinguai aussi la population autochtone : pêcheurs, savetiers, batteurs de cuivre. Près des entrepôts, des odeurs de friture se mêlaient aux parfums de vanille et de girofle. Sous leurs vérandas fleuries — appelées varangues — de grosses mémères s'éventaient.

Le long des môles, des navires sagement alignés. Je trouvai sans peine le *Tamerlan*. Le pacha me reçut dans son bureau. C'était un Bordelais au ventre de barrique. Lui-même se moquait de son tour de taille :

— Si je ne peux pas courir, je roule.

En fait, quand il le voulait, il se déplaçait avec une surprenante célérité qu'il devait à des jambes restées nerveuses depuis l'époque où il poursuivait le ballon ovale dans l'équipe de Bègles. Il avait, comme celui de la chanson, fait dix fois le tour du

116

monde. Participé au débarquement de 1944 en Provence. Subi deux naufrages. Eté capturé par les Viêts et retenu dix-huit mois dans un camp de « rééducation ». Mordu par un requin, il avait échappé aux anthropophages de Papouasie et aux séductions empoisonnées des vahinés. Après ces incidents, plus rien d'étonnant ne pouvait lui arriver, si ce n'est de voir traîner ses boyaux par terre.

— Qu'est-ce que c'est que cette histoire de boyaux ? osai-je demander.

— Un proverbe de chez nous dit : ne t'étonne guère tant que tu ne les vois pas traîner par terre.

Il sortit une bouteille de *choum-choum*, alcool de riz malais, et nous trinquâmes « à notre future amitié ».

Je fis ensuite connaissance avec le bosco, un Normand pur cidre ; et le chef mécanicien, originaire de Montélimar, un Montilien pur nougat. Tous les membres de l'équipage m'accueillirent avec une sympathie de frères aînés, eu égard à mes vingt-deux ans et à la petite moustache que j'avais laissée pousser afin de me vieillir. On me conduisit à ma cabine, où je déposai mes bagages, mes livres, mon flacon de terre auvergnate. A travers le hublot, je pus distinguer tout le port de Toamasina, avec ses deux anses jointes, qui dessinent un immense W.

Je fis enfin connaissance avec le navire lui-même. Avec ses trois cales, son moteur Diesel à quatre temps, ses huit cylindres en ligne entraînant une hélice à quatre pales orientables, ses trois groupes électrogènes de 169 kilowatts chacun.

Avant notre départ, quelques collègues des machines m'entraînèrent dans le port pour la bordée traditionnelle. Nous fîmes la tournée des boîtes à matelots, depuis le *Chat botté* jusqu'à l'*Allegria*. Et je fus, pour faire preuve de ma virilité, dans l'obligation de choisir une fille.

Les jeunes Malgaches sont plutôt maigrichonnes. Aussi les grasses sont-elles les plus appréciées. Pour me faire honneur sans doute, le patron mit à ma disposition la plus substantielle de ses employées. La chose devait se faire dans une sorte de hangar à poisson qui puait la caque. Deux grabats sur une couche de raphia attendaient la clientèle, à la pâle clarté d'une loupiote sans abat-jour. Quand, la femme et moi, nous fûmes face à face, je demandai :

— Comment vous appelez-vous ?

— Marlène.

Il y avait une telle différence entre l'illustre vedette germano-américaine et cette énorme dondon que j'éclatai de rire.

— Toi, beau rire, dit-elle sans s'offenser.

Elle crut que je riais de plaisir. Puis, se contentant de se trousser, elle s'allongea sur une des deux paillasses, me faisant signe de venir à elle. Après une hésitation, je m'approchai. Sans le moindre désir de cette chair exubérante. Il en montait une telle odeur de malpropreté, de vieillesse, de vice, que je reculai, pris par une soudaine envie de vomir. Et elle de répéter sans comprendre :

— Viens... Viens...

Je fis signe que non. Elle se releva, furieuse, vociférant :

— Payer !... Payer quand même !

Je lui mis dans la main le billet convenu. Et je m'enfuis, à l'air libre au parfum de vanille.

Le 4 novembre 1967, le *Tamerlan* largua les amarres. Ainsi commença véritablement ma carrière de navigateur. Nous ne quittâmes pas l'océan Indien, allant de Madagascar à la Réunion, à l'île Maurice, transportant de la viande de zébu congelée. En retour, nous ramenions de la chair de tortue, du sucre, du rhum, du café, des bananes.

Aux Comores, nous embarquâmes des fèves de cacao. Et je pus vérifier — ce dont je me doutais un peu — que la Grande Comore n'est pas une gonzesse, contrairement à ce que croyait notre président de la République lorsque son ministre des Colonies, François Mitterrand, l'informa que la Grande Comore voulait nous faire des ennuis.

— Elle commence à nous embêter, cette Grande Comore ! répondit Vincent Auriol avec l'accent de Toulouse. Foutez-lui la Légion d'honneur et qu'elle cesse de nous casser les pompons.

Je peux attester que la Grande Comore est l'île principale de l'archipel homonyme. Couverte de cocotiers et de cacaoyers.

Notre navigation était une sorte de grand cabotage car la distance entre les îles ne dépasse pas cent milles marins. Il n'empêche que, naviguant en toutes saisons, nous dûmes essuyer des tempêtes épouvantables. Peu sujet au mal de mer par houle modérée, je dus, au cours de ces ouragans, me réfugier à fond de cale où je vomissais tripes et boyaux. Mon désir de tempêtes se trouva complètement satisfait.

— Mon garçon, conclut le pacha bordelais, tu me sembles fait pour la mer comme moi pour le violoncelle.

Le médecin du bord me bourra de Nautamine et me fit porter, à même la peau, un collier composé d'une douzaine de sachets remplis de sel marin. Quand les nausées étaient trop fortes, je me couchais sur le plancher et je serrais les dents. Quoique peu croyant par temps de bonace, j'invoquais le secours de la Vierge d'Orcival suspendue à mon cou. A force de volonté, de patience, de prières, j'eus raison de mes contractions d'entrailles et je regagnai l'estime du pacha.

Peu à peu, je m'incorporais à la substance du *Tamerlan*. Je vibrais avec lui, je souffrais avec lui, je me sentais en lui comme Pinocchio dans le ventre de la baleine. Lorsque j'étais de quart à la surveillance des machines, le bon ronronnement de mes moteurs me remplissait de béatitude. Si, au contraire, hors mon temps de service, se produisait la nuit quelque raté, je me réveillais en sursaut dans ma cabine, la gorge serrée par l'inquiétude. Je ne me rendormais qu'après le retour du chant familier.

De même que les vacances sont le meilleur moment de la vie scolaire, les escales sont le meilleur de la navigation. A Madagascar, les nôtres duraient plusieurs jours. J'en profitais pour découvrir cette grande île. Les montagnes sont couvertes de forêts peuplées de lémuriens, les makis, aux yeux ronds, aux oreilles de chat, munis d'une somptueuse queue blanche zébrée de noir. Sur les terres basses prospèrent les plantations de caféiers, de vanilliers, de palétuviers.

Tananarive est une capitale de briques, de maisons roses aux toits bleus, d'où émergent quelques immeubles blancs. Le vendredi, toute la ville basse devient un immense marché où l'on vend de tout, fruits, fleurs, saucisses, écrevisses, charbon de bois, chapeaux, dentelles, meubles, bouteilles vides, tableaux « entièrement peints à l'huile et à la main ».

J'ai parcouru la plaine de l'Imérina. Une immense rizière. Les pluies sont si abondantes qu'il n'est pas nécessaire de labourer la terre ; il suffit de la piétiner, de la herser. Besogne confiée aux zébus. On ensemence. Aux femmes, retroussées, est confié le repiquage des plants. Quand les premières gerbes sont coupées, on apporte processionnellement quelques javelles au chef de l'Etat — c'était alors monsieur Philibert Tsiranana — dans un grand concours de musiques et de danses. Le défilé se termine dans les jardins d'Ambohijanovo. Le président prononce un long discours ; puis il procède à une distribution de bêches, de herses, de charrues. Plus utiles que les médailles.

Aux femmes revient aussi la tâche de fournir à leur famille les protéines indispensables. Les viandes de zébu et de poulet sont un luxe. En conséquence, elles vont dans les rivières et les étangs pêcher au moyen de nasses en roseaux des carpes, des brochets, des poissons rouges qu'elles font cuire avec le riz.

Partis en mer dans des barques aux voiles carrées, les hommes ramènent d'énormes mérous, des langoustes et de petits requins qui sont vendus au marché du vendredi. Pour se préserver de la vengeance des gros requins, ils recueillent le sang des sacrifiés et en badigeonnent les flancs de leurs coques.

Les routes sont bordées de baobabs ventrus et chauves. A Mahajanga, j'en ai vu un âgé de deux mille ans, formidablement chevelu. Sous l'œil du ciel (nom qu'on donne au soleil), la moitié de la ville peut faire la sieste dans son ombre.

Antsirabé, riche d'eaux thermales, fut une sorte de Vichy au temps de sa splendeur, avec courses de chevaux, bals, concerts, concours d'élégance. La fin du colonialisme lui a porté un rude coup, comme elle en a porté à sa jumelle bourbonnaise.

La population a des coutumes mi-païennes, mi-chrétiennes. La plus étonnante est le culte qu'elle rend à ses morts. Avant de construire sa maison, le Malgache pense à édifier son tombeau. Il le veut grand, peinturluré, spectaculaire, orné d'un dôme, d'une croix, d'une étoile, de motifs floraux. Assez spacieux pour recevoir douze ou quinze cercueils que le passant pourra voir et saluer.

L'enterrement est une fête familiale à laquelle on invite tous les amis du défunt. Un orateur professionnel prononce l'oraison funèbre. On distribue ensuite des gâteaux, de la viande, du poisson, de l'alcool de riz. On chante, on danse en frappant dans ses mains. C'est une journée de grande réjouissance puisque le père ou le grand-père est monté au paradis.

Il arrive toutefois, alors que sa dépouille dort depuis des mois dans le tombeau familial, que l'ancêtre manifeste par certains signes son mécontentement : une mauvaise récolte, un incendie, la mort d'un zébu. Comprenant le message, la famille organise un second enterrement, encore plus honorifique. On arrache le défunt à son cercueil, on enduit de miel et d'eau parfumée ce qui reste de lui, on l'enveloppe d'un linceul tout neuf, on le suspend à une perche portée par deux hommes, on lui fait faire sept fois le tour du cimetière en dansant, en chantant, en jouant de la flûte ou du tambour ; enfin, on le remet dans une autre caisse et il regagne son ancienne loge. Apaisé par cette cérémonie, l'ancêtre retrouve sa bonne humeur et de nouveau il enveloppe de sa protection sa descendance. Ainsi, le lien n'est jamais rompu entre les morts et les vivants.

A Madagascar, il n'existe pas d'orphelins. Si par malheur des parents viennent à décéder, leurs enfants sont immédiatement adoptés par une autre famille.

Nous, colonisateurs, évangélisateurs, civilisateurs, que de belles leçons nous avons à recevoir de nos colonisés !

J'ai navigué quatorze mois sur le *Tamerlan*. Puis, lassé de son cabotage, je suis passé sur le *Jason*, toujours sous le pavillon de la CMM, un cargo de 57 000 tonneaux qui reliait Marseille à l'Australie. Nous transportions du thon congelé pêché par les Japonais — parmi lequel quinze pour cent de requin — jusqu'aux conserveries d'Olbia, en Sardaigne. Ou des gigots de mouton chargés en Nouvelle-Zélande, déchargés à Marseille. Au retour, du pinard destiné à nos troupes de Nouvelle-Calédonie et de Polynésie.

Et c'est à l'occasion d'un déchargement à Marseille que je suis entré un soir au *Kapok* et que j'ai fait ta connaissance.

3

Bien que mère Sainte-Odile t'ait recommandé
d'effacer de ta mémoire tout ce qui concerne l'Indochine, tu te souviens de Cholon.

La ville chinoise où tu es née, reliée à Saigon par
des arroyos qui aboutissent à la rivière homonyme,
Sai Gon. Il faut prononcer les deux syllabes sépa-
rément, si possible en fermant l'œil gauche. Le langage de ton pays natal est si particulier que les mots
changent de sens selon que tu fermes le gauche ou
que tu fermes le droit. Dans cette ville peuplée aux
deux tiers de Célestes, comment avez-vous fait, toi
et ta famille, pour ne pas naître chinois ? Tel est
votre mystère fondamental. Accompagné de beaucoup d'autres.

Celui des pères, par exemple. Car il dut y en
avoir au moins deux : l'un pour ton frère Doan et
ta sœur Doï, l'autre pour toi-même, qui t'appelas
d'abord Nghia. J'imagine le veuvage ou le divorce
de ta mère Rôt; ensuite la rencontre du Français
dont tu n'appris le nom que plus tard, par voie
administrative, monsieur Bartaleuf.

Ton monde était votre quartier. Une maison de

bambou couverte de tôle ondulée. Pendant six mois, le ciel restait au-dessus d'un bleu immaculé, d'un bleu profond, d'un bleu Danube. Soudain commençait la saison des pluies, annoncée par un vent violent qui soulevait la poussière des rues.

Fin avril, une chape de nuages menaçants couvrait le soleil. Ils noircissaient d'heure en heure. La chaleur se faisait étouffante, les vêtements collaient à la peau. Sous vos pieds nus, la chaussée brûlait de fièvre. Chacun retenait ses gestes, craignant de produire un choc qui déclenchât l'orage. Il éclatait quand même : d'abord une explosion violente entourée d'éclairs, suivie d'un grondement sourd. La mousson.

L'eau ruisselait sur les tôles, qui tambourinaient et ajoutaient leurs cascades à celles du ciel. Les rues se transformaient en torrents de boue qui couraient vers les canaux. Les rats sortaient par troupes des égouts, se réfugiaient sur les tas d'ordures. Des cafards gros comme le pouce envahissaient les maisons, grimpaient aux murs, se glissaient sous les couverts. Mais les lézards verts, présents dans chaque foyer, qu'ils gardaient des mauvais esprits, restaient accrochés à leurs supports habituels, abat-jour, lampes, crucifix. Quelques-uns osaient s'installer sur l'autel des ancêtres, parmi les ampoules colorées et les brûloirs à encens.

Votre logis comprenait deux pièces : le devant, boutique à tout vendre, épices, riz, lentilles, sucre, café, en quantités minuscules, avec, au milieu, un brasero sur lequel ta mère préparait des soupes appelées *pho*, à base de poisson et de paddy ; l'arrière, chambre à dormir et à se laver, où vous couchiez tous les quatre. Votre clientèle était nombreuse, composée pour l'essentiel d'hommes de tous âges, et le *pho* était tout leur repas. Votre commerce eût été assez prospère sans les vendeurs à la sauvette qui peuplaient la rue et bradaient des seaux de coquillages. Assis sur le trottoir jusque devant votre porte, il fallait les chasser à coups de balai plusieurs fois par jour. Mais ils revenaient comme les mouches.

Au centre de la maison, au centre de ton univers, donc, maman Rôt. Encore jeune, mais déjà ridée. Les mains particulièrement abîmées par les travaux. Toujours accroupie sur le sol de terre battue, en train de laver, d'éplucher, de trier, de ravauder. Tu as beau chercher dans ta mémoire, tu ne la vois jamais autrement qu'accroupie. Même pour servir les soupes à la clientèle. Accroupie quand elle se lavait, quand elle se peignait, quand elle mangeait. Comme si la station debout eût été trop honorifique pour elle. Comme si elle avait eu besoin de ramper. A ce niveau, elle ne paraissait pas plus haute que tes cinq ans.

Certains jours cependant, quand la pluie obligeait de fermer la boutique, elle se relevait, s'asseyait sur un tapis et instruisait ses deux filles agenouillées devant elle. Leur expliquant qu'un jour elles auraient un mari et des enfants et que la bonne épouse doit posséder quatre vertus : le *Công*, la compétence dans les arts ménagers ; le *Dung*, la beauté naturelle, hors l'usage des artifices ; le *Ngôn*, le langage et l'attitude pudiques, le *Kanh*, la fidélité.

— Vous avez déjà le *Dung* et le *Ngôn*. Il vous reste à acquérir le *Công* et le *Kanh*.

En fait de *Dung*, elle ne s'était pas aperçue que tes yeux manquaient de parallélisme, trop occupée qu'elle était à surveiller ses pot-au-feu. Quand elle s'adressait à toi, elle t'appelait « Mon petit crapaud ». Parce que tu étais vraiment petite pour ton âge. Même adulte, tu l'es restée.

Hors la mousson, votre porte restait toujours ouverte. Tu regardais passer un marchand ambulant qui poussait une charrette et chantait :

— *Baaanh Mêêê !... Beu-eu-eu !... Biaaa !... Ofiii !...*

Quatre produits dérivés de l'occupation française : pain de mie... beurre... bière... eau-de-vie... Même si c'était une eau-de-vie de serpent, avec une vipère dans le bocal.

La rue grouillait de cent métiers : couturières, tailleurs, menuisiers, rémouleurs, raccommodeurs, fabricants de jouets, savetiers, maçons, batteurs de cuivre, opticiens sans diplôme. Les vanniers faisaient des paniers en écorce de bambou, des chapeaux, des fauteuils, des cabas, des clisses à bouteilles. La société indochinoise repose sur le bambou comme la cubaine sur le cigare.

Cette plante magique se prête à cent mille emplois. On en construit des échelles, des échafaudages, des nasses, des bateaux, des cannes à pêche, des tambours, des pousse-pousse. On en tire du papier. On en mange les extrémités tendres.

Les Européens fréquentaient des commerces qui te restaient inconnus : fumeries d'opium, salons de coiffure-bordels, changeurs de monnaies, restaurants, hôtels de luxe, cinémas, salons de thé.

Pendant ce temps, l'armée française s'enlisait depuis 1946 dans la guerre des rizières. Contre un ennemi insaisissable, innombrable, armé de bambous aiguisés, mais aussi d'armes modernes fournies par les Chinois et les Soviétiques. Les opérations militaires portaient des noms poétiques :

Mandarine, Lotus, Petit-Jour. Et même *Terminaison*. On en était au dernier quart d'heure.

Tu vivais à l'écart du conflit. Avec tes copines, tu sautais à la corde, tu jouais à la balle au pied, balle formée d'une boule de chiffons. Les garçons jouaient à la course en sac. Il vous arrivait parfois de vous mêler à eux. Alors, tu respectais les recommandations de ta mère :

— Si tu dois tenir un garçon par la main, mets un mouchoir entre vos deux mains.

Ainsi l'exigeait le *Ngôn*. Toute la ville grouillait de marmaille. Je ne sais qui — peut-être Marguerite Duras — a appelé ces gosses des «poussières de vie». Vous couriez les pieds déchaux, mais pas affamés du tout, pas déguenillés. Les parents mettaient tout leur honneur à tenir leurs enfants propres et bien nourris. Chaque jour, vous aviez tous trois votre compte de riz et de soupe. Maman Rôt aurait donné son sang plutôt que de vous laisser pâtir. Les deux aînés, qui n'avaient jamais fréquenté d'autre école que celle de la rue, travaillaient un peu avec la mère. Et vous parliez entre vous uniquement l'annamite saigonnais, truffé de mots chinois.

Votre plaisir était d'aller vous approvisionner une fois par semaine au grand marché. Les deux filles dans la charrette tirée par le garçon. La mère marchait à vos côtés, sous son chapeau conique. En fin de matinée — parce que les vendeurs baissaient alors leurs prix — vous arriviez au royaume des parfums.

Cela sentait la marée, les épices, les herbes aromatiques, les cigarettes au miel, l'encens qu'un thuriféraire, moyennant un pourboire, balançait sur les étals pour éloigner les démons. Autour de la tour centrale carrée, dont les toits en fleur de lotus évoquaient les pagodes, d'étroites allées couraient dans tous les sens. Les sacs de riz et de sel formaient des murailles. Une vieille paysanne, accroupie comme Rôt, les dents noircies par le bétel, proposait des douzaines de canards liés les uns aux autres et formant un cercle autour d'elle. La terreur clouait le bec à ces volailles ordinairement cancanières. Quand un acheteur en désignait une du doigt, après le long marchandage traditionnel, la femme la détachait et lui tranchait le cou. Aussi froidement que si elle eût fait un signe de croix. Le sang coulait dans une rigole. Le client emportait par les pattes le canard encore secoué de convulsions.

Vous reveniez chez vous avec un chargement de légumes plus ou moins avariés, dont maman Rôt tirerait les meilleures soupes du monde. Elle dans les brancards de la charrette, vous la poussant ou dansant autour d'elle parce que vous étiez encore à l'âge où les enfants dansent au lieu de marcher.

Et le père ? Vous n'aviez pas besoin de père. Si Doan et Doï en avaient connu un dans leur premier âge, depuis longtemps il était oublié. Mort ou vif. Vous étiez comme une main à qui manque l'auriculaire, cela se voyait souvent chez les forgerons ou les menuisiers. Maman Rôt en était le pouce, et la main fonctionnait parfaitement sans l'auriculaire, le doigt le plus inutile puisqu'il sert seulement à se gratter l'oreille.

Tu éprouvais un grand amour pour ton frère Doan. Il te prenait sur son dos et t'emportait à quatre pattes à travers le quartier. A la façon non point d'un cheval, animal peu connu en Cochinchine, mais d'un buffle, le fidèle auxiliaire des paysans. Le dimanche, il empruntait une bicyclette à un loueur, t'installait sur le porte-bagages, tu le tenais embrassé, vous rouliez par le boulevard Bonnard jusqu'au cœur de Saigon. Jusqu'à la cathédrale Notre-Dame, remplie de catholiques européens ou indochinois dans leurs plus beaux habits, les femmes asiatiques en *Ao Daï*, tunique fendue et pantalon blanc. La foule débordait sur le parvis. Un haut-parleur répandait les hymnes chrétiennes :

> *Le voici l'agneau si doux,*
> *Le vrai pain des anges...*
> *Salve Regina, mater misericordiae,*
> *Vita dulcedo et spes nostra...*

Afficher des sentiments religieux était une manière d'exprimer sa haine du communisme. Devant les portes métalliques grandes ouvertes, vous écoutiez la messe sans descendre de votre bécane, vous signant à tour de bras parce que c'est un geste amusant, sans en comprendre la signification. Transmise par le haut-parleur, l'homélie du prêtre répandait sur la foule une pluie de mots mystérieux, mais rafraîchissants. Plus doux à entendre que le ronron caverneux des bonzes jaunes et chauves qu'on rencontrait par la ville. Le curé s'exprimait d'abord en français, puis en annamite. Il commentait la parabole des talents, c'est-à-dire des pièces d'or qu'il faut faire fructifier et non pas laisser dormir au fond d'un trou, sans profit pour personne.

— Travaillez de vos mains et de votre tête. Enrichissez-vous honnêtement. Partagez ensuite votre aisance avec les pauvres.

Maman Rôt et ses enfants ne demandaient pas

mieux que de s'enrichir honnêtement. Mais à Cholon, dans une rue anonyme, en vendant des soupes, ce n'était pas facile. C'est pourquoi ton frère Doan entra à dix ans en apprentissage chez un cordonnier. Il apprit à ressemeler les chaussures des Européens. Il gagnait deux bols de riz, un à midi, un le soir. De plus, lorsqu'il allait livrer à domicile les souliers ou les bottes, la famille française lui octroyait généralement une pièce d'un quart de piastre. Il abandonnait ses gains à votre mère.

La fête du Têt, le Jour de l'An chinois, vous apportait un peu de prospérité. Elle commençait avec la lune nouvelle qui suit le 20 janvier. C'était une occasion, pour les familles dispersées, de se rassembler. Les cousins, les neveux, les petits-enfants arrivaient de tous les horizons. Ils fréquentaient les boutiques, achetaient des cadeaux, les distribuaient aux grands-pères. A chaque visite, on sifflait force verres de choum-choum.

Ainsi commençait l'année du Coq. Ou celle du Chien. Ou celle du Serpent. Les mères et grand-mères préparaient des rissoles au crabe et aux champignons, des beignets aux crevettes, des omelettes aux cœurs de bambou. Pendant trois jours et trois nuits, vous teniez boutique ouverte. Outre vos épiceries habituelles, vous vendiez des bâtons d'encens ; maman Rôt elle-même plantait dans une boîte de sable et allumait ces sortes de cigares rouges devant l'autel de ses ancêtres. Ancêtres que vous n'aviez jamais connus, jamais fréquentés. Elle non plus.

« Je suis née de la pluie et du vent », affirmait-elle quelquefois.

La ville était parée de banderoles verticales encadrant les portes. Sur ces rectangles d'étoffe, des scribes professionnels avaient peint des poèmes illisibles. Cholon respectait ses traditions comme si l'Indochine vivait toujours en paix. Comme si, mêlées à celles des pétards, on n'entendait pas les explosions des mitraillettes et des grenades. Les feux d'artifice montaient dans le ciel et retombaient en pluies d'étoiles.

Dans les rues, c'était le défilé des dragons, chenilles, licornes de carton et de tissu, accompagnés de danseurs, de cymbaliers, de grosses caisses. Ces monstres exprimaient par leurs trémoussements les cinq émotions principales de l'homme : amour, haine, joie, douleur, colère. Malgré ton jeune âge, tu les avais déjà toutes pratiquées, au profit de ta mère, de ton frère, de ta sœur, au détriment du vieux Sou-Manh, un mendiant cul-de-jatte qui s'élançait derrière toi dans la rue, cherchant à te pincer les mollets.

De loin en loin, sans crier gare, arrivait une jeep boueuse avec trois militaires. Elle s'arrêtait devant votre porte. En descendaient un officier à képi et deux soldats casqués. Il criait invariablement :

— C'est moi !

Comme s'il n'y avait eu au monde pas d'autre personne qui méritât ce pronom, de sorte que tu crus longtemps qu'il s'appelait *Sé-Moa*. Aussitôt, ta mère se relevait de son accroupissement, s'avançait et lui baisait la main sans qu'il fît un geste de protestation. Puis il se retournait, faisait un signe aux deux troufions qui déchargeaient un sac de riz, un sac de farine et un sac de lentilles.

Vous, les trois mômes, restiez à l'écart, admirant monsieur Sé-Moa, son képi orné de deux galons, le revolver qu'il portait à la ceinture. Il te paraissait gigantesque, bien qu'il fût d'une taille moyenne chez les Européens. Il avait dans la bouche une dent en or qui luisait lorsqu'il souriait. Car il souriait à maman Rôt en lui parlant. Avec bonté. Visiblement, elle était folle d'amour pour cette dent merveilleuse ; et de joie quand son propriétaire la découvrait en écartant les lèvres. Si bien que devant monsieur Sé-Moa elle n'éprouvait que ces deux sur les cinq sentiments qui appartiennent à l'homme. Joie et amour. En revanche, jusqu'au dernier instant, il ne semblait pas s'intéresser à votre petit trio.

Il parlait en français à votre mère. Il tirait un billet de cent piastres de sa poche, le lui tendait. Elle semblait protester, mais il insistait, elle baisait encore sa main en guise de remerciement. Pour finir, il jetait un regard circulaire autour de lui, remarquait les petits mecs blottis au fond de la boutique, derrière le brasero. Il s'avançait, vous caressait vaguement la tête comme il eût fait à des chats. Il ne te prenait point particulièrement dans ses bras, ne te baisait point ; tu avais seulement droit à une tape légère sur la joue, en signe de liaison particulière. Enfin, il disait au revoir en annamite, faisait briller une dernière fois sa dent en or, rejoignait les soldats et la voiture. Elle s'en allait en klaxonnant pour n'écraser personne.

Cette visite se répétait environ une fois par mois, autant que tu pouvais en juger, le calendrier n'étant pas ton affaire. Un jour, tu questionnas maman Rôt :

— Qui est monsieur Sé-Moa ?

— Ton père.

Tu en restas bien étonnée. Monsieur Sé-Moa ne

correspondait aucunement à l'idée du père à tes yeux : l'homme qui a autorité sur toutes les choses dans la maison ; qui part le matin et revient le soir couvert de sueur et de poussière ; qui dort la nuit sur le même matelas que la mère ; qui allume les bâtons d'encens ; qui répare les portes et les toitures ; qui juche ses enfants sur ses épaules, ou bien les entasse sur sa bicyclette et les promène le long des belles rues européennes bordées de bougainvillées ; leur fout des baffes quand ils font des sottises ou disent des mots grossiers.

Comment avait-il conquis la mère de Doan et de Doï ? Dans quelles circonstances était-il devenu ton père à toi ? Tu n'en sus jamais rien, elle n'était pas femme à vous faire des confidences. Tu étais d'ailleurs trop jeune pour les recevoir. Mais, en définitive, ce père en pointillé ne manquait pas beaucoup dans la maison ; vous pouviez vous passer de sa bicyclette et de ses baffes ; maman Rôt allumait elle-même les bâtons d'encens ; vous visitiez à pied le boulevard Gallieni et la rue Catinat. Tu pensas que les Français sont de drôles de pères, avec une dent en or dans la bouche et un revolver sur la hanche, dans son étui.

Autres visites : celle d'une religieuse, sœur Philomène. Tout habillée de blanc, excepté un court voile bleu sur sa tête et ses épaules. Elle non plus ne venait jamais les mains vides, elle apportait un crucifix, un chapelet, une statuette de la Sainte Vierge, une image du Sacré-Cœur. Elle les disposait elle-même dans l'arrière-pièce sans rien toucher à l'autel des ancêtres ni au lézard vert. Elle parlait tantôt français, tantôt annamite, racontait l'histoire de Jésus-Christ et de ses apôtres. A ton cou, à celui de ta mère, de tes frère et sœur, elle suspendit une sorte de collier d'étoffe appelé scapulaire ; il retenait un petit carré gris sur lequel se détachait une croix blanche :

— Gardez-le jour et nuit. Déposez-le seulement pour vous laver ou vous baigner. Il est bénit. Il vous préservera des bombes et des communistes.

Des bombes explosaient effectivement dans Cholon et dans Saigon. On les entendait de nuit et de jour, posées par les communistes aux ordres de l'oncle Hô, ennemi des Français et de leurs alliés indochinois. Depuis trois quarts de siècle, l'Indochine vivait sous le protectorat de la France. Celle-ci y avait construit des ports, des routes, des voies ferrées, des hôpitaux, des écoles, un institut Pasteur. Y avait installé une administration, des casernes, des industries, des casinos, des cafés, des prisons qui n'avaient rien à envier à ceux de la métropole. Etabli des plantations d'arbres à caoutchouc, de poivriers, de caféiers fort utiles aux exportations.

Mais voici qu'était venu l'oncle Hô avec sa barbiche de bouc, proclamant que cela ne suffisait point, que l'Indochine, à laquelle il rendait son ancien nom de Viêt Nam, avait droit à l'indépendance ; il répandait les idées de liberté, d'égalité, de fraternité qu'il avait apprises en France et qui sont bonnes aussi pour les Asiatiques ; il prétendait que les plantations, les industries, les voies ferrées, les ports doivent appartenir à tous les Vietnamiens et pas seulement à quelques colons étrangers. C'était cela, le communisme ; ennemi, par surcroît, du petit commerce et des religions.

Maman Rôt et ses enfants avaient donc grand besoin de scapulaires. En conséquence, elle recevait favorablement sœur Philomène et ses pieux colifichets.

Un matin, se produisit une rencontre particulière : monsieur Sé-Moa et la religieuse blanche se trouvèrent ensemble dans votre boutique. Ils eurent entre eux une longue conversation française. Au milieu de laquelle sœur Philomène s'adressa en annamite à ta mère.

— Allez jouer dans la rue, commanda maman Rôt à ses deux filles.

Doan travaillait chez son cordonnier. C'était la mi-février, quelques jours après la fête du Nouvel An. La chaussée était parsemée de débris de pétards. L'air sentait encore la poudre et le soufre. Avec ta sœur aînée, tu t'es trouvée parmi d'autres gamines qui pratiquaient un jeu de galets assez semblable au jeu français du « morpion ». Il s'agissait de placer trois pierres en ligne droite dans un carré pourvu de toutes ses diagonales et médianes, tout en empêchant l'adversaire d'en faire autant.

De Saigon arrivaient, de loin en loin, des crépitements et des explosions. Passa un peloton de soldats français armés jusqu'aux dents. La foule s'écarta pour ne pas les frôler. Soudain jaillit d'une porte une combattante communiste, reconnaissable d'une part au bandeau rouge marqué d'une étoile jaune qui lui ceignait le front, d'autre part à la machette, venue d'un champ de canne à sucre, qu'elle tenait à la main. A la vérité, il s'agissait d'une fillette de dix-onze ans et la machette lui semblait si lourde qu'elle peinait à la brandir. Elle courut quand même vers les soldats avec l'intention manifeste de les découper en morceaux. Vous, les joueuses de « morpion », assistiez à la rencontre avec beaucoup d'intérêt. En un clin d'œil, les

Français désarmèrent la jeune combattante. Ils lui ôtèrent son bandeau et le piétinèrent. Elle se tenait devant eux, toute penaude.

— A présent, fous le camp ! cria en annamite un des militaires.

Mais elle ne se décidait pas à partir. Visiblement, elle réclamait le coupe-coupe qu'elle avait sans doute emprunté à son papa. Les soldats se consultèrent, finirent par le lui rendre.

— Merci, monsieur, répondit-elle.

Et, comme elle se décidait à repartir, elle reçut dans les fesses un coup de botte qui lui donna de l'allant. Elle s'éloigna en s'essuyant les yeux, traînant comme elle pouvait cette arme trop lourde. Les soldats s'éloignèrent aussi. Vous reprîtes votre jeu.

Vous en étiez à votre cinquième partie lorsque sœur Philomène vint vous chercher. En rentrant dans votre boutique, vous eûtes la surprise de trouver votre mère en larmes. La religieuse lui parlait doucement :

— C'est pour son bien, soyez-en sûre. Elle n'est pas perdue. Vous viendrez la voir aussi souvent que vous voudrez avec vos deux autres enfants. De préférence le dimanche. Vous assisterez en même temps à la messe. Nous avons une très jolie chapelle.

Se tournant vers toi, elle t'expliqua qu'elle allait t'emmener dans une maison appelée le couvent des Oiseaux, où tu recevrais une bonne instruction chrétienne et européenne, comme il convenait à la fille reconnue d'un officier de l'armée française. Il ne pouvait en être autrement. Au fond de la pièce, monsieur Sé-Moa écoutait ces propos sans rien ajouter, les approuvant de la tête.

— A présent, conclut sœur Philomène, dis au revoir à ta famille.

Tu restais pétrifiée, tu semblais ne pas comprendre.

— Attendez ! cria maman Rôt. Je vais vous donner ses affaires.

— Inutile. Elle aura là-haut tout le nécessaire. Qu'elle vienne seulement avec les vêtements qu'elle a sur le corps.

Les mains de ta mère se nouaient et se dénouaient de désespoir. Pour faciliter la séparation, monsieur Sé-Moa sortit de son portefeuille deux autres billets de cent piastres qu'il déposa sur le comptoir. Il sourit, ce qui fit briller sa dent en or. Comme on te poussait vers elle, tu embrassas maman Rôt, qui te trempa les joues de ses larmes. Les tiennes coulèrent aussi et vous fûtes deux fontaines de douleur. Tu embrassas et mouillas pareillement ta sœur. Tu réclamas ton frère Doan.

— Il travaille. Il vaut mieux ne pas le déranger. Il viendra te voir plus tard au couvent.

La religieuse te saisit par le bras et te tira vers la rue où attendait la jeep de monsieur Sé-Moa.

— A bientôt ! cria-t-il vers ta mère et ta sœur restées par terre.

Il te coinça entre ses genoux. La religieuse monta derrière. Le moteur grondait. Tu te retournas pour voir la famille, la maison, le quartier que tu quittais.

A peine te souvient-il de ce couvent des Oiseaux en l'année 1953. Une vaste demeure sur une colline. Au sommet de la façade, une niche où loge une statue de la Vierge en marbre blanc, coiffée d'une couronne, les épaules et les mains couvertes d'oisillons. Derrière, un parc entouré de murs ; il te semblait immense. Avec mille sortes d'arbres, chênes verts, aréquiers, citronniers, pruniers, pistachiers, palétuviers, mûriers, car ces dames pratiquaient l'élevage des vers à soie. Mille espèces aussi de bestioles peuplaient cet enclos. La plus gracieuse était une nation d'écureuils à longue queue, dépourvus de panache, appelés petits-gris. On les voyait grimper aux arbres, gambader autour de la maison, se mêler aux jeux des enfants, mendiant avec effronterie des noisettes, des cacahuètes, des pistaches, des amandes, des noyaux de prune, qu'ils venaient grignoter jusque dans leur main. Ou bien s'en emparer et s'enfuir la queue levée sans dire merci.

Tu fus mêlée à deux centaines de fillettes grandes ou petites. Toutes d'origine française pure ou coupée d'asiate. Mais d'abord tu fus présentée à la mère supérieure Sainte-Odile qui, dans la langue de Paris, te demanda tes nom et prénom. Comme tu entendais mal ses questions, elle dut recourir à l'annamite, tout en recommandant :

— C'est une langue à laquelle tu dois renoncer complètement. Je ne veux entendre ici que le français. Comment t'appelles-tu ?

— Nghia.

— Ce n'est pas un prénom chrétien. Si tu désires conserver la nationalité française, il te faut prendre un prénom de chez nous.

— C'est fait, ma mère, intervint sœur Philomène. Cette petite a été baptisée à l'église Saint-François, comme il est établi dans son dossier.

La mère supérieure examina les feuilles qui te concernaient.

— Parfaitement, confirma-t-elle. Tu t'appelles Béatrice Bartaleuf. Née le 6 janvier 1947. Baptisée le 12. Tu as donc six ans et demi. Répète un peu ton nom.

— …

— Béatrice Bartaleuf. Fille du lieutenant René Bartaleuf et de Rôt Dinh Huy. Tu t'appelles Béatrice, comprends-tu ?

— …

— Bon. Il faut t'y habituer, j'entends cela. Béatrice veut dire : qui rend heureux. C'est un très joli prénom. Je suis sûre que tu répandras beaucoup de bonheur autour de toi quand tu seras devenue une parfaite chrétienne. (Et, s'adressant à sœur Philomène :) Vous avez remarqué comme elle louche ?

— Oui. Strabisme divergent.

On te fit coucher dans un dortoir conçu sans doute pour quarante ou cinquante places ; vous y étiez le double. Les plus grandes sur des lits de fer ; les petites sur des matelas ou des nattes. On te poussa sous une douche. Tonte des cheveux à double zéro, à cause des poux. T'apercevant dans une vitre, tu te pris pour un garçon. Tu te demandais avec inquiétude si ta mère et tes frère et sœur te reconnaîtraient. Les autres filles traitées de même, vous aviez l'air de petits bonzes.

Trois fois par jour, chacune recevait un bol de riz et un demi-bol de marmelade qu'il fallait manger sans baguettes ni cuillère. Il venait de la cuisine une odeur de prunes cuites très savoureuse.

On te plaça dans le groupe de celles qui parlaient mal ou pas du tout le français. Une religieuse indochinoise vous enseigna cette langue étrangère au moyen de cartons représentant les choses les plus nécessaires : la maison, le chapeau, le bol, le poisson, le nuage. Vous deviez cent fois en répéter les noms à voix haute. Sans fermer l'œil gauche ni le droit. Vous reproduisiez ces objets sur vos ardoises au moyen de crayons blancs. Le français entrait en vous par les yeux, par la bouche, par les oreilles, par les doigts. Pendant les récréations, les grandes et les petites se trouvaient confondues. Ce mélange enrichissait ton vocabulaire et tes connaissances. Même si tes pensées allaient régulièrement à ta mère, à ton frère, à ta sœur. Les écureuils faisaient de leur mieux pour t'en distraire. Tu les appelais en imitant leurs cris :

— Cuitt ! Cuitt ! Cuitt !

Ils te regardaient de leurs petits yeux noirs comme des grains de chapelet. Tu osas avancer une main : ils se laissèrent caresser. Tu devins charmeresse d'écureuils. Ils accouraient sans frayeur.

Un jour, tu en remarquas une paire sur une branche de mûrier. L'un à califourchon sur l'autre, ils se trémoussaient.

— Qu'est-ce qu'ils font ? demandas-tu à une grande fille.

— Ils font pam-pam. C'est comme ça que naissent les petits écureuils.

— Pas seulement les écureuils, ajouta une autre. Les petits chats aussi. Et les bébés aussi.

Tu avais été élevée avec beaucoup de *Ngôn*, tu ne compris rien à cette histoire de pam-pam. Les grandes se moquèrent de ta niaiserie. De même qu'elles avaient coutume de se moquer de tes yeux brouillés.

Tes cheveux repoussèrent un peu. De nouveau, ils te couvrirent les oreilles. Tu en fus bien aise, pensant que ta famille à présent te reconnaîtrait.

Mais personne ne venait te voir. Pas même le lieutenant Bartaleuf.

A force de n'entendre parler que le français, tu finis par l'apprendre, peu ou prou. A la chapelle, tu chantais les cantiques et tu pratiquais correctement le signe de croix :

— Au nom du Pè, du Fi, du Cinq-Esplit, si soit-y.

Sœur Philomène te donna un livre intitulé *Petit catéchisme à l'usage des chrétiens d'Indochine*, publié par ordre de S.G. Mgr Phan Ngoc Chi, évêque de Bui Chu.

— Ouvre-le aussi souvent que tu pourras. Tu y apprendras en même temps la lecture et la foi.

Tu le déposas à la tête de ton lit, sur un rayon, à côté de ta savonnette et de ta brosse à dents. A Cholon, personne ne se brossait les dents. Ici, le brossage était obligatoire. Il faisait partie de la religion chrétienne. Ce que tu préférais dans le « petit catéchisme », c'étaient les illustrations : Jésus-Christ sous un arbre disant « Laissez venir à moi les petits enfants » ; l'ange Raphaël et le jeune Tobie ; Moïse recevant les tables de la Loi.

Il y eut dans le couvent une épidémie de scarlatine. Personne n'en mourut, mais beaucoup en furent frappées. Dont toi, naturellement. Si une tuile tombait du ciel, elle ne manquait pas de choisir ta tête. Angines, vomissements, plaques framboisées du plus joli effet, quatre semaines de lit, infusions de mille-feuille. Il t'en resta une cicatrice sur le front de la grosseur d'une lentille.

Pendant que vous viviez en paix, les explosions prouvaient que les Saigonnais continuaient de se battre entre eux. Beaucoup de sang était répandu, vietnamien ou français ; beaucoup de maisons détruites ; beaucoup de femmes et d'enfants réduits en poussière. Après huit années d'une guerre inutile, les troupes françaises, malgré leur héroïsme, ne parvenaient pas à vaincre la résistance d'un peuple plus héroïque encore.

A Genève, des négociations s'étaient ouvertes auxquelles participaient des représentants de la France, de la Chine, de l'URSS, des Etats-Unis, de l'Angleterre, afin de consacrer notre défaite depuis longtemps acquise, tout en sauvant la face. Etrangement, personne n'y représentait le Viêt-minh, l'adversaire indochinois, si ce n'est les envoyés de Pékin. Un dessin satirique paru dans le *New York Times* montrait le président Mao, tout en sourires, occupé à amuser un policier américain, symbole des puissances occidentales en lutte contre le communisme, pendant qu'un petit Viêt, les yeux bandés de noir, cambriolait la maison Indochine.

C'est au cours de ces bavardages que se déroula, dans une cuvette du Tonkin, la bataille de Diên Biên Phu. Elle opposa quarante mille Viêts renouvelables à douze mille assiégés. Après cent soixante-neuf jours d'un combat inégal, ayant brûlé leurs dernières cartouches, les défenseurs de l'Occident capitaliste, libéral et chrétien succombèrent sous les coups de l'Orient marxiste, despotique et athée.

A Genève, il ne fut plus question de refuser les envoyés des vainqueurs. Un accord fut signé le 21 juillet 1954 stipulant que l'armée française devait quitter le Viêt Nam. Que celui-ci serait partagé comme une motte de beurre par le fil du 17e parallèle. Le Nord restait propriété de l'oncle

Hô, le Sud devenait une république prétendument démocratique.

La guerre semblait terminée, bien ou mal. La France poussa un grand soupir de soulagement et pensa à autre chose. Par exemple, à la seconde victoire de Louison Bobet dans le Tour. Ou au procès de Robert Brunel à Nîmes, qui, ayant empoisonné son père et ses deux grand-mères pour des motifs confus, ne cessait de rire et de plaisanter durant son procès ; il applaudit même joyeusement lorsqu'il fut condamné à perpète. Ou aux bonnes relations de l'acteur clermontois Roland Lesaffre et de l'actrice américaine Grace Kelly ; ils avaient joué ensemble dans le film de Hitchcock *La Main au collet* et semblaient éprouver l'un pour l'autre une vive sympathie. On se demandait jusqu'où ce sentiment pouvait aller.

L'arrangement genevois provoqua l'exode de huit cent mille Vietnamiens du Nord vers le Sud. Gens qui refusaient le communisme. Propriétaires fonciers, riches commerçants, membres des professions libérales dont les épouses n'avaient pas l'habitude des tâches ménagères, confiées à des boys ou des boyesses. Mais aussi Tonkinois gagnés sincèrement au catholicisme et à la démocratie. Hanoï ne fit rien pour retenir ces transfuges, sachant bien qu'elle les récupérerait un jour ou l'autre.

Ces exilés trouvèrent au sud des asiles divers. Beaucoup s'établirent au nord de Saigon, dans les quartiers de Go Vap, de Phu Nhuan, y fondant de nouvelles paroisses. Les plus riches achetèrent des maisons au centre, près de la cathédrale.

Le chef du Viêt Nam « démocratique », Ngo Dinh Diem, s'étant fait élire président de la République, imposa une dictature personnelle et familiale, refusa le référendum prévu par les accords genevois sur la réunification éventuelle des deux Viêt Nam, ce qui provoqua la naissance d'une nouvelle guérilla dans laquelle nationalistes et communistes s'entendaient pour combattre Diem et ses créatures.

En même temps, jaloux de ses prérogatives, celui-ci précipita le départ des dernières troupes françaises. Elles s'embarquèrent à destination de l'Afrique du Nord, où une autre guerre les attendait. Profitant de ce reflux, beaucoup d'Eurasiens et d'Eurasiennes, fruits d'un amour franco-indochinois, abandonnèrent leur sol natal et partirent faire la connaissance de ce pays lointain, la France, leur patrie de remplacement.

Tu ne sus rien de tous ces événements. Excepté que la guerre se poursuivait entre les méchants et les bons. Et que les méchants avaient le dessus. Avec l'espoir de protéger leur couvent, les religieuses avaient accroché à leur façade un immense drapeau à croix rouge sur fond blanc. Les pétarades ne cessaient point au cœur de la ville. Aucun blessé pourtant ne fut transporté chez ces dames. Afin de justifier leur croix rouge, elles recueillirent un maçon tombé d'un échafaudage, qui s'était brisé une jambe, et le soignèrent comme un coq en pâte.

Un jour, sœur Philomène te prit par la main et t'emmena dans sa cellule. Une petite pièce meublée d'un lit, de deux chaises en rotin et d'un crucifix. Elle te prit dans ses bras et te serra contre elle. Tu lui arrivais à hauteur du nombril. Sa robe sentait fort l'eau de Javel.

— Oh ! ma chérie ! gémit-elle. Oh ! ma chérie !

Tu levas la tête, tu vis les larmes couler sur son visage, sous son menton, se glisser sous la guimpe.

— Quel malheur ! Quel horrible malheur ! Mais je ne devrais pas pleurer, parce qu'ils sont à présent dans la maison du bon Dieu.

Et toi de regarder toujours ses joues mouillées, sans comprendre. Elle t'embrassa sur les cheveux. Tu ne posais aucune question. Il lui fallut préciser :

— Je parle de ta maman, de ta sœur et de ton frère. Ils revenaient du marché. Ils se sont trouvés pris dans une fusillade entre les soldats de monsieur Diem et ceux de monsieur Hô. On les a relevés sur le pavé. Ils n'ont pas souffert.

Tu comprenais toujours mal. Tu osas faire répéter :

— Qui ?

— Ta maman, ta sœur et ton frère. Ils sont morts.

— Tous les trois ?

— Oui. Ils sont au ciel.

Tu enfouis ton visage dans la robe blanche. Tu aurais dû pleurer aussi. Ou sangloter. Mais tu n'es pas d'un tempérament pluvieux. Pour toi, ta mère et tes frère et sœur, que tu n'avais pas revus depuis ton départ de Cholon, absents depuis dix-huit mois, étaient déjà un peu perdus, enterrés dans ta mémoire. Tu ne te rappelais plus si à Doan, mordu par un chien, il manquait un morceau de l'oreille droite ou de l'oreille gauche. La nouvelle que t'apportait sœur Philomène était une simple confirmation. Tu n'aimes pas les larmes, aveu de faiblesse, sauf si on te donne un coup physique ; dans ce cas, tu es capable de pleurer ou de faire semblant, pour donner des remords à la cogneuse. Lorsque la religieuse t'écarta pour regarder ton visage, elle parut presque effrayée de le voir aussi sec. A tout hasard, elle t'ajouta une consolation :

— Il te reste ton père, le lieutenant Bartaleuf. Mais il est très occupé en ce moment.

Elle essuya ses joues humides sur les tiennes, te recommanda d'aller rejoindre tes camarades. Elles se trouvaient au réfectoire et mangeaient du riz avec des fourchettes. La fourchette est chrétienne, les baguettes sont bouddhistes. La sœur qui présidait le repas te gronda parce que tu étais en retard :

— N'as-tu pas entendu sonner la cloche ?

Pour te distraire de ton chagrin, tu avalas ton riz de bon appétit. Dans les jours qui suivirent, la plupart des filles quittèrent le couvent. Il en resta une vingtaine que personne ne réclamait. Orphelines ou abandonnées. Tu étais de ce nombre.

Un matin, vous fûtes rassemblées dans la cour. Les religieuses formaient autour de vous une blanche ligne Maginot. Face à elles, un peloton de soldats en uniforme américain, la mitraillette braquée sur vous. Sous leur casque rond, ils avaient tous les yeux fortement bridés et des regards terrifiants. Sans doute les avait-on choisis à cause de ces yeux vipérins. Leur commandant menait des négociations fort peu amicales avec la mère supérieure. Pour mieux appuyer son raisonnement, il lâcha en l'air une rafale de mitraillette. Ce fils de pute, n'ayant pu vaincre les soldats communistes, maintenant retranchés derrière leur 17e parallèle, cherchait à se revancher sur de jeunes chrétiennes sans défense. Après une longue discussion, il se retira avec ses hommes sur cette promesse :

— A demain.

Les religieuses vous ordonnèrent de regagner vos dortoirs, d'y faire vos paquets : vous deviez partir dans les vingt-quatre heures. Pour où ? Pas de réponse. Ton bagage était mince. Tu roulas dans une serviette ta savonnette, ta brosse à dents, ton mouchoir, ton chapelet, le petit catéchisme. Tu avais accumulé une poignée de noyaux de prune destinés aux écureuils. Tu t'avanças dans le parc, tu les jetas au hasard en appelant : « Cuitt ! Cuitt ! » Mais les bruits de la guérilla les effrayaient, ils se tenaient à l'abri dans leurs cachettes. Tu n'eus pas la possibilité de leur dire adieu.

Le lendemain, il vint un camion vert. Des soldats aux yeux très bridés recommandèrent aux religieuses d'emporter de la nourriture. Mais quelle nourriture ? Le riz ne se mange pas cru. L'Indochine ne consomme pas de pain. Ayant bien cherché dans leurs réserves, les dames ne trouvèrent qu'un sac de cacahuètes. Elles avaient coutume de faire avec leurs graines des nougats et des pralines qu'elles vendaient au cours de leurs fêtes de charité.

Les hommes vous obligèrent à monter sous la bâche. En tout, une cinquantaine de personnes, religieuses, domestiques, enfants. Les unes assises sur les banquettes latérales, d'autres sur le plancher. Naturellement, le père Laboisse, l'aumônier, avec sa belle barbe grise et son béret basque.

Le camion se mit en route en direction du nord. Dans les tournants, la force centrifuge vous renversait comme des quilles, vous tombiez les unes sur les autres, à grands cris, ce qui mettait en joie les deux militaires, vos gardiens. L'aumônier glissa de son banc et s'écrasa le nez sur le plancher de fer. Il se releva, sortit son mouchoir, tamponna le sang qui coulait. En grommelant pour vous égayer :

— La poisse ! Toujours la poisse !

Son calembour ne fit rire personne. Vous avez roulé une douzaine d'heures, sur des routes défoncées. Sans doute trois ou quatre cents kilomètres. D'abord de jour, ensuite dans le noir. Le camion allait sans éclairage, pour ne pas être canardé par ses ennemis. De temps en temps, une sœur distribuait des cacahuètes. Il y avait quelque chose de grotesque à faire ainsi ce voyage au bout de la nuit en grignotant des cacahuètes. Vous avez aussi cogné du poing contre la cabine pour réclamer à boire. Le camion s'est arrêté.

— Personne ne descend ! a crié le militaire.

On vous a apporté un jerricane de vingt litres. Vous avez bu à l'embouchure, vous accroupissant pour ne rien laisser perdre de cette eau qui avait un goût d'essence. Des gamines se sont mises à pleurer. Une s'est évanouie, il a fallu lui battre les joues, lui arroser la tête. Toi, tu pensais aux écureuils. Et tu grignotais tes cacahuètes.

Le camion s'est enfin arrêté définitivement. L'officier a passé la tête par la porte arrière :

— Vous restez ici jusqu'au jour. Personne n'a le droit de descendre. Demain, on s'occupera de vous.

Cris d'horreur. Sanglots. L'aumônier a fait cette annonce :

— Mes enfants, mes amis, récitons le chapelet pour que la Sainte Vierge veille sur nous.

Sous la bâche se forma un bourdonnement épais de « Je vous salue » et de « Gloire au Père, au Fils et au Saint-Esprit ». A la prière commune tu ajoutas une invocation particulière :

— Sainte Vierge, faites que je puisse retenir mon pipi et mon caca.

La Mère de Jésus t'exauça. Ce ne fut pas le cas de plusieurs autres. Une puanteur abominable remplit le camion.

Après le chapelet, le père Laboisse fit réciter la litanie des saints. Une flopée de saints qui lui remplissaient la tête et auxquels il adressait en votre nom des supplications parfois étranges :

— Exaucez-nous. Libérez-nous de tout mal. Protégez-nous de la mort subite, des pièges du diable, de la colère, de la haine, du péché, de la mort perpétuelle, de l'esprit de fornication, de la foudre et de la tempête, des tremblements de terre, de la peste, de la faim et de la guerre.

Rien dans cette litanie ne demandait la protection des saints contre le pipi et le caca. Je ne sais comment les saints du paradis reçurent ces prières qui sentaient la merde. Toujours est-il que les occupants du camion atteignirent l'aube en triste état, mais encore vivants.

Enfin, l'on vint vous délivrer. Non plus des soldats coiffés de casques américains, mais des hommes au visage couleur de caramel, coiffés de casques de bambou et parlant un langage qui n'était pas l'annamite.

— Nous sommes au Laos, conclut la mère supérieure Sainte-Odile, qui avait une idée de toutes les langues asiatiques.

Vous avez donc mis pied à terre. Regardant autour de toi, tu as vu d'abord une série de tentes rondes appelées marabouts, alignées le long d'un ruisseau. Votre premier soin fut d'aller vous débarbouiller de vos souillures. Oh ! les pauvres robes blanches des religieuses ! Oh ! la soutane noire du

150

père Laboisse ! Au-delà du village de toile, un terrain plat, sur lequel gisait un avion brisé aux ailes pendantes. Le tout dans un cercle de falaises et de montagnes couvertes de forêts.

On vous répartit sous plusieurs tentes où vous attendaient, pour seul mobilier, des paillasses en feuilles de maïs. Des cris d'enfants, des caquets de femmes venaient des tentes voisines. Vous formiez ensemble une agglomération de trois ou quatre cents personnes. Un officier français est venu vous informer de ce qui vous attendait :

— Le président Ngo Dinh Diem ne veut plus de nationaux français dans sa capitale. Il vous a donc fait expulser. Le prince Souphanouvong accepte de vous héberger au Laos quelques semaines. Vous devrez ensuite quitter le territoire de l'ancienne Indochine et gagner ou regagner la France. Nous vous y transporterons.

— Pourquoi, a demandé le père Laboisse, ne nous a-t-on pas embarqués directement à Saigon ?

— D'abord, parce qu'il n'y avait pas de bateau disponible. Ensuite, parce que le président Diem est un impatient. Il tenait à être débarrassé de vous au plus vite, sans attendre le retour des navires. Il déteste particulièrement les personnes nées d'un croisement entre Blancs et Jaunes.

Vous vécûtes trois semaines en bordure de l'aérodrome laotien. Village composé aux neuf dixièmes d'enfants des deux sexes. Vos vêtements lavés séchaient sur l'herbe. Le prince Souphanouvong vous nourrissait de riz, de poisson séché et de propagande communiste. Chaque matin, des missionnaires rouges venaient prêcher en français sous vos tentes la haine de l'Occident, de l'exploitation coloniale, de la petite bourgeoisie. Puis ils vous distribuaient du fromage de soja.

Les religieuses et les aumôniers détruisaient le soir dans vos esprits les germes qu'y avaient déposés le matin les révolutionnaires. Ils expliquaient qu'ils étaient venus de France pour répandre la seule vraie religion, celle de Jésus-Christ, et pour civiliser les populations barbares. A preuve, ils citaient les noms de plusieurs prêtres qui avaient été martyrisés en Orient, attachés entre deux planches comme une saucisse dans un sandwich et découpés à la scie dans le sens de la longueur. Ils enseignaient l'amour, la paix, la justice, la liberté. Le prince marxiste tolérait cette contradiction, sachant que ces fils et filles du colonialisme allaient bientôt quitter son territoire.

Tu fis la connaissance de Thérèse Sirman, orpheline elle aussi de père et de mère. Venue de Hué, par d'autres chemins, protégée par d'autres religieuses. Sous ses cheveux d'un noir intense, son visage était éclairé par deux yeux pâles pareils à deux saphirines. Plus âgée que toi, parlant bien le français, elle était constamment entourée par une cour de petits adorateurs ou adoratrices.

Chaque fois qu'elle ouvrait la bouche, c'était pour évoquer Hué, la cité royale, son quartier européen, relié par un pont à la ville annamite, où les maisons étaient si belles, les jardins si fleuris, le ciel si bleu, l'air si doux, la population si aimable ! Elle avait le visage d'un ange tombé du paradis. Elle attendait ses parents, qui l'avaient confiée aux sœurs de la Miséricorde pour la préserver des barbares, mais qui ne manqueraient pas de venir bientôt la reprendre, dès que la paix serait complètement rétablie. A Hué, ils faisaient commerce de tissus, de vêtements, de chapeaux.

Le public de Thérèse Sirman écoutait bouche bée ces confidences. Tu faisais partie de ce cercle admiratif. Tu la contemplais comme un ver luisant contemple une étoile. Sitôt sortie de ta tente, tu te précipitais vers la sienne, attendant avec d'autres qu'elle parût, lavée, peignée, vêtue avec un soin surprenant. Ses gardiennes en cornette semblaient elles-mêmes sous le charme. Quand tu en revenais, essoufflée, tu répétais ses paroles :

— Thérèse a dit ci… Thérèse a dit ça…

A la longue, ce manège agaça sœur Philomène, qui finit par te demander des comptes :

— Pourquoi toujours Thérèse Sirman ?… Il y a d'autres filles dans le camp !

Y ayant réfléchi, tu fournis cette réponse :

— Parce qu'elle est la plus belle.

— La plus belle de vous toutes ?

— Oui, ma sœur.

— C'est tout ?

— Et aussi…

Autre moment de réflexion :

— Et aussi parce que je suis laide.

— Allons bon ! Tu es laide ! Où as-tu pris ça ?

— Je l'ai trouvé toute seule. J'ai des yeux qui regardent de travers. J'ai au front un trou de scarlatine. J'ai les cheveux raides. Je suis laide. Ma mère m'appelait « mon petit crapaud ».

Sœur Philomène te prit contre elle, te serra sur son cœur comme le jour où elle t'avait appris la nouvelle de la mort de ta mère et de tes frère et sœur. Elle ne sentait plus l'eau de Javel. Et elle répéta les mêmes mots :

— Oh ! ma chérie ! Oh ! ma chérie !

Puis elle te débita un long sermon sur la beauté et la laideur. Prétendant que ce sont des choses sans importance. Que chacun doit s'accepter comme Dieu l'a fait. Que ce qui compte n'est pas la beauté de la figure, mais la beauté de l'âme. Que la première ne dure que quelques saisons, que la seconde dure toute la vie. Que la beauté mal employée peut conduire en enfer, alors qu'une âme belle sera toujours reçue au paradis. Elle t'en dit tant et te donna tant de baisers qu'à la fin tu fus presque contente de te savoir laide comme un crapaud.

Dans ce camp laotien, sous la protection d'un prince communiste, vous aviez des conditions de vie presque supportables. Vous manquiez seulement d'hygiène et de soins médicaux. Il n'y eut qu'un petit mort, de diarrhée verte. Et qu'une petite morte, de chagrin, elle refusait de manger. Quelques cas de typhoïde.

Au bout de trois semaines, un avion militaire français se posa sur le terrain. Des officiers en sortirent, qui prononcèrent le mot « évacuation ». Tu crus que cet appareil allait te transporter en France et de nouveau tu fis ton paquet, avec le catéchisme, la savonnette, la brosse à dents. Mais l'avion ne pouvait embarquer tout le village à la fois, tu compris qu'il y aurait plusieurs allers. A tout hasard, tu courus faire tes adieux à Thérèse Sirman. Tu la trouvas en larmes, elle ne voulait pas partir, elle attendait ses parents. Tu eus toi-même une pensée pour les tiens, une autre pour le lieutenant Bartaleuf, que peut-être tu allais retrouver.

On vous poussa dans le monstre de fer, dans la baleine volante. On y entrait par la queue. Vous trébuchiez en gravissant l'escalier mobile, vous tom-

biez sur les genoux, les religieuses vous criaient :
« Avancez ! »

Comme dans le camion vert qui vous avait
conduits au Laos, on vous installa un peu partout,
sur les banquettes, sur le plancher. Cela puait terriblement le kérosène. Soudain parut une femme-
soldat, jolie dans son uniforme kaki, chargée d'un
grand sac de toile. Elle en tira des jouets qu'elle
distribua aux jeunes passagers, des voitures pour
les garçons, des poupées pour les filles. Tu reçus
un ours. Un vrai nounours avec au cou un ruban
jaune. Tu le serras contre ton cœur, tu le baisas
entre les oreilles. De lui à toi, tu découvris une ressemblance, car il avait aussi un problème de
vision : il lui manquait un œil. Il ne t'en fut que
plus cher. Tout de suite, vous vous êtes mis à dia-
loguer :

— Je m'appelle Béatrice. Et toi ?

— Je n'ai pas de nom.

— Si tu veux bien, je t'appelle Chocolat. A
cause de la couleur de ton poil. Est-ce que ça te
plaît ?

— Je veux bien…

Les moteurs se mirent à ronfler, produisant un
bruit épouvantable. L'avion trembla de tous ses
membres. Il démarra lentement, roula plus vite. Tu
t'aperçus soudain qu'il avait quitté le sol, que vous
voliez au-dessus des forêts, puis au-dessus des
montagnes, puis au-dessus des nuages. Au milieu
de l'avion, une trappe fermée par une plaque de
verre permettait de voir le Laos qui défilait dessous, avec ses rivières, ses lacs, ses pagodes. Tout
le monde voulait regarder, ce qui produisait une
bousculade. Si bien que la femme-soldat finit par
recouvrir le verre d'un tapis.

Thérèse Sirman ne faisait point partie de ce voyage. Sœur Philomène et Chocolat étaient à présent tes seuls amis. Jamais à Cholon tu n'avais possédé d'ours ni de poupée ; tu jouais avec des bouts de bois, des cailloux, des plumes de canard. Dans l'avion, tu poursuivis avec lui la conversation entreprise. Il t'observait de son œil unique, brillant d'intelligence. Tu lui demandas s'il avait des parents :

— Oui, j'ai des frères et sœurs. Ils sont entre les mains des autres filles.

— Oublie-les. Toi et moi, nous resterons toujours ensemble, n'est-ce pas ? Même quand nous serons en France. Est-ce que tu connais ce pays ?

— J'en ai entendu parler. Je sais que les gens y ont les yeux ronds et le nez long. Je suis donc français par mon œil, mais pas du tout par mon nez.

Un peu plus tard, la femme-soldat vous distribua des bananes et un peu d'eau dans une tasse d'aluminium. Elle ramassa les peaux dans un sac. C'était une personne très minutieuse. Soudain, sœur Philomène passa parmi vous, criant :

— Préparez-vous ! Nous allons bientôt atterrir ! Déjà ? Vous ne saviez pas que la France était si proche, tout juste à une demi-heure de vol du Laos. La femme-soldat recommanda de même :

— Accrochez-vous à n'importe quoi, si vous ne voulez pas sauter au plafond.

L'avion se mit en effet à descendre. Dans cette plongée, tu sentis la banane de ton estomac qui cherchait à remonter dans ta bouche. Tu la retins à grand-peine. L'appareil toucha enfin le sol, rebondit comme une balle, roula, s'immobilisa en fin de piste. Les hélices s'arrêtèrent, faisant place à un silence assourdissant. Vos oreilles bourdonnaient.

156

Chacun y enfonçait le bout de son auriculaire et secouait.

La porte caudale s'ouvrit. Un escalier roulant vint s'appliquer contre elle. La femme-soldat vous laissa passer un à un, une à une ; mais à chacun elle reprit le camion, la poupée, le nounours qu'elle avait distribués. Elle dut les arracher de force, malgré vos protestations et vos pleurs. Expliquant que ces jouets vous avaient été seulement prêtés pour vous tenir compagnie durant le vol ; qu'ils serviraient aux enfants du second voyage. Chocolat te fut enlevé de même, avec rudesse. Telle fut ta première vision de la France : une qui prête et ne donne pas, et qui reprend très vite ce qu'elle a prêté.

Incroyable mais vrai : vous étiez revenus à Saigon. A quoi donc avait servi ce séjour de trois semaines au Laos ? Si certaines personnes en furent informées, vous, les mômes, n'y compreniez rien. Vous aviez d'ailleurs depuis longtemps l'habitude de ne rien comprendre aux agissements des adultes.

L'après-midi de ce même jour, les survivantes du couvent des Oiseaux, bien groupées autour de la mère Sainte-Odile, des autres religieuses, du père Laboisse, vous fûtes entassées dans un camion GMC à destination du cap Saint-Jacques où un bateau vous attendait. La ville était parsemée de voitures incendiées, d'arbres abattus, de soldats kaki. Ceux-ci vous arrêtèrent trois fois de suite, soulevèrent la bâche, vous examinèrent de leurs yeux de vipère, vous crièrent en éclatant d'un rire méchant :

— Bon voyage !

Le camion roula longtemps parmi les poivriers. Saigon restait derrière vous, dominé par les flèches de sa cathédrale. Et Cholon. Et ta mère, et ton frère, et ta sœur, enterrés dans un cimetière inconnu. Et Thérèse Sirman. Et les écureuils du couvent des Oiseaux. Après deux heures de route, le GMC arriva au port de guerre du cap Saint-Jacques. Vous descendîtes sur le quai. Mère Sainte-Odile désigna une muraille noire qui bouchait la vue :

— Voici le bateau qui va nous transporter en France.

Observant bien cette muraille, tu déchiffras son nom : *Porthos, CGM Marseille*. Une foule dense couvrait le quai. Principalement des civils : Français, Indochinois, Eurasiens. Bien vêtus ou déguenillés. Chargés de sacs, de valises, de couvertures, de poupées, de nounours. Tu pensas au tien qui t'avait été indignement enlevé. Pendant des heures, vous êtes restés au soleil, debout, assis par terre ou couchés. Sous la garde de militaires aux yeux obliques. Par bonheur, une fontaine coulait sur le quai. Chacun venait y boire dans la vasque de ses deux mains, ou se mouiller la tête et le visage car, en ce milieu du mois de décembre, il faisait très chaud.

A côté de votre flot passa soudain une colonne militaire. Des soldats français, blancs, noirs, café au lait, qui abandonnaient le Viêt Nam démocratique et se dirigeaient vers un autre navire à quai. Ils riaient et semblaient plutôt contents de leur défaite. Quelques-uns emportaient des souvenirs dans leur sac ; des vases, des statuettes d'ivoire en émergeaient. Des officiers lançaient des commandements pour les retenir de se mêler aux civils.

Tu crus rêver. Car d'un de ces sacs tu vis sortir

une tête vivante : celle d'un petit enfant noir aux yeux bridés. Mi-africain, mi-asiatique. Ses mains jouaient avec les sangles et il semblait parfaitement à son aise dans ce conteneur rembourré sans doute d'un peu de foin. Le soldat qui le coltinait était un grand gaillard, aussi sombre que l'ébène. Lui aussi, comme le lieutenant Bartaleuf, avait eu une relation d'amour avec une jeune Cochinchinoise, mais il emportait au Sénégal ce souvenir de son séjour à Saigon.

Votre embarquement a commencé enfin.

— Suivez-moi de près ! a commandé sœur Philomène.

Derrière sa robe blanche, tu as gravi difficilement l'échelle de coupée qui oscillait sous tes pieds, te retenant au cordage. Tu as atteint le platbord, suivi le troupeau qui marchait devant toi. Comme sur le quai, c'était une pagaille innombrable, chacun bousculant et bousculé. Il fallut des heures au *Porthos* pour recevoir ces hommes, ces femmes, ces enfants perdus, qui ne savaient plus d'où ils venaient, où ils allaient, qui ils étaient. Des marins en vêtements civils crièrent cette consigne :

— Les enfants accompagnés, montez sur le second pont. Les enfants seuls, sur le premier.

Tu n'étais point de ces derniers, toujours encadrée par les dames blanches.

— Suivez-nous ! répétaient-elles. Donnez-vous la main !

Après plusieurs ascensions, vous vous êtes donc retrouvés sur le pont supérieur. La mère vous appelait autour d'elle, comme une poule ses poussins. Et elle a constaté que trois filles avaient disparu depuis le départ du Laos. Vainement, elle a crié leurs noms, qu'on entendait à peine au-dessus de cette horde gémissante et sanglotante. Elle a conclu en adressant au ciel cette prière, suivie de trois signes de croix, que vous avez tous imités :

— Sainte Vierge ! C'est à vous que je les confie ! Au nom du Père...

En levant les yeux comme elle, tu vis deux cheminées d'où sortaient des fumées légères. Accroché à un mât, le drapeau français ne flottait point, mais pendouillait lamentablement, telle une serpillière.

Quand toute la cargaison humaine fut engloutie, les marins hissèrent l'échelle de coupée, amenèrent les amarres. Les cheminées se mirent à cracher des volutes sombres. Un frémissement secoua le *Porthos* tout entier. Une sirène lança un long hululement d'adieu qui fit éclater en sanglots la foule des proscrits. Et tu quittas l'Indochine où tu devais ne jamais revenir. Tu regardas au loin la côte, le phare du cap Saint-Jacques, les jonques des pêcheurs.

— Mes enfants, cria la mère supérieure, récitons encore une prière pour que l'Indochine retrouve la paix.

Mais il n'y avait plus d'Indochine. Seulement le Viêt Nam coupé en deux. Le *Porthos* s'en éloigna en se balançant. Tu ressentis une envie de vomir.

La traversée devait durer vingt-huit jours. Sous un soleil de feu et le perpétuel glapissement des mouettes. Les marins tendirent au-dessus de vos têtes une immense bâche pour vous protéger, ombrelle et parapluie. Les cales, les cabines étaient remplies d'adultes et d'orphelins qui pleuraient et appelaient leur mère. Vous dormiez dans des sacs de couchage. Aux toilettes, qui se trouvaient en bas, il y avait toujours des queues interminables. Le pipi ruisselait de toutes parts.

On vous distribua des gamelles de fer, des cuillères, des fourchettes et de la nourriture française. Des pommes de terre bouillies que vous mangiez dans leur peau et dans leur terre. Des lentilles pleines de cailloux. Des tranches de pain un peu moisi. Du chocolat noir en bâtons.

Vous aviez la permission de vous promener dans le navire à condition que chaque petite, comme toi, fût accompagnée d'une grande. Tu refusas de descendre dans les profondeurs d'où montaient des cris et des sanglots. Elles donnaient bien l'idée de ce que peut être l'enfer. Autour du *Porthos*, c'était la mer immense et vide, sans cesse sillonnée de frissons bleus, d'une dentelle d'eau que picoraient les oiseaux blancs.

Un médecin accompagné de deux infirmières parcourut votre horde. Estimant du regard ceux ou celles qui avaient besoin de leur compétence. Posant une main sur un front, soulevant une paupière ou ordonnant :

— Ouvre le bec... Tire la langue...

Tâtant un pouls. Distribuant des comprimés ou des cachets. Emmenant quelquefois un môme à l'infirmerie. Tu ne reçus jamais de ces spécialistes de la santé autre chose qu'un coup d'œil évasif. Quand tu les regardais avec tes yeux qui croisaient le fer, sans doute pensaient-ils que tu te moquais d'eux. Il est permis de loucher ; mais à ce point...

Première nuit dans les sacs pneumatiques. Chacun avait dû gonfler le sien avec la bouche. Le tien, crevé, se vida de ton air. Tu dormis dessus quand même, à la dure, mettant un bras sous ta tête en guise de traversin. Sous ton corps, le pont conti-

161

nuait ses vibrations et te faisait vibrer. Tu te réveillas tout endolorie. Une aube blafarde et comme maladive s'insinuait sous la bâche. Le *Porthos* piquait de lourdes embardées dans les creux profonds et mous de la mer. Tu te gardais bien de bouger, craignant de vomir. Autour de toi, les autres passagers restaient plongés dans un sommeil instable, entrecoupé de gémissements.

Petit à petit, le troupeau se réveilla. Chacun regardait avec consternation les lieux où il se trouvait, ce chapiteau, cette espèce de cirque dont vous occupiez la piste. Puis des dames patronnesses vous apportèrent du café au lait avec du pain carré, et ce fut une consolation. Faire toilette ? Il n'en était pas question. Le navire n'aurait pas emporté assez d'eau pour débarbouiller pendant quatre semaines cette foule malpropre. C'est à peine si vous aviez le droit, lors de votre passage aux WC, de vous laver les pattes et le museau comme font les chats. Pendant vingt-huit jours, vous êtes restés ainsi dans votre sueur et votre crasse, collés à vos vêtements.

Vous n'auriez eu aucune idée de votre itinéraire si les marins de rencontre n'avaient de temps en temps informé vos bonnes sœurs. Sur une mer houleuse, vous avez d'abord vogué vers le sud. Vous avez frôlé l'équateur au large d'une île hérissée de gratte-ciel, Singapour. Engagés dans le détroit de Malacca, vous avez trouvé des flots plus tranquilles.

Mais ensuite, vous vous êtes enfoncés dans l'océan Indien et sa terrible mousson d'hiver. Le *Porthos* dansait comme une coquille de noix sur des vagues aussi hautes que des montagnes. On vous obligea de vous enfoncer dans les profondeurs du navire pour ne pas être emportés. A chacun de ses soubresauts, huit cents enfants hurlaient de terreur, précipités les uns contre les autres ; six cents vomissaient tripes et boyaux ; deux cents restaient affalés sur leur sac, comme morts. Tu serrais sur ton cœur ta brosse à dents et ton catéchisme.

Puis la tempête s'apaisa. La mer infinie autour de vous redevint moutonneuse, mais sans colère. Vous avez lavé au mieux vos souillures. Vous êtes remontés sur le pont supérieur. Les marins ont disposé une autre bâche, car il ne restait de la première que des lambeaux.

Un dimanche, le père Laboisse a célébré la messe. Il avait toujours dans ses bagages le nécessaire : un calice, un flacon de vin, un ciboire, un cierge, une croix, une boîte d'allumettes. Vous avez prié ensemble :

— Toi qui arrêtes la fureur des flots, Seigneur Jésus, fais que nous achevions notre voyage sans traverser une autre tempête.

Il n'eut pas assez d'hosties pour tous les communiants. Il y suppléa de la façon suivante. Considérant que le levain que les boulangers ajoutent à leur farine n'a pas d'autre effet que d'alléger la pâte, de la cribler de trous, il estima qu'il pouvait annuler ces effets et obtenir par conséquent des pains azymes en pétrissant entre ses doigts la mie du pain ordinaire. Il obtint ainsi des boulettes sans trous ni moisissure qu'il consacra et appela hosties. Grâce à cette métamorphose, quatre dimanches successifs, vous avez pu consommer le corps du Christ. Légèrement salé.

Après deux semaines, escale à Djibouti. Capitale d'un territoire désertique qui, grâce à un chemin de fer venu d'Addis-Abeba, trouve cependant le moyen d'exporter de l'encens. Produit sans lequel il n'y a pas de religion possible. Le *Porthos* y renouvela sa provision d'eau, de fruits, de pain frais. Pendant huit jours, chaque passager reçut une orange quotidienne.

Puis ce fut la lente traversée de la mer Rouge. Une température infernale. Les berges couleur de rouille, parsemées d'îlots, lui donnent son nom. Le ciel était vide de nuages et d'oiseaux, aucun n'ayant la force de voler. Le navire se frayait un chemin parmi les innombrables barques, non sans soulever les injures et les malédictions des pêcheurs crevettiers. Les nuits étaient presque aussi chaudes que les jours.

Canal de Suez. A Port-Saïd, visite des fonctionnaires égyptiens en fez sang-dragon et uniformes blancs. Une multitude de gamins noirs comme des grillons nageaient autour du *Porthos*, criant ce mot international :

— Monnaie ! Money ! Moneta !

Pour le plaisir du spectacle, les marins leur jetaient des pièces. Les petits bronzés les laissaient s'enfoncer, puis plongeaient derrière elles. Leurs pieds roses sortaient un moment de l'eau. Puis ils remontaient, les pièces entre les dents. Ils portaient à la ceinture une escarcelle pour recevoir le produit de leur pêche.

Le navire s'éloigna de l'Egypte. A mesure qu'il s'enfonçait dans la Méditerranée, la température devenait plus supportable. Alignés le long des bastingages, vous avez aperçu au loin des éminences découpées.

— La Corse, vous informa un matelot. L'île de Napoléon.

164

De nouveau, le ciel se peupla de mouettes ricanantes.

Deux jours encore. Et, cornant de toutes ses sirènes, tiré par des remorqueurs, le *Porthos* entra dans Marseille. Tu étais en France, au pays de tes ancêtres gaulois. C'était en 1956.

4

Première surprise : la France était vêtue de
blanc. Marseille s'emmitouflait dans un manteau
de neige. Tu avais entendu parler de cet élément
inconnu en Cochinchine ; les bonnes sœurs vous le
faisaient même chanter :

La petite fée de la neige
Habite un palais tout de diamants ;
Au-delà de la Norvège,
Au pôle Nord où vivent les ours blancs...

Vous arriviez d'un climat émollient, vous aviez
traversé une mer torride et vous débarquiez sur un
sol gelé. La plupart d'entre vous n'avaient d'autres
vêtements que leurs fripes légères. En descendant
l'échelle de coupée, tu claquais des dents et des
genoux. Des marins partagèrent au couteau leurs
couvertures, comme saint Martin son manteau. Les
dockers marseillais, bien enveloppés, regardaient
avec surprise ce troupeau de petits *nha couè* demi-
nus. Les murs du Vieux Port parlaient clairement :
Paix au Viêt Nam. Arrêtez la sale guerre. Ces

166

souhaits se trouvaient exaucés, votre arrivée en témoignait.

Des autobus vous voiturèrent par les rues enneigées à l'autre bout de la ville, dans un gymnase portant cette enseigne : *Fédération des œuvres françaises d'Indochine*. A Marseille, l'Indochine existait encore.

Les bus vous déchargèrent en vrac dans une immense salle non chauffée. Paniers de basket poussés contre les murs, barres parallèles empilées dans le fond. Partagé en deux moitiés inégales, le gymnase était devenu dortoir d'un côté, réfectoire de l'autre.

Dès cet instant, vous fûtes enlevées aux religieuses et prises en charge par les dames de la FOEFI. Reconnaissables au ruban tricolore imprimé de ces initiales qui les couronnait. Lorsque sœur Philomène et ses collègues firent la tournée des embrassades, ce furent des adieux déchirants. Tu ne réussis pas à pleurer malgré le chagrin qui te dévorait le cœur. Puis les bonnes sœurs s'éloignèrent, sans vous donner leurs futures adresses ; peut-être ne savaient-elles pas où elles allaient se retirer.

Tu te sentis orpheline une seconde fois. Heureusement, à cause de la température marseillaise, tu grelottais de la tête aux pieds, ce qui t'empêchait de penser. Ce jeu de castagnettes était aussi pour toi une nouveauté. Tu ne l'avais jamais pratiqué à Cholon, où le froid était inconnu, où les bonzes grommelaient dans la rue : « Il faut regarder la mort *sans trembler* car elle nous rapproche de la perfection. »

Sur les tables du réfectoire, les dames de la FOEFI alignèrent des bols et des cuillères. Puis elles vous servirent de la soupe au vermicelle qui ressemblait un peu au *pho* de maman Rôt. Vous en eûtes votre content, certaines deux bolées, d'autres trois. Les dames au ruban tricolore riaient de constater de pareils appétits.

Ensuite, un camion du Secours populaire apporta des vêtements. Usagés mais propres. Des chaussures, sandales, souliers, galoches, godillots. Tu fus habillée de pied en cap à la française : bas de coton, jupette, corsage, pull de laine. Une secrétaire vous soumit à un interrogatoire et coucha vos noms sur un registre :

— Comment t'appelles-tu ?

— Béatrice.

— Comment s'appelle ton père ?

— Lieutenant Bartaleuf.

Tu croyais que « lieutenant » était une sorte de prénom.

— Et ta mère ?

— Maman Rôt.

— Rôt comment ?

— J'ai oublié.

— Ta date de naissance ?

— 1947.

— Quel mois ? Quel jour ?

— J'ai oublié.

— Tant pis pour toi. Personne ne te souhaitera ton anniversaire.

La secrétaire te remit un carton riche de ces renseignements afin que tu te connaisses bien.

Visite médicale. Une doctoresse grosse comme un éléphant t'examina à travers ses lunettes. Elle remarqua tout de suite tes yeux brouillés.

— Il faudra opérer ça un jour, dit-elle en l'inscrivant sur sa feuille.

Puis elle se pencha sur ta tête, sur tes cheveux

168

qui n'avaient pas reçu le peigne depuis un mois, et décréta que tu avais la teigne.

— Qu'est-ce que c'est ? osas-tu demander.

— Un champignon qui pousse sur le cuir chevelu malpropre. On va s'occuper de toi.

Elle te fit ouvrir la bouche, tirer la langue, observa l'intérieur de tes paupières. Comme son auriculaire se tenait juste sous ton nez, afin de la punir d'être si grosse et de t'avoir traitée de malpropre, tu avanças les dents et tu mordis ce doigt. Elle poussa un cri :

— Sale bête !

Elle t'allongea en même temps une gifle qui te fit chanter l'oreille. Aussitôt après, elle ordonna :

— Qu'on la tonde. Mais faites attention : elle mord.

Tu connaissais déjà ce supplice et le temps que mettent les cheveux à repousser. Un infirmier s'empara de toi malgré tes hurlements et tes coups de pied. Il te traîna vers une salle contiguë, te ficela sur une chaise et te tondit en quelques secondes au ras du cuir. Après quoi, il te frictionna rudement avec un liquide désinfectant et urticant. Nouveaux cris :

— Aïe ! Aïe ! Ça pique !

— Après ça, tu n'auras plus de teigne.

Immense erreur. Tu es restée toute ta vie une jolie teigneuse.

Te considérant enfin comme un peintre considère son tableau terminé, l'homme eut sans doute quelque pitié de ton crâne nu. Il alla chercher un béret basque et te l'enfonça jusqu'aux oreilles. Quand tu rejoignis tes compagnons d'exil, ils firent semblant de ne pas te reconnaître. Pour mieux te

couvrir de honte, les garçons t'approchaient par-
derrière et décoiffaient ta tête rase :

— C'est pas une fille ! criaient-ils. C'est un
mec !

Pour récupérer ton cache-misère, tu devais
encore jouer des poings et des pieds. Tous les soirs,
l'infirmier te retrouvait pour frictionner au désinfectant ta champignonnière.

Il fallut bien trier ces épaves humaines. Suivant
le sexe, l'âge, l'origine, la connaissance de la
langue, l'état sanitaire. Avec une douzaine d'autres
filles, tu fus conduite jusqu'à la gare Saint-Charles,
en compagnie d'une dame de la FOEFI. Chacune
portant son balluchon. Le froid était si vif que tes
yeux se mirent à pleurer, car ils étaient capables de
pleurer sans chagrin. C'était la première fois que tu
prenais le train. Une immense cohue se pressait sur
les quais, marins, soldats, civils, cheminots, blancs,
noirs, jaunes, bronzés. Des annonces incompréhen-
sibles tombaient de la marquise. Des locomotives
avançaient, reculaient en fumant et sifflant.

Deux compartiments vous étaient réservés. Tu te
trouvas bloquée dans un coin contre une fille à peu
près de ton âge. Elle te fit un sourire que tu ne lui
rendis pas. Un moment après, elle ouvrit la main
devant ton nez :

— Pour toi.

— Qu'est-ce que c'est ?

— Une pastille à la menthe. J'en ai deux. Je t'en
donne une.

Elles étaient collées ensemble comme deux
sœurs siamoises. Tu ne t'inquiétas point de savoir
d'où elles provenaient. Tu dis seulement, par prudence :

— Je ne sais pas si je l'aimerai.

170

— Tu verras bien.

Les deux pastilles furent séparées. La menthe te remplit la bouche d'une effluence forestière, tu te crus revenue dans le parc aux écureuils. Tu léchas même tes doigts sucrés. La voisine te regardait, souriant toujours. Tu lâchas enfin le merci qu'elle espérait, un merci minuscule, qu'elle dut lire sur tes lèvres.

— Je m'appelle Marguerite, compléta-t-elle. Et toi ?

— Moi ?

Tu hésitais à te livrer.

— Comment t'appelles-tu ?

— Béatrice.

— C'est joli.

Tu pensas : voilà bien la seule chose jolie qu'il y ait en moi. Tu ajoutas quand même :

— Ça veut dire que je rends heureux.

— Tu as bien de la chance. Tu as un papa ?

— Naturellement. Lieutenant Bartaleuf.

— Moi, c'est Fonctionnaire des Douanes. Mais je l'ai perdu. Ou il m'a perdue. Ma maman est morte.

— La mienne aussi.

Parce que vous aviez ce point commun, tu honoras ta voisine d'un commencement de sourire.

— Nous sommes comme deux sœurs ! fit remarquer Marguerite.

Et toi, haussant les épaules :

— Si l'on veut.

Le train roulait dans la campagne de plus en plus blanche. Par la fenêtre, tu pouvais voir un fleuve très large qu'un vol de mouettes remontait en criant ; au loin, une ligne de montagnes. Après sans doute une heure et demie de course, il s'arrêta dans une gare et l'on vous demanda de chanter *Sur le pont d'Avignon*. Cela mit un peu d'animation dans les voitures.

Plus loin, le convoi s'éloigna du fleuve. Le chef de gare cria : « Orange ! » Tu t'étonnas qu'une ville pût porter un nom si juteux. Peut-être, pensais-tu, y en a-t-il qui s'appellent Citron, Mangue, Banane. La dame en tricolore prétendit vous faire chanter *Les Oranges* ; mais personne ne la connaissait ; alors, elle la chanta toute seule :

> *Au jardin de mon père*
> *Un oranger il y a,*
> *Qu'est si chargé d'oranges*
> *Qu'on croit qu'il en rompra.*
> *Marguerite demande*
> *Quand on les cueillera.*
> *« A la Saint-Jean, ma fille,*
> *Quand la saison voudra... »*

— Marguerite, c'est moi ! cria ta compagne.

On vous distribua un sandwich, une pomme et un gobelet d'eau parfumée à la grenadine. Jamais tu n'avais rien bu d'aussi bon. Pour ce seul breuvage, il valait la peine de venir en France.

A Lyon, il fallut descendre pour emprunter un autre train.

— Je voudrais te donner la main, demanda Marguerite Fonctionnaire-des-Douanes.

Elle boitait un peu.

— C'est à cause d'une balle que j'ai reçue, expliqua-t-elle, montrant une cicatrice sur son genou.

Ainsi liées, vous êtes entrées dans la salle de patience. La FOEFI vous a distribué un autre

172

sandwich et un autre gobelet de grenadine. Aux murs, des affiches de la SNCF vous engageaient à visiter la Côte d'Azur et ses palmiers ; l'Auvergne et ses volcans ; les Alpes et leurs champs de neige ; le Nord et ses beffrois. La salle était chauffée par un poêle à charbon qu'un employé venait tisonner et alimenter de temps en temps. Tu avais lâché la main de Marguerite et tu t'assoupis un moment, ta tête dans son béret basque appuyée au mur.

Plus tard, la voisine te tira de ton sommeil. Le nouveau train était une micheline à trois voitures, moins confortable que le train à locomotive. Pendant combien d'heures y fûtes-vous secouées ? Tu n'avais que les horloges des gares pour te renseigner et tu les lisais encore mal. Il vous emporta vers un pays de plateaux et de vallées appelé le Bugey, au pied des montagnes du Jura, où la neige des toits atteignait vingt centimètres d'épaisseur.

La dame de la FOEFI voulut vous faire chanter *J'ai un pied qui remue*. Mais des chansons, vous en aviez ras les moustaches, elle dut la produire toute seule comme *Les Oranges*. Elle avait une très jolie voix, cristalline dans les aigus, veloutée dans les graves. En revanche, lorsqu'elle commandait, sa voix redevenait très ordinaire, plutôt âpre que douce. Tout se passait comme si elle avait eu deux organes, l'un pour parler, l'autre pour chanter.

Vous êtes descendues à Saint-Rambert-en-Bugey. Et l'on vous a conduites processionnellement à l'abbaye de Notre-Dame-des-Missions.

La vocation de cette congrégation, fondée par Euphrasie Barbier, une Normande « blanchisseuse en fin », petite-fille d'une Créole de la Guadeloupe, est de secourir les enfants en manque d'amour, de nourriture, d'éducation ; de leur apprendre leur propre culture, leur écriture, leurs possibilités artistiques ; de les munir d'une activité professionnelle ; de leur faire connaître l'Evangile. L'institution était donc tout à fait propre à recueillir les petites Eurasiennes sans pères ni mères affirmés.

L'abbaye se trouvait entre un plissement de terrain couvert de sapins et la rivière Albarine. Elle comprenait deux grandes maisons blanches à plusieurs étages, chapeautées de tuiles roses, reliées par une passerelle couverte qui permettait d'aller de l'une à l'autre sans se mouiller les jours de pluie. Tout autour, des arbres, des fleurs, des chants d'oiseaux. A l'est, un bassin avec jet d'eau et une chapelle dite de Saint-Domitien. Des religieuses vêtues de noir y encadraient une quarantaine de fillettes parrainées par la FOEFI. Ce fut ta première surprise car tu croyais que toutes les servantes de Dieu portaient une robe blanche, comme sœur Philomène.

La deuxième te vint de la supérieure, mère Sainte-Scholastique. Elle s'exprimait avec un joli accent que tu n'avais jamais entendu en Indochine. Elle expliqua :

— Je suis originaire de Pau. Je sors de mon Pau.

Les arrivantes éclatèrent de rire, comprenant *pot* pour Pau. C'est ce que voulait l'abbesse, qui aimait à répandre la gaieté. Elle vous fit visiter la maison et ses alentours, le dortoir, le réfectoire, les cuisines, les cellules, les salles de classe, la cave, la champignonnière.

Troisième surprise : la douche qu'on vous fit prendre dans des box fermés par des rideaux. Dans chacun était suspendue à un crochet une sorte de longue chemise de nuit sans manches. Une jeune sœur — une novice car elle portait un voile blanc, communément appelée une « sœurette » — vous expliqua comment vous deviez vous déshabiller :

— Vous enlevez d'abord les vêtements du haut. Ensuite, vous enfilez cette camisole de façon qu'elle tombe jusqu'à vos pieds. A ce moment seulement, vous quittez les vêtements du bas en les faisant glisser sous la camisole. Vous ouvrez le robinet. L'eau vous inonde. Vous vous savonnez par-dessous la camisole, sans l'enlever. Jamais vous ne devez voir votre corps tout entier dépouillé de ses vêtements. Ce serait un gros péché.

Par voie de conséquence, l'adjectif *nu* était lui-même proscrit de la maison. On ne disait pas tête nue, pieds nus, jambes nues, mais tête sans coiffure, pieds sans chaussures, jambes sans bas. « Saint François enleva toutes ses hardes et parut devant l'évêque d'Assise dans le même simple appareil qu'au jour de sa naissance », narrait la lectrice au réfectoire. Les jeunes pensionnaires s'interrogeaient sur cet appareil d'une extrême simplicité.

— Qu'est-ce que c'était au juste ?

— Je ne sais pas.

— Je crois savoir…

Quatrième surprise : le repas du soir, appelé réfection. Composé de plats inconnus des Eurasiennes, il commença par une bouillie de maïs, la *gaude*. Vinrent ensuite des crêpes bien épaisses et sucrées, dites *matefaims*; vous aviez droit à trois de ces beignets par tête. Pour finir, un fromage mou parfumé d'ail, à étendre sur le pain, la *cancoillotte*. Tout cela expliqué par le menu, avec la façon de le consommer. Tu te sentis bourrée jusqu'aux oreilles, toi qui, depuis ta petite enfance, n'avais jamais réussi à mater ta faim.

Après la réfection, on vous conduisit à la chapelle afin d'y réciter les prières de complies. Vous en aviez le texte sur un carton, imprimé en grosses lettres, et il te remplit de terreur : *Le démon votre ennemi, comme un lion rugissant, tourne sans cesse autour de nous, cherchant quelqu'un à dévorer. Seigneur, ayez pitié de nous.* Tu te représentas les forêts avoisinantes infestées de lions rugissants. Mais ensuite, les religieuses et les grandes pensionnaires chantèrent *O Marie Mère chérie*, ce qui te rassura quelque peu.

Marguerite la boiteuse te demanda la permission d'occuper le lit contigu au tien. Tu la prévins honnêtement :

— Si on m'embête, je mords.

— Je ne t'embêterai pas.

Comment puis-je rapporter tous ces détails ? C'est que tu me les as racontés mille fois et que je ne fais que coudre ensemble tes souvenirs.

Le médecin de l'abbaye, t'ayant examinée de la tête aux pieds, s'intéressa spécialement à tes yeux brouillés. Il te fit compter les points de dominos qu'il tenait à une certaine distance. Il conclut que ton acuité visuelle était fort réduite par cette divergence et décida de te faire subir une strabotomie. Mais d'abord, il t'en demanda la permission :

— Serais-tu contente d'avoir les yeux comme tout le monde ?

Tu acceptas l'opération. Il se trouva qu'aucun ophtalmologiste n'était en mesure de la faire dans le département. On dut te transporter à Grenoble accompagnée d'une sœur novice. Tu fus reçue à La Tronche. Les hôpitaux n'avaient pas encore été humanisés. On te plaça dans une chambre de huit personnes, au milieu de vieux et de vieilles qui passaient leur temps à tousser et cracher. Mais un jour, un médecin te remarqua perdue parmi ces agonisants et t'emmena dans une pièce où tu dormirais seule près de la sœurette.

— Tu seras plus tranquille ici, ma chérie, dit-il en t'embrassant.

C'était la première fois que quelqu'un te disait « ma chérie ». Maman Rôt t'appelait « mon petit crapaud ». Tes copines de Cholon « Ton Li Pé », c'est-à-dire « la fille aux yeux de travers ». Le soir, la sœurette enlevait son voile et sa coiffe, ses cheveux courts tombaient sur sa nuque, elle avait l'air d'une fille comme les autres. Elle dormait sur un fauteuil de rotin, près de ton lit. Mais le matin, après son passage au cabinet de toilette, elle redevenait novice de Notre-Dame-des-Missions.

Après les examens préliminaires, on te voitura dans ton lit à roulettes jusqu'à la salle d'opération éclairée par une lampe éblouissante. On te fit une piqûre au bras.

— Compte jusqu'à dix.

A six, ta tête se remplit d'étoiles.

Quelques heures plus tard, lorsque tu repris conscience, tu te trouvas plongée dans une nuit épaisse. A tous tes mouvements, tu sentais une main se poser sur la tienne. Une voix chuchotait :

— Je suis mademoiselle Thuilière, novice de Notre-Dame-des-Missions. On t'a opérée. Tu portes un bandeau sur les yeux. Ne t'inquiète pas.

Ce jour-là et le lendemain, elle te nourrit à la becquée. Le troisième, on t'enleva le bandeau. Tu ne trouvas pas grand-chose de changé à ta vision, sauf qu'elle était plus nette. Le médecin qui t'avait appelée « ma chérie » refit ses expériences, et tu pus lire exactement tous les points des dominos. En guise de compliment, il caressa ton crâne tondu. Il te présenta enfin un miroir :

— Regarde-toi.

Tu pus te rendre compte que tes yeux n'étaient plus brouillés, même si l'opéré présentait encore une bordure rouge. On le couvrit d'un pansement et tu repris le train pour Saint-Rambert-en-Bugey. Tu ne méritais plus le surnom de « Ton Li Pé ».

Tu retrouvas l'abbaye et les autres Eurasiennes venues avec toi de Marseille. Marguerite exprima une joie extrême à voir tes yeux corrigés, comme si ta guérison l'eût concernée personnellement. Mère Sainte-Scholastique vous informa que vous resteriez peu de temps dans sa maison ; qu'elle s'occupait de vous confier à des familles d'accueil qui, un jour, auraient peut-être envie de vous adopter. Ce qui aurait pour résultat de faire de vous des Françaises complètes et d'assurer votre avenir.

En attendant, les religieuses vous donnaient un enseignement de français, d'orthographe, d'histoire sainte, etc. Il durait six heures chaque jour, comme dans les autres écoles de France.

Ta classe comptait vingt-cinq élèves et deux divisions. S'il arrivait à une sœur enseignante de devoir s'absenter un court moment, elle chargeait l'une de vous de monter sur l'estrade et d'écrire au tableau le nom des filles dissipées. Il est bien vrai que, dans ces moments exceptionnels, vous vous sentiez soudain comme des prisonnières qu'on délivre. Vous poussiez des cris de souris, vous éclatiez de rire sans motif, vous faisiez des grimaces, vous vous lanciez à la figure des glands que vous aviez ramassés dans le parc, vous vous tiriez les cheveux. Il t'arriva de monter sur les tables, de sauter de l'une à l'autre. La fille surveillante écrivait plusieurs noms au tableau — et le tien y fut souvent ! — mais une complice guettait à la porte le retour de la sœur. Tout était effacé avant qu'elle n'entrât.

Un jour, pendant cet intervalle, c'est la mère supérieure elle-même qui parut. A peine fut-elle dans l'encadrement que le silence se rétablit :

— Ça sent mauvais ici ! s'écria mère Sainte-Scholastique avec son accent palois. Je suis certaine que vous avez dit des gros mots. Les gros mots sentent mauvais. Ouvrez les fenêtres, pour aérer.

Mais dehors le froid était vif, il fallut refermer. On parla d'autre chose.

— Pendant que je suis avec vous, je vais vous apprendre une chanson de chez moi. Elle vous occupera l'esprit et chassera vos mauvaises pensées.

Elle prit un bâton de craie, traça au tableau les paroles de l'hymne national palois :

> *Bet céou de Paou !*
> *Can te tournaré vire ?*
> *K'ey tan sofè*
> *Despù ké t'ey kità* [1]...

Tout de suite, vous fûtes séduites par cette jolie musique. Et mère Sainte-Scholastique fut aux anges de voir et d'entendre ces enfants nées parmi les bambous indochinois prononcer des mots béarnais. Elle vous fit tout un baratin sur le ciel de Pau, les jardins de Pau, le château d'Henri IV. Tout cela

1. « Beau ciel de Pau ! / Quand te reverrai-je ? / Car j'ai tant souffert / Depuis que je t'ai quitté. »

179

accompagné de grands éclats de rire qui donnaient envie de l'embrasser.

Afin de mieux vous convertir à son adoration, elle vous invita à une soirée de diapositives qui vous permit de faire mieux connaissance avec ces merveilles dont elle avait plein le cœur.

Il lui arrivait — moins dans l'intention d'inspecter que dans le désir de saluer — de surgir ainsi à l'improviste dans la classe. D'assister au cours de l'enseignante. De réciter avec vous la prière d'entrée ou la prière de sortie. Elle s'étonna un jour d'une autre mauvaise odeur :

— Encore des gros mots ? Pas possible ! On ne vous a cependant pas laissées seules un moment !

La sœur institutrice confirma : pas un moment.

— Je vois ce que c'est. Quelqu'une d'entre vous, simplement, a lâché un pétou. Ce n'est pas propre, mais c'est moins grave. Ouvrez la fenêtre.

Ce jour-là, le mot béarnais de *pétou* entra dans votre vocabulaire, plus doux, plus charitable que son sec correspondant national de pet. Il en résulta parmi vous une série de formules charmantes qui n'avaient pas cours ailleurs : « Ça ne vaut pas un pétou de lapin... Je n'en ai pas mangé plus gros qu'un pétou... Un pétou d'écureuil pourrait la renverser... »

Le programme quotidien était cependant plutôt austère. Au saut du lit, signe de croix, invocation de la Sainte-Trinité. Puis, après avoir satisfait aux nécessités corporelles, vous récitiez le psaume XXV : *Vers toi, Seigneur, j'élève mon âme.* Il vous était recommandé de prier « plus de cœur que de bouche, de façon que votre voix fût plus près de Dieu que de vous-mêmes ». C'était une acrobatie compliquée. Pendant le petit déjeuner, appelé la mixte, présidé par l'abbesse, une lectrice invoquait le saint du jour. Soupe au pain, tapioca et cancoillotte. Trois coups frappés sur une cymbale marquaient la fin du repas. Vous passiez alors dans vos salles de classe.

Un soir, la mère supérieure te convoqua dans son bureau en même temps que Marguerite Fonctionnaire-des-Douanes.

— Asseyez-vous, mes petites, dit-elle en vous désignant deux chaises.

Tu sentis qu'il allait se passer quelque chose d'important. Tu regardas autour de toi avec tes yeux parallèles. Par la fenêtre, tu aperçus au loin les montagnes du Jura. Derrière ses lunettes, sous son fronteau blanc, l'abbesse vous regardait aussi. Elle sourit, selon sa bonne habitude, avant de s'expliquer :

— Je suis contente que vous soyez amies. Une amie véritable est aussi précieuse qu'une sœur. Marguerite est la plus douce, la plus obéissante, elle a bu du bon lait quand elle était petite, comme on dit à Pau. Béatrice est plus volontaire, plus difficile à mener, son lait manquait de sucre. L'une corrigera l'autre.

Cette fille t'avait voué en effet une dévotion de caniche. Sans doute voyait-elle en toi ce contraire qu'elle aurait voulu être : une révoltée, un cœur dur. Il avait bien fallu que ton cœur s'endurcît ; sinon, comment aurait-il résisté à tant de deuils, à tant de coups immérités ? La voyant molle et soumise, tu acceptais cependant son adoration. Et même ses cadeaux.

Il y eut entre elle et toi un trafic de *bons points*. Ceux-ci étaient de petits cartons portant au revers un portrait d'Euphrasie Barbier en imploration

181

devant la croix. Lorsqu'on en possédait vingt, on avait droit à un arbre généalogique sur papier vélin de la congrégation, depuis sa naissance en 1861 jusqu'à ses ultérieures ramifications sur les cinq continents. Chaque pensionnaire aspirait à posséder ce monument. Mais toi, tu avais peu de chances de jamais l'obtenir. C'est pourquoi la vertueuse Marguerite te refilait une partie de ses gains. A toi, les enseignantes refilaient plutôt des tapes et des réprimandes.

— Voici ce que j'ai décidé, poursuivit la mère supérieure. La FOEFI a trouvé une famille d'accueil dans l'Ardèche qui demande deux filles. Il s'agit d'agriculteurs très estimables, très bons chrétiens, qui pourront un jour devenir vos parents adoptifs si vous savez gagner leur affection. Sinon, vous reviendrez à Saint-Rambert, et on vous placera ailleurs. Que vos anges gardiens vous tiennent sous leur protection et leur surveillance.

Tu refis ton paquet. Adieux à l'abbaye. Tandis que vous embrassiez la mère supérieure, elle vous suspendit au cou un petit scapulaire qui s'ajouta à celui que tu avais déjà.

— *Lou asu floucà bau düs sos de mez au mercà*, commenta-t-elle paloisement. L'âne fleuri vaut deux sous de plus au marché.

Et elle rit pour dissimuler son émotion.

Ensuite, accompagnées d'une autre sœurette, vous reprîtes la micheline.

5

Changement de train à Lyon. A partir de Saint-
Symphorien, vous avez longé le Rhône que tu as
bien reconnu avec ses péniches. A Tournon, changement de gare. Sandwiches à la cancoillotte.
Embarquement prévu sur un train familièrement
appelé le Mastrou parce qu'il se dirigeait vers
Lamastre. Tributaire non point de la SNCF, mais
des CFV, Chemins de fer du Vivarais. Après s'être
longtemps fait désirer, il arriva enfin, tiré par une
locomotive qui comportait sur le devant une paire
de lanternes pareilles à deux énormes yeux, une
cloche de secours fort utile en cas d'enlisement
dans les neiges et un sifflet à vapeur dont le mécanicien devait user et abuser tout le long du trajet.
Les voitures, peinturlurées de rouge, de vert, de
bleu, ressemblaient à de gros jouets. Après avoir
fait demi-tour sur la plaque tournante, la machine
s'accrocha aux wagons en crachant de la vapeur
par les pattes.

Vous avez pris place sur des banquettes bien
dures, séparées par un couloir central. Sans WC,
sans filets à bagages. Vous gardiez les vôtres sur

vos genoux. Les vitres montaient et descendaient grâce à une sangle perforée. Inscriptions : *Ne laissez pas les enfants jouer avec la serrure. Il est dangereux de se pencher au-dehors. E' pericoloso sporgersi.* Soudain, après un grand coup de sifflet, le train démarra.

Laissant derrière vous Tournon, Tain-l'Hermitage et ses abrupts vineux, vous vous êtes enfoncées dans la vallée du Doux, fleurie de pêchers, d'amandiers, d'abricotiers. Car le printemps colorait le ciel et la terre. Les hirondelles couinaient comme des perdues. Un tunnel vous plongea dans le noir. Pas de loupiote au plafond de la voiture. Marguerite saisit ta main, la sienne tremblait. En face de vous, la sœurette récitait à mi-voix son chapelet, elle devait avoir peur aussi. Le premier jour, Dieu créa la lumière et les ténèbres, car l'une ne va pas sans les autres. La lumière qui est la connaissance, les ténèbres qui sont l'ignorance. La lumière baigne le paradis ; l'enfer est plongé dans le noir. Vous avez enfin revu le soleil. La vallée devint une gorge aux rives rocheuses entre lesquelles la rivière se faufile. Elle ne mérite guère son nom de Doux, à en juger par ses bouillons, ses écumes, les énormes blocs qui encombrent son lit.

Mordane. Son usine électrique qu'alimentait un canal creusé dans le roc par des prisonniers de guerre après 1918. Il portait le nom de canal des Allemands, comme vous l'expliqua un vieux monsieur qui vous tenait compagnie. On roule, on roule des kilomètres, le canal est toujours là à vous suivre, comme la lune quand vous marchez la nuit. Le vieux monsieur vous raconte la longue peine de ces esclaves en uniforme vert.

— Rien de tel, conclut-il, qu'une bonne guerre pour ressusciter l'esclavage.

A Mordane, même les ânes mouraient de fatigue et de chagrin. Les électriciens de l'usine se relayaient comme les gardiens de phare. Une draisine emmenait chaque matin leurs enfants à l'école de Saint-Jean-de-Mazols, et les en ramenait le soir. Le canal prend fin à Clauzel.

Vous fûtes à la gare de Colombier-le-Vieux-Saint-Barthélemy-le-Plain, dont le nom interminable s'explique parce qu'elle dessert deux communes. Arrêt d'un quart d'heure, qui vida les voitures et remplit les lavabos. Même la sœurette descendit faire pipi et vous convainquit de l'imiter, en rougissant. Les voyageurs mâles la considéraient d'un œil paillard en échangeant des réflexions indécentes.

Tu-tuuutt ! On repart. A Boucieu-le-Roi, perché sur son piton, la ligne traverse un curieux chemin de croix composé de quatorze petites chapelles disséminées dans la campagne depuis le XVIIIe siècle. Or, par une merveilleuse attention des *pagels*[1] qui construisirent la ligne au siècle suivant, de la pelle et de la pioche, la station qui se trouve au croisement de la route et de la voie ferrée s'appelle : *Jésus s'arrête*. Le mécanicien la salua d'un bon coup de sifflet.

Même salut sous le château de Chazotte, que la comtesse propriétaire rendit cordialement de sa fenêtre par un geste du bras. Le convoi ralentissait aux passages à niveau non gardés, sifflant à tue-tête pour en écarter les personnes, les poules, les vaches, les cochons. A tout moment, il lançait ses tuutt ! aux

1. Paysans.

185

ponts, aux villages, aux peupliers, aux maraîchers dans leurs jardins, aux gardeuses de chèvres. De son côté, il récoltait une infinité de bonjours de la voix, de la main, du mouchoir, du chapeau.

A présent, les châtaigniers pas encore fleuris s'accrochaient aux flancs de la montagne ouverte par la vallée. Dans les espaces découverts, s'échelonnaient les *échamps*, terrasses où pousseraient les céréales, où verdirait la vigne, qui te rappelaient les rizières du Laos. Les voitures défilaient sans hâte entre les garde-à-vous des bouillons-blancs.

Retunnel. Après la station du Plat, le vieux monsieur s'agita sur sa banquette :

— Nous allons franchir le 45ᵉ degré de latitude. C'est-à-dire que, du nord de la France, nous allons entrer dans le Midi. Tenez-vous prêtes.

Vous vous concentrez, vous vous frottez les yeux, vous vous débouchez les oreilles. Il tend l'index :

— Attention ! Regardez !

En bordure du ballast, un panneau de bois porte en effet cette inscription : *45ᵉ parallèle*. Et lui, aussitôt :

— Ça y est ! Nous voici au pays du soleil, des cigales, de la lavande, des orangers. Nous quittons l'Ardèche au beurre pour pénétrer dans l'Ardèche à l'huile ! Sentez-vous, mes amies, comme l'air est différent ? Plus léger, plus parfumé, plus lumineux ?

Vous gonflez vos poumons de cet air méridional. A vrai dire, vous ne le trouvez pas très différent de ce qu'il était avant la pancarte.

Le Mastrou entra enfin dans Lamastre. Gros bourg établi à la jonction de quatre vallées où coulent quatre rivières, le Doux, le Condoie, le Crozon, la Sumène. On y travaillait pour les dames en

186

tissant des bas de soie et de nylon. On y sciait des planches, on y fabriquait du matériel de camping et des appareillages électriques. Vous avez dit adieu à l'aimable voyageur et vous êtes descendues sur le quai.

Grâce au vêtement de la sœurette, vous voilà tout de suite repérées. Un homme s'avance vers vous, un solide paysan aux joues rouges, coiffé d'une casquette à pompon. Il se présente :

— Je suis Paul Griffon. On m'appelle Paulou. Eleveur à la Grangeasse. Je suis venu vous chercher avec mon taxi.

Il n'a qu'un bras et demi ; le second est raccourci au coude. Il désigne son taxi : une remorque sur pneus attelée à un tracteur. Il vous aide à monter dedans, vous fait asseoir sur des bottes de paille. Au fond de cette caisse, de nouveau Marguerite prend ta main. Vous ne voyez que les ridelles imprégnées de fumier, la robe de la demoiselle et, au-dessus, le ciel bleu du 45e parallèle.

— En route pour la Grangeasse ! crie Paulou.

Le tracteur sortit de Lamastre, enfila une route montante, caillouteuse, qui vous secouait comme des pois chiches dans un grelot. Le paysan conduisait fort bien avec un seul bras. Près de toi, sur sa botte, Marguerite gémissait à chaque cahot. La sœurette vous cria :

— Vous n'avez pas envie de regarder où nous allons ?

Difficilement, vous vous êtes relevées, agrippées aux ridelles comme au bastingage d'un navire. Autour de vous, tout était montagne. La route étroite, sinueuse, longeait un affreux ravin, dont elle était protégée seulement par un rideau de genêts. Des vaches blanc et roux paissaient les

187

pentes. De temps en temps, monsieur Griffon saluait lui aussi une personne de rencontre, en lui lançant des paroles que vous ne compreniez pas.

— C'est du patois ardéchois, précisa la sœurette.

Tu te sentais perdue dans un monde étranger. Des corbeaux traversèrent le ciel de leur vol flasque. Il te sembla qu'ils ne poussaient pas les mêmes croassements que ceux du Bugey. Tu te dis que peut-être ils criaient en patois.

Après une longue ascension, le tracteur s'arrêta dans la cour d'une ferme. Des pierres noires et des pierres grises composaient les murs, pareils à de grands jeux de dames. Aussitôt, trois chiens aux longs poils vinrent vous accueillir, jappant et frétillant de la queue. Vous n'osiez descendre de la remorque ; mais Paulou vous rassura, disant qu'ils aboyaient, mais ne mordaient que le facteur ou le garde champêtre :

— Ils ne peuvent pas souffrir les uniformes. Ils sont antimilitaristes comme moi.

Là-dessus, il fit une conversation en patois à ses chiens, sans doute pour leur expliquer qui vous étiez. On vit sortir le reste de la famille :

— Ma femme Maria… Mon oncle Joseph… Le domestique Florian.

Et ce fut tout. Pas d'enfant. Paulou vous fit ensuite visiter la résidence : l'étable où pendaient devant les mangeoires une douzaine de chaînes, les vaches étant au pâturage ; la bergerie avec deux portes immenses, capable de recevoir deux cents brebis que monsieur Griffon appelait ses *fèdes*, les agneaux étant des *fedous*. Les bovins qui s'en vont, solennels, l'un derrière l'autre en procession, peuvent se contenter d'ouvertures modestes ; mais les moutons ont horreur de s'aligner, de s'éparpiller, de se séparer ; ils se pressent les uns contre les autres ; les larges portes leur permettent des passages en masse. Des râteliers garnissaient les côtés de la bergerie, suspendus aux poutres par des cordes ; on pouvait les élever au fur et à mesure que s'épaississait la couche du fumier, qu'on ne vidait qu'une fois l'an, après la moisson. Le tout éclairé par des fenêtres étroites, pareilles à des meurtrières, bouchées en hiver avec de la paille.

La sœurette à son tour prit la parole. Elle remercia la famille Griffon d'accueillir ces deux malheureuses fillettes indochinoises, victimes de la guerre et du communisme. Elle s'affirma certaine que les deux enfants se comporteraient de la façon la plus chrétienne et qu'elles donneraient entière satisfaction à leurs nouveaux protecteurs.

Dans la cuisine, on vous présenta le mobilier. La longue table de chêne un peu basse pour ses dimensions. C'est que ses pieds, au contact du sol en terre battue, humide l'hiver, pourrissaient lentement. Il fallait tous les dix ans les rogner de deux largeurs de doigt. Tu compris cela plus tard, quand le domestique Florian t'en eut informée. Tu fis des calculs et considéras que le plateau de la table mettrait deux siècles pour toucher le sol.

La maie où l'on gardait le pain au frais. Le buffet orné de rosaces. Le calendrier des Postes, année 1957. Une statuette de saint François Régis, rapportée de La Louvesc — qui se prononce La Louvet — lors d'un pèlerinage. S'adressant à la demoiselle, madame Maria Griffon jugea nécessaire de donner les raisons de ce pèlerinage :

— Nous sommes mariés, Paulou et moi, depuis vingt-cinq ans. Et le bon Dieu, malgré nos prières, ne nous a pas donné d'enfant. Un jour, donc, nous sommes allés à La Louvesc, vu que saint François Régis a la réputation de favoriser les naissances. A cette occasion, nous avons acheté sa statuette. Mais c'était de l'argent gaspillé, ça n'a produit aucun résultat. Maintenant, nous sommes trop vieux pour espérer une naissance. C'est pourquoi nous aimerions bien adopter deux gamines, déjà un peu grandettes pour rattraper le temps perdu. Le curé de Lamastre nous a fait connaître Notre-Dame-des-Missions.

L'oncle Joseph, qui fumait la pipe au coin du feu, la tira de ses dents pour ajouter son grain de sel :

— François Régis est sourd, dit-il. Faut pas s'étonner.

— Ne l'écoutez pas, protesta sa sœur Maria. Il rebuse. Il raconte des sottises.

— Pas du tout. Rien que la vérité. Ce saint a trop de demandes. Alors, il s'embrouille. Un jour, une jeune femme nommée Fanchon lui rend visite. Impatiente d'avoir un gosse, elle se fait accompagner par son mari, son père et sa mère. Tous les quatre disent des prières bien comme il faut. François Régis se trompe d'adresse. L'année suivante, savez-vous ce qui arrive ? C'est la mère et le père de Fanchon qui lui donnent un petit frère.

La sœurette sourit et rougit encore.

L'horloge à poids termina les présentations. Son battant se promenait sans se presser, ventru, rouge et rond comme une citrouille. La caisse était fleurie de liserons peints qui grimpaient jusqu'au cadran.

— Nous marchons toujours à l'heure vieille, prévint le maître. Que voulez-vous, nos vaches n'acceptent pas le changement d'heure. Ici, c'est la vache qui commande, pas le gouvernement.

190

Et toi, que toutes ces cérémonies embêtaient, de questionner froidement :

— Est-ce qu'on va bientôt manger ?

— Chut ! Chut ! fit la demoiselle, te tapant sur la voix. Il ne faut pas demander !

Mais Paulou avait entendu :

— Vous êtes parties de bonne heure, ce matin ?

— A sept heures, de Saint-Rambert.

— Donc à cinq heures au soleil. Je comprends que cette petite soit affamée. Mais si, qu'il faut demander, ma poulette. Si on ne demande pas, on n'a rien. Sais-tu pourquoi le crapaud n'a pas de queue ?

— ...

— Parce qu'il ne l'a pas demandée quand le bon Dieu a fait toutes les créatures.

Après quoi, il pria sa femme de préparer le repas plus tôt que d'habitude pour contenter ces demoiselles qui marchaient à l'heure du gouvernement. Maria fit bien les choses : elle étala une nappe brodée sur la grande table, disposa ses assiettes de porcelaine, ses couverts de métal argenté. On eût dit une grande fête familiale, et c'en était une, puisqu'elle pouvait présager la venue de deux enfants longtemps espérés. Quand tout le monde fut assis, Paulou récita le Bénédicité :

— Bénissez, Seigneur, ce repas que nous devons à votre aimable Providence et faites qu'aucun de vos fils et filles ne manque de ce pain que vous avez choisi pour vous représenter. Amen.

Il y eut de la *caillette*, sorte de pâté de foie. De la *crique*, pommes de terre râpées et dorées dans la poêle avec des œufs et des herbes. Un civet. L'oncle Joseph, toujours farceur, se mit à faire miaou ! miaou ! Tu demandas pourquoi.

— Il veut vous faire croire que c'est un chat que j'ai préparé en civet. Mais non, c'est bien du lapin. N'écoutez pas mon frère. Il est un peu malade de la tête.

Après quoi, elle servit de la *douce*, un entremets aux coings. Les hommes burent du vin rouge, les femmes de l'eau claire, qui est la plus chaste, la plus noble, la plus belle des boissons. Au cours de ce somptueux repas, tu entendis plus d'éclats de rire que tu n'en avais entendu pendant neuf ans en Indochine. La gaieté ne s'y exprime jamais que sous sa forme atténuée, celle du sourire ; encore celui-ci dissimule-t-il souvent la tristesse, de même que ton béret basque dissimulait la misère de ta tête teigneuse. Après le dessert, le domestique Florian présenta une demande en mariage à la sœurette. Il aurait pu par l'âge être son père, et son grand-père par les dents qui lui manquaient. Elle comprit qu'il s'agissait d'une plaisanterie et répondit qu'elle ne pouvait y donner suite, étant déjà fiancée.

— Fiancée ? Avec qui donc ?

— Avec Jésus.

La cérémonie achevée, elle fit ses dernières recommandations aux deux orphelines, embrassa tout le monde, puis remonta dans le taxi de Griffon qui la redescendit à Lamastre, où elle devait prendre le train du soir pour Tournon.

— A présent, dit Maria, je vais vous montrer votre chambre. Suivez-moi.

L'escalier de planches montant à l'étage passait sous une poutre rustique.

— Quand vous serez grandes, fit-elle en posant la main dessus, il faudra baisser la tête ici pour ne pas vous assommer.

Elle vous voyait déjà adoptées, filles adultes,

devenues les demoiselles Griffon. Tu fis dans le clair-obscur une petite grimace qu'elle ne remarqua point : tu espérais toujours que ton père, Lieutenant Bartaleuf, à force de recherches finirait par te retrouver. La chambrette était à peu près aussi grande que la cellule de la mère Sainte-Scholastique. On y voyait deux chaises, une table de toilette, une petite armoire. Et un lit. Un seul lit. Aussi haut que large à cause d'une accumulation de matelas ; mais pas plus large que haut. Avec de chaque côté une carpette ornée de losanges. Vous étiez donc condamnées, Marguerite et toi, à dormir ensemble. Or tu détestais coucher avec quelqu'un, ce qui, grâce à Dieu, ne t'était plus arrivé depuis ta petite enfance lorsque tu gisais sur la même natte que maman Rôt. Cette perspective d'avoir à partager ce lit étroit avec Marguerite te suffoqua tellement que, d'abord, tu n'eus pas assez de souffle pour protester. Madame Griffon vous montra une cuvette et un broc de faïence pour la toilette. Vous avez changé vos vêtements de voyage contre des vêtements de tous les jours, chacune sous un sarrau noir à col blanc. Vous aviez l'air de deux jumelles.

— Et maintenant, au travail !

Elle vous chargea de gratter au couteau des carottes, qu'elle appelait des racines. Tout était trop gros pour tes doigts, le couteau comme les carottes. Leur jus te giclait dans les yeux, tu t'essuyais avec le dos de la main, ce qui te donnait l'air de pleurer.

— Est-ce que tu pleures ? demanda Maria.

— Non, c'est le jus.

Malgré tes efforts, Marguerite allait plus vite que toi. Elle y mettait d'ailleurs un empressement abominable. Cette besogne dura une éternité. Au sor-

193

tir du grattage, tes mains avaient pris la rougeur des racines. Une couleur que rien ne put effacer pendant trois jours, ni le savon ni le sable mouillé. Tu en éprouvas une irritation contre ces paysans mangeurs de carottes comme les lapins.

Le souper fut composé de soupe au pain, de carottes cuites et de fromage. Fatiguée par le voyage et par tant de nouveautés, tu somnolais sur ton assiette.

— Tu mangeras mieux demain, commenta la patronne.

Au terme du souper, elle se tint debout derrière sa chaise, imitée par les hommes, fit un signe de croix. Eberluées, vous vous êtes efforcées de faire de même. Alors, Maria commença la litanie de la Sainte Vierge, en un dialogue interminable dont elle récitait les invocations, à quoi les autres ajoutaient une formule vingt fois, trente fois répétée :

MARIA

Sainte Mère de Dieu...

LES AUTRES

Priez pour nous.

MARIA

Mère très pure...

LES AUTRES

Priez pour nous.

MARIA

Mère très chaste...

LES AUTRES

Priez pour nous...

Il y eut encore un *Je vous salue*, un *Notre Père*, un *Je crois en Dieu*. C'était pire qu'au couvent de Saint-Rambert. Au signe de croix final, tu poussas

194

un soupir soulagé, qui fit froncer les sourcils de la maîtresse de maison. Elle pinça les lèvres et dit :

— Je vous accompagne dans votre chambre.

En montant l'escalier, tu te sentis dans ton cœur victime du communisme, du colonialisme, du christianisme, de la guerre, du strabisme divergent, de la scarlatine, de la teigne, des hommes aux yeux de vipère, de la FOEFI. A toi qui avais toujours dit oui à tout le monde, il te montait dans le nez une très forte envie de dire non. Lorsque vous fûtes toutes trois devant le lit, Maria voulut savoir si l'une ou l'autre avait une préférence pour coucher à gauche ou à droite. Et toi de répliquer :

— Ni à droite, ni à gauche.

— Tu veux peut-être dormir au milieu ?

— Je veux dormir par terre. Comme à Cholon. Chez ma mère. Nous dormions par terre, sur des nattes.

— Mais, ma chère, nous ne sommes pas à Cholon. Nous sommes en France, en Ardèche, à la Grangeasse, chez des gens civilisés. Pas chez les sauvages. Je n'ai pas de nattes pour te faire coucher par terre. Alors, il te faudra bien dormir dans un lit, comme nous tous.

— Si vous m'obligez, je ne dormirai pas.

— Oh ! Je suis bien tranquille ! Quand le sommeil viendra, il te prendra, que tu le veuilles ou non.

Marguerite choisit ce moment pour préciser qu'elle préférait le côté gauche. Et toi, furibonde :

— Moi aussi, je préfère le gauche !

— Eh bien ! fit Maria. Vous changerez de place à tour de rôle.

Et toi de répéter, sans crainte de te contredire, que tu préférais dormir sur le plancher.

— D'accord, fit la maîtresse. Sur la descente de lit. Bonne nuit à toutes deux. Eteignez l'électricité.

Elle vous embrassa sur le front et vous laissa seules. Marguerite-Pot-de-colle se déshabilla, enfila une des deux chemises de nuit qui attendaient sur une chaise et, non sans effort car il fallait pratiquer un peu de varappe, elle se hissa dans ce drôle de lit, t'abandonnant la moitié gauche. Boudeuse, muette, tu assistas à ces manœuvres. Lorsque ta compagne t'invita à la rejoindre, tu considéras les deux carpettes, tu les disposas l'une sur l'autre et tu t'allongeas dessus après avoir tourné le bouton électrique. Tu t'endormis presque aussitôt. Tu rêvas que tu te trouvais à Cholon, en compagnie de maman Rôt, de Doan ton frère et de Doï ta sœur, de Son Ti le lézard vert.

C'est ainsi que se passa ta première nuit chez les Griffon. En t'éveillant, au petit jour, tu eus le chagrin de constater que tu étais dans une maison de l'Ardèche, sur deux carpettes à losanges, et que tu avais pour vis-à-vis, sous le lit aux matelas accumulés, un pot de chambre. Tu te relevas, endolorie de corps et de cœur. Mais les nuits suivantes, ayant clairement exprimé ta volonté d'indépendance, tu consentis à dormir dans le lit, au flanc de Marguerite. Cette promiscuité pourtant te répugnait. Tu exigeas que ta voisine s'abstînt de tout contact nocturne, qu'elle occupât la bordure extrême de la couche. Bien éloignées ainsi l'une de l'autre, vous passiez vos nuits dos à dos. Cul à cul.

L'année scolaire n'étant pas tout à fait terminée, vous fûtes inscrites à l'école de Nozières, dans la classe de madame Chabrot. Il vous fallait marcher le matin une demi-heure pour vous y rendre ; marcher autant le soir pour en revenir. L'institutrice vous présenta en termes choisis aux autres filles de la classe :

— Voici deux petites Indochinoises qui n'ont plus ni papa ni maman. Qui ont eu bien des malheurs. Je vous prie de les traiter avec beaucoup d'amitié.

Elle crut bon de vous mettre côte à côte, dans le même pupitre à deux places. Plus qu'avec affection, les jeunes Ardéchoises vous observaient avec curiosité, comme des animaux exotiques. Puis, lorsque madame Chabrot vous demanda de lire dans le livre qu'elle vous prêtait, quand elles s'aperçurent que vous lisiez aussi bien qu'elles, mieux que plusieurs, elles se montrèrent envieuses et jalouses.

Marguerite alimentait ces sentiments en pratiquant la lèche, comme il était dans sa nature. Ainsi, dès que la maîtresse laissait tomber par mégarde une gomme ou un crayon, ta voisine se précipitait pour les ramasser et récolter un remerciement. Elle était toujours volontaire pour recueillir les papiers épars, pour essuyer le tableau, pour arroser les géraniums, pour toutes les corvées.

Tu t'étonnas de n'avoir pas à réciter de prière au début et à la fin de chaque matinée ; de ne jamais entendre parler de Jésus ni de sa famille ; de ne voir aux murs aucun crucifix. C'est ainsi que tu découvris la laïcité. La dame vous fournissait des cahiers gratuits payés par la Caisse des écoles. Des porte-plume pour écrire avec son encre violette. Depuis longtemps, les crayons à bille avaient été inventés ; mais elle les interdisait dans sa classe car ils ne permettaient pas de tracer les pleins et les déliés. Ses modèles à elle, à l'encre rouge, étaient de véritables chefs-d'œuvre de calligraphie.

A 11 heures, quand la classe s'interrompait, vous tiriez de votre musette de l'omelette froide ou des œufs durs, du fromage, des tranches de saucisson, fait avec le plus gros boyau de la bête, celui qui arrive à la sortie et que les Ardéchois appellent le « bout du monde ». Et toujours avec ça un morceau de pain de seigle qui collait un peu aux dents. Madame Griffon s'en excusait en ces termes :

— Mon pain, cette quinzaine, est un peu *accoudé*. Il sera plus léger la prochaine fois.

L'institutrice, qui popotait à l'étage au-dessus, descendait de temps en temps jeter un coup d'œil à ses dîneuses. Elle vous apportait quelquefois un peu de son dessert, une tranche de gâteau, une poignée de cerises.

Dans vos allers et retours de la ferme à Nozières, vous aviez la compagnie de quatre garçons élèves de monsieur Chabrot, voisins de la Grangeasse. Ils se chamaillaient souvent, pratiquaient le jeu de *tira-pica*, qui a pour féminin « crêpe-chignon », s'envoyaient des coups de cartable, de poing et de sabot. Parfois, ils racontaient des blagues aux filles : comment on peut grimper au ciel en s'accrochant aux rayons de la lune quand le froid les a gelés ; comment le loup blanc casse les pierres en pétant dessus ; comment l'alouette annonce aux moissonneurs que le blé attend la faucille :

— *Lou bla i pryst! Lou bla i pryst!*

Car on moissonnait encore à la faucille sur certains versants si escarpés qu'ils ne pouvaient recevoir la moissonneuse. Les vaches y avaient d'ailleurs des pattes inégales : plus courtes du côté d'amont, plus longues du côté d'aval. Ainsi, les deux petites Eurasiennes apprenaient que l'Ardèche est remplie d'étrangetés. Un pays où les oiseaux commandent aux hommes.

Un jour, les quatre gars vous proposèrent un jeu :

— Demain, chacun apporte et montre quelque chose qu'on n'a jamais vu… D'accord ?

La gageure fut relevée par tous et toutes. Rentrées à la Grangeasse, vous vous êtes mises à la recherche d'un objet inédit. Marguerite a déniché une vieille clé tordue ; toi, une image du *Casino* représentant Le Mont-Saint-Michel. Et le jour d'après, sur le chemin de l'école, les garçons de commencer le jeu :

— Montrez-nous ce qu'on n'a jamais vu.

Marguerite sortit sa clé. Toi, ton image provenant d'une tablette de chocolat. Ils firent des grimaces méprisantes :

— On connaît tout ça… C'est zéro. Zéro ! Zéro ! A refaire !

Et vous, les filles :

— On cherchera encore. En attendant, c'est à vous de montrer.

Le premier produisit un porte-plume en os avec une lentille au milieu ; si on y collait l'œil, on voyait la tour Eiffel en couleurs. Le deuxième sortit un pistolet à capsules, qui aurait dû faire pan ! pan ! Mais il manquait de capsules, c'est ce qui faisait son originalité. Le troisième montra une pince à percer les oreilles des femmes pour y accrocher des pendants. Le quatrième annonça :

— Avez-vous déjà vu un oiseau tout violet ?

— Un perroquet ? Un oiseau qui parle ?

— Non, non. Plus petit. Il parle pas. Et il a pas de plumes.

— Un oiseau sans plumes ? Alors, c'est pas un oiseau !

— Je vous jure que si !

Il porta la main à sa braguette, la déboutonna, en tira son oiseau personnel qu'il avait badigeonné avec l'encre de madame Chabrot. Vous avez poussé des cris d'horreur, car ce n'était pas une chose à montrer aux filles. Même si tu avais déjà vu celui de plusieurs garçons quand vous vous baigniez dans l'arroyo de Cholon. Les quatre gars se tenaient le ventre de rire. Tu sortis de cette épreuve avec la pensée que les Ardéchois sont de drôles d'individus qui montrent leur oiseau à tout le monde.

Il t'arriva pendant l'été d'accompagner Paulou Griffon dans les champs pour l'aider à ses travaux. Plus d'une fois, tu le vis tout à coup porter la main à sa braguette comme le gars de l'école. Tu te disais : « Ça y est ! Il va me montrer son oiseau violet ! » Mais non. Il s'éloignait seulement de quelques pas pour pisser contre une haie, et revenait en se reboutonnant.

A Nozières, la discipline était plus rude qu'à Saint-Rambert. Malgré ses recommandations d'amitié, madame Chabrot était une grande chèvre qui allongeait des taloches au moindre désordre. Il ne fallait pas se moucher trop bruyamment, pas traîner les pieds, pas aller aux cabinets plus d'une fois par matinée, pas échanger un mot avec sa voisine. Pas même tousser trop longtemps, sinon l'on s'attirait cette observation :

— Tu es enrhumée ? Alors, reste chez toi, bien au chaud. L'école n'est pas un hôpital.

Sa spécialité était d'interrompre brusquement son discours, de tendre l'index vers une étourdie :

— Répète ce que je viens de dire.

L'étourdie bégayait, mais ne pouvait répéter.

— Au piquet !

Elle s'en allait dans un coin, les mains au dos, les talons joints, considérant avec attention l'angle que faisaient les deux murs à leur rencontre, tandis que derrière elle la dame reprenait son prêchi-prêcha.

Au début, les deux Eurasiennes furent ménagées. Mais, au bout de quelques semaines, vous participâtes de façon très égalitaire à la distribution des claques et des piquets. Spécialement toi qui avais toujours des fourmis dans les jambes, de la cire dans les oreilles, des prurits sur la langue. Tu trouvas une vengeance : celle de lâcher dans ton coin des pétous inaudibles. Au bout d'un moment, la fille la plus proche de toi se plaignait, levait le doigt :

— Madame ! Béatrice a fait un vent !

Et toi de protester :

— Je fais pas de vent ! J'ai pas bougé !

— Si, madame ! Je reconnais son odeur ! insistait la dénonciatrice.

Et la maîtresse de menacer :

— Si tu fais encore des vents, je t'enfonce un bouchon !

En brandissant un bouchon de champagne. A Saint-Rambert, du moins, les pétous étaient tolérés, on se contentait d'ouvrir la fenêtre.

Il y eut également la malheureuse affaire de tes cheveux. Marguerite-la-Lèche portait une toison de brebis, abondante et crépue. Les tiens, qui avaient pris de la longueur, pendaient autour de ta tête, raides comme des baguettes de tambour. Croyant bien faire, madame Griffon les réunit de chaque côté de tes oreilles en deux touffes nouées par un ruban. Au-dessus, ils étaient partagés par une raie.

Cela formait un ensemble agréable, comme tu pus le constater dans une glace. Mais voici que, lorsque tu pris le chemin de Nozières, tes compagnons habituels t'en firent compliment :

— Oh ! les jolies couettes ! Oh ! les jolies couettes !

Il faut savoir que le mot *couette* dans le patois de l'Ardèche veut dire aussi «queue». Et les gars se mirent à chanter :

> *Can l'ajasso i dhin lou pra*
> *Lèbo lo couetto, lèbo lo couetto !*
> *Can l'ajasso i dhin lou pra,*
> *Lèbo lo couetto é fey cra-cra* [1] *!*

Tu ne comprenais guère leur charabia, mais tu comprenais bien leurs rires et leurs grotesques sauts de pie. L'un d'eux — celui qui t'avait montré son oiseau violet — essaya même de saisir une de tes couettes. Mais tu lui envoyas dans les chevilles un tel coup de pied qu'il y renonça.

A l'école, tes couettes firent sensation. Plus d'une fille essaya de les tirer, mais tu les tins toutes à distance. Madame Chabrot à leur vue se contenta de sourire, d'admiration ou de moquerie. La journée se déroula tant bien que mal. A la récréation du soir, tu t'aperçus que des anonymes t'avaient collé un sobriquet : Couette-Couette. Marguerite-la-Lèche essayait bien de te défendre :

— Elle s'appelle Béatrice !

Sans résultat. Les choses durèrent ainsi plusieurs

1. «Quand la pie est dans le pré / Elle lève la queue, elle lève la queue ! / Quand la pie est dans le pré, / Elle lève la queue et fait cra-cra ! »

jours. Et tout le temps Couette-Couette par-ci, Couette-Couette par-là. Tu demandas à madame Griffon de ne plus nouer tes cheveux en forme d'anses, expliquant comment la classe t'avait surnommée.

— Laisse-les dire, répondit-elle. Ce sont des jalouses. Faut savoir se moquer des moqueurs. Ces couettes te vont très bien.

Une semaine encore s'écoula. Un matin, tu écoutais près de Marguerite la leçon de géométrie lorsqu'une autre élève, appelée au tableau, en passant près de toi saisit une de tes anses et tira très fort. Tu bondis de ta place et, comme une tigresse, lui labouras la figure de tes griffes. Hurlements de la victime. Madame Chabrot, qui n'avait pas vu le premier acte du drame, bondit aussi sur toi, te saisit à son tour à pleines mains par la tignasse en criant :

— Au piquet ! Au piquet !

Il fallut soigner la blessée, lui tamponner les joues avec de l'eau oxygénée, tandis que la classe en révolution t'accusait :

— C'est Couette-Couette ! C'est Couette-Couette !

Contre ce déferlement, Marguerite n'osait plus te défendre. Dans ton encoignure, tu grommelais, tu serrais les poings, tu criais vengeance au ciel, ce qui t'attirait d'autres huées.

La récréation vint à point pour calmer un peu les esprits. Mais madame Chabrot t'interdit de sortir :

— Tu restes au piquet.

Tu entendais les autres rire et crier dans la cour, alors que tu n'avais d'autre compagnie que ton ombre et ta douleur. Tu te retournas, tu regardas la classe vide, les pupitres inoccupés, la France pendue à son clou, le bureau de la maîtresse encombré d'ustensiles. Tu te sentais victime d'une abominable injustice. C'est alors que tes yeux se portèrent sur une paire de ciseaux, parmi ces ustensiles divers. Tu t'en emparas. Puisque les couettes étaient à l'origine de tes malheurs, tu résolus sur-le-champ de les retrancher. La première queue tomba sur le plancher en un long pinceau. Taillardant au hasard, tu coupas des touffes de cheveux noirs. Les rubans bleus gisaient au milieu de tout ce poil.

Madame Chabrot surgit soudain, désireuse de surveiller ton comportement. Tu tenais encore ses ciseaux à la main. Elle te les arracha, elle contempla le désastre :

— Qu'est-ce que tu as fait, malheureuse ?... Te voilà belle !

— Je ne serai plus Couette-Couette.

Elle répara de son mieux ton œuvre d'automutilation. Madame Griffon renonça à t'affubler de ces petites anses. C'est ainsi que ton vilain sobriquet se perdit.

À la Grangeasse, tu te montrais aussi indisciplinée qu'à l'école. Chassée de Cholon, où tu avais vécu dans la pauvreté et le bonheur tes premières années, emportée par des conflits auxquels tu ne comprenais rien, tu te sentais maintenant partout une étrangère. Il fallait que le monde entier payât ses persécutions.

Tu t'en prenais souvent à Marguerite-la-Lèche. Toujours prête à éplucher les pommes de terre, à gratter les racines, à essuyer la vaisselle, à accepter n'importe quelle corvée. Même les plus malpropres. Elle appartenait à la race des femmes soumises. Toi, au contraire, tu chipotais sur le travail.

Tu n'acceptais volontiers que celui qui, d'ordinaire, est réservé aux hommes. Tu aimais accompagner Paulou et Florian au bois lorsqu'ils allaient abattre des arbres. Tu les aidais à transporter les branches et les bûches. Tu tenais un bout du décamètre pour mesurer les fûts. Tu portais le panier des victuailles. Lorsque Griffon descendait à Lamastre en tracteur, il te prenait sur ses genoux, te permettait de jouer du klaxon, te confiait même le volant, quitte à rectifier tes manœuvres excessives.

— Cette fille est un garçon manqué !

Un jeudi, pour t'humilier sans doute, Maria te commanda de prendre un seau et d'aller avec Marguerite ramasser sur la route les bouses sèches qui sont au jardin le meilleur des engrais. Vous voilà donc parties, armées de petites pelles. Vous vous êtes partagé la chaussée comme le lit où vous dormiez ensemble : à elle la moitié droite, à toi la gauche. Un moment, vous avez joué à qui remplirait le plus vite son seau. Mais il se trouvait que les vaches, comme pour te narguer, avaient lâché leurs bouses plus souvent sur la droite que sur la gauche. Ton seau ne se remplissait guère. Au bout de cent pas, il n'en était qu'à son quart. Encore une injustice dont tu te sentais victime. En trichant, tu pris de l'avance sur Marguerite et raclas la crotte qui se trouvait devant elle. Discussion. Protestations de mademoiselle Fonctionnaire-des-Douanes :

— C'est pas honnête. Tu ramasses des deux côtés.

— Ce qui n'est pas honnête, c'est de choisir la moitié qui en a le plus. Tu veux toujours être la première. Tu voles la place des autres.

— Moi, je veux être… ? Moi, je vole… ?

Patati, patata. La dispute devint si vive qu'à la fin tu empoignas le seau de Marguerite et tu le lui renversas sur la tête :

— Ça t'apprendra à vouloir toujours gagner.

Hurlements de cette chiarde. Abandonnant la partie, elle courut vers la ferme, couverte d'ordure, ruisselante de larmes et de purin, criant :

— C'est Béatrice ! C'est encore Béatrice !

Madame Griffon sortit de sa cuisine, les mains pleines de pâte, car elle s'occupait à préparer des beignets. Tu te tenais au loin, remplissant ton seau avec les bouses renversées, tranquille en apparence comme si de rien n'était. Personne ne voulut entendre tes explications ni tes excuses.

— Cette petite a le diable au cul ! s'écria l'oncle Joseph.

Tu fus condamnée à aider Marguerite dans son débarbouillage. Tu lui lessivas la tête au savon de Marseille, t'arrangeant pour lui remplir les yeux de sa mousse. Quand ce fut fait, il te fallut lui demander pardon. Non pas du bout des lèvres, mais à genoux devant elle, comme Marie de Magdala devant Jésus, et répétant trois fois les mots qu'on te soufflait :

— Je te demande pardon de t'avoir salie et offensée. Je te demande pardon de t'avoir salie et offensée. Je te demande pardon de t'avoir salie et offensée.

De son côté, Marguerite dut répondre :

— Je te pardonne. Je te pardonne. Je te pardonne.

Le soir même, au moment du coucher, te rappelant les paroles de l'oncle Joseph, tu t'examinas de dos, les fesses découvertes, dans l'armoire à glace pour vérifier si le diable s'y trouvait vraiment. Mais tu ne pus tordre suffisamment le cou. Pour pouvoir regarder son propre cul, on a besoin de glaces spéciales. Il y a des gens qui ont vécu quatre-vingts, quatre-vingt-dix ans sans avoir jamais vu la forme ni la couleur de leur cul. Certes, on peut s'en passer et il n'est pas recommandable de chercher à l'examiner trop souvent. Mais ce problème illustre bien la difficulté que nous avons à suivre le principe de Socrate : «Connais-toi toi-même.» Car il est plus facile de connaître les plis et les replis de notre conscience que ceux de notre cul.

Le dimanche, pas question de manquer la messe. Tous les occupants de la Grangeasse descendaient en «taxi» à Nozières, laissant la garde de la ferme au vieux Florian, dont les genoux arthrosés refusaient les génuflexions.

— Profitez de votre jeunesse ! disait-il en se moquant. Vous direz une prière pour moi. Et rapportez-moi un paquet de gris.

Il ne le fumait pas, mais le chiquait. Il en crachait le jus autour de lui. On aurait pu le suivre à la trace.

Le curé de Nozières semblait un homme peu convaincu. Il grommelait son latin comme il aurait mangé sa soupe. Si on lui avait fait le coup du parapluie de la vérité, il aurait sans peine avoué son manque de foi. Voici comment mon grand-père Francisque me racontait cette histoire de parapluie, alors que nous gardions ensemble les vaches au-dessus de Veyréras, et la conclusion qu'il en tirait.

En ce temps-là, vivait à Aydat, au bord du lac, un nommé Lanturlu, peilleraud de son état. Il ramassait les vieux chiffons de toile, lin, chanvre ou coton, qu'il allait ensuite à pied vendre aux papeteries de Chamalières, près de Clermont. Elles en faisaient de belles feuilles pour les livres. On le voyait donc battre les campagnes avec sa *boge* (son grand sac), son parapluie et sa balance romaine, car il achetait les peilles à tant la livre. Quelquefois, il restait une semaine absent de chez lui, couchant où il trouvait, dans une grange, dans une étable, dans une cabane de bûcheron.

Or, un matin qu'il traversait une forêt, il entendit des miaulements horribles. Il marcha dans cette direction, et que vit-il ? Une bête qui en attaquait une autre : une biche sans défense, prête à mourir égorgée. Son assaillant : un loup-cervier, une espèce de très gros chat aux longues oreilles pointues, à la fourrure tachetée, aux griffes puissantes. Pris de pitié pour la chevrette, Lanturlu s'élança, le parapluie levé, et en cogna si fort sur l'échine du fauve qu'il y brisa son riflard. Le loup-cervier s'enfuit avec des feulements furibonds. Notre peilleraud s'approcha de la biche blessée, sortit une poignée de chiffes pour éponger le sang. Mais voici que soudain elle s'évapora et qu'il vit à la place une belle jeune fille.

— Merci, peilleraud, lui dit-elle, de m'avoir sauvée de cette bête. Et de m'avoir en même temps délivrée de la prison animale dans laquelle j'étais tenue captive. Car je suis une fée et je veux te récompenser. Que désires-tu ?

— Ben, fit Lanturlu en se grattant la tête, puisque j'ai cassé mon parapluie, j'aimerais bien que tu m'en donnes un autre de même dimension, et tout neuf.

En un clin d'œil, le voilà satisfait, pourvu d'un joli parapluie à toile rouge, à manche d'alisier.

— C'est un pépin magique, précisa la fée. Chaque fois que tu l'ouvriras, tu seras protégé non seulement de la pluie ou du soleil, mais aussi du mensonge. Les personnes de ta compagnie seront dans l'obligation absolue de te dire la vérité. Fais-en bon usage.

Elle disparut et Lanturlu reprit son vagabondage de peilleraud. Il arriva dans une ferme, cogna à la porte, demanda :

— Avez-vous des peilles de lin, de chanvre ou de coton ?

— Justement je vous attendais, dit la fermière. J'en ai préparé un plein sac. Il pèse douze livres, vous pouvez vérifier.

Il vérifia avec sa romaine, trouva douze livres en effet.

— Il est bien lourd pour être si petit, fit-il observer.

En même temps, il ouvrit son parapluie rouge.

— C'est que, expliqua la bonne femme, toute confuse de ce qu'elle se sentait obligée de dire, j'ai mis au fond quelques pierres. Vous pouvez les enlever si ça vous convient.

Il les enleva, ne trouva plus que six livres. Il les paya, referma son parapluie et reprit sa route.

Un peu plus loin, comme il avait soif et qu'il faisait chaud, il s'assit à la terrasse de l'auberge de la Moréno et commanda une chopine.

— Apportez-moi de votre meilleur ! insista-t-il.

— Entendu, fit la servante.

Il profita de son absence pour ouvrir le parapluie et s'en protéger du soleil. Elle revint, posa la cruche sur la table.

— C'est bien de votre meilleur ? se fit-il confirmer.

— Ça le serait si je n'y avais pas ajouté un peu d'eau.

— Merci du renseignement. Apportez-m'en sans eau, je vous prie.

Et ainsi de suite. Grâce au riflard, Lanturlu évita les tromperies des uns et des autres, alla vendre ses chiffons à Chamalières, en obtint le juste prix, reprit enfin la route d'Aydat.

Sa femme et son fils le reçurent d'abord avec toutes sortes de bonnes façons. Mais ensuite, lorsqu'il ouvrit son parapluie, ils changèrent complètement de langage :

— Te voilà donc revenu, vieille baderne hors d'usage ! s'écria l'épouse. J'aurais été bien contente que quelqu'un t'assomme en route. Je serais veuve et je pourrais prendre un mari plus jeune et plus vaillant !

— Et moi, dit le fils, je serais bien heureux de toucher ma part d'héritage.

Ayant entendu ces horreurs, le pauvre Lanturlu s'enfuit de sa maison et s'en alla consulter le curé d'Aydat pour voir ce qu'il en pensait. (Ce n'était pas l'abbé Septour, mais un de ses lointains prédécesseurs.) Il le trouva dans son jardin en train d'arroser ses géraniums. Il lui répéta les propos de sa femme et de son fils, lui demanda son opinion. En même temps, il ouvrit le parapluie.

— Ça ne m'étonne pas du tout, dit le curé. Pendant que tu cours d'un village à l'autre, je vois souvent entrer du monde chez toi. Des hommes, des filles. On n'a pas l'air de s'y ennuyer pendant tes absences !

— Vraiment ? Et vous n'avez rien fait, monsieur le Curé, pour que ça cesse ?

— Que veux-tu que je fasse ? Le chat parti, les souris dansent. C'est un vieux proverbe.

— Mais la religion ? La confession ? La pénitence ? La crainte de Dieu et de l'enfer ?

— Oh ! Dieu et l'enfer ! Pfu !

— Que veut dire ce pfu ?

— Il veut dire que je ne suis pas sûr qu'ils existent. C'est des fariboles que je raconte comme on me les a racontées.

— Vous ne croyez donc pas en Dieu ?

— J'y crois le dimanche, à cause de la messe et de l'argent qu'elle me rapporte.

— Et la semaine ?

— La semaine ? Pfu !

Un prêtre qui ne croyait pas en Dieu ! De plus en plus horrifié, Lanturlu prit son parapluie rouge, le cassa en deux sur son genou et courut jeter les morceaux dans le lac d'Aydat. Dès lors, il ne fit plus la chasse au vrai et au faux et retrouva la joie de vivre que lui avaient toujours procurée les mensonges.

De cette histoire de parapluie, mon grand-père Francisque tirait simplement la conclusion que toute vérité n'est pas bonne à dire.

Le curé de Nozières semblait appartenir à la même catégorie que celui d'Aydat qui ne croyait en Dieu que le dimanche. Il jouait et récitait la messe sans y mettre le moindre sentiment. Avant son sermon, il débitait une liste interminable d'obits, invitant ses paroissiens à prier pour ces âmes précieuses qui avaient, de leur vivant, payé pour cet appel *in sempiternum*. Peu soucieuse de l'ordre alphabétique, la liste commençait par les familles nobles, entre autres par le comte Alphonse Adémard de Nozières. Après les obits, le curé prononçait quelques recommandations liées au temps et aux récoltes, et retournait à son latin.

Tu assistais à ce spectacle comme si on t'avait amenée au cinéma. La messe terminée, les cierges éteints, tu remarquas que certaines personnes laissaient tomber des pièces de monnaie dans cette sorte de tirelire qui porte le nom bizarre de tronc. Elle était surmontée d'un petit ange en porcelaine qui, à chaque pièce, saluait le donateur en guise de remerciement. Plusieurs dimanches de suite, tu observas ce manège.

Sur le parvis, un marchand de bonbons proposait ses sucettes et ses berlingots. Des parents en achetaient à leurs mômes, avec la pensée inconsciente que ces douceurs pouvaient les attirer à la religion de même que le lard attire la souris dans la souricière. A toi ni à Marguerite, les Griffon n'offraient jamais rien. Tu pensas y remédier.

Ce dimanche-là, tu fis exprès d'oublier ton mouchoir dans l'église. Tu attendis que la famille fût assez loin pour t'en apercevoir :

— Oh ! mon mouchoir ! Je l'ai laissé sur le banc !

— Cours vite le reprendre. On t'attend à la remorque.

En entendant les pièces tomber dans la boîte, tu t'étais demandé : «Pour qui cet argent ? Pas pour le curé, puisqu'il a déjà fait la quête.» Tu te persuadas qu'il était destiné aux enfants pauvres à qui l'on n'achetait jamais de sucettes. Tu étais de ceux-là. Tu te sentais donc en droit d'y mettre la main. Dans l'église vide et ombreuse, tu te dirigeas vers la tirelire. Une simple targette en retenait la porte, ce qui confirma ta pensée. C'était comme dire : «Sers-toi.» Tu tournas la poignée, la porte s'ouvrit. Tu discernas à l'intérieur un monceau de piécettes et quelques billets. Tu pris deux pièces blanches de vingt sous, tu refermas la porte. De ces manœuvres, l'ange de porcelaine te remercia. A la marchande de sucreries, tu demandas deux sucettes.

— Choisissez, dit-elle en te vouvoyant comme une grande personne.

Tu en pris une rouge pour toi, une bleue pour Marguerite, vêtues de papier transparent. Tu rejoignis alors la famille Griffon près de son « taxi ». Tu attendais des compliments lorsque tu montras les deux sucettes. Mais ce fut un autre effet de gueule :

— Qui t'a donné ça ? cria madame Griffon.

— Je l'ai acheté à la marchande.

— Avec quel argent ?

— Avec celui de l'ange qui dit merci.

— Quel ange ? Quel merci ?

Les Griffon se consultèrent.

— Elle veut dire, suggéra l'oncle Joseph, les pièces qu'on met dans le trou du culte.

— Le tronc des âmes du purgatoire !… Sainte Vierge ! Elle a cambriolé le tronc ! Elle a volé les pauvres âmes ! Voleuse ! Voleuse !

— Mais non ! Mais non ! L'ange m'a dit merci !

— Avec quoi as-tu cassé la porte ?

— Elle s'est ouverte toute seule.

— Voleuse quand même !

— Je croyais… je croyais…

— Qu'est-ce que tu croyais ?

Tu serras les lèvres, tu décidas de ne plus parler. Paulou prit le relais de sa femme :

— Qu'est-ce que tu croyais ? demanda-t-il doucement.

— Que c'était pour les enfants pauvres. Pour les orphelines.

Ta réponse cloua le bec à madame Griffon.

— Il n'y a pas de péché quand on ne sait pas, poursuivit son homme. Elle ne pensait pas voler. Combien as-tu pris ?

— Deux pièces d'un franc.

— On va réparer ça. Les voici. Va les remettre dans la tirelire. Et qu'on n'en parle plus.

Tu courus à l'église. Cloc, cloc. L'ange te remercia encore. Tu revins, sucettes au poing. Marguerite reçut la sienne.

— Dépenser des sous pour acheter des cochonneries ! s'indigna madame Griffon.

Et toi, indomptable :

— J'aime bien les cochonneries.

Les jours continuèrent ainsi, illustrés par ta sottise quotidienne. Une des plus noires fut celle du chat. Sous prétexte que tu lui avais légèrement tiré la queue, il s'était retourné et t'avait griffée au poing. Tu estimas qu'il y avait là une autre injustice. Qu'une queue de chat est faite pour être tirée de temps en temps ; sinon, à quoi servirait-elle ? Qu'il y avait traîtrise de sa part, puisque, habituellement, il acceptait volontiers tes caresses. Il méritait une punition. Te trouvant seule avec lui, tu le saisis au corps et l'enfermas dans le four de la cuisinière. Un moment, tu l'entendis pousser à l'intérieur des miaulements furibonds.

— Fallait pas me griffer ! Tu es en prison !

Il finit par se taire et accepter son sort. Tu partis mener les porcs à la glandée, te disant : «Je le délivrerai à mon retour.»

Sous les hêtres et les chênes, les cochons fouissaient du groin, gobaient les glands et les faines. C'étaient des bêtes tranquilles, qui n'avaient qu'un souci : s'empiffrer. Le plus gros, Marlou, se laissait même chevaucher : tu montais sur son dos à rebours et, saisissant sa queue en tire-bouchon, tu téléphonais à tes amies lointaines :

— Allô, Thérèse Sirman ?... Où es-tu ?... J'aimerais bien avoir de tes nouvelles.

Quand tu rentras vers midi, ce fut pour recevoir une autre belle ramonée ! Maria Griffon hurla tout de suite :

— Qui c'est donc qui a enfermé le chat dans le four ? Quand j'ai allumé le fourneau, j'ai failli le faire cuire. Qui c'est donc ?

Baissant la tête, tu ne niais point, expliquant de ton mieux qu'il t'avait griffée, que tu avais voulu le mettre en pénitence, que tu pensais le délivrer.

— Et si on t'y mettait, toi, dans le four ?

— J'y entrerais pas, je suis trop grosse.

Ta réponse fit rire tout le monde, excepté Maria. Elle te condamna à astiquer le dessus du fourneau à la toile émeri, à l'enduire ensuite avec une pâte métallique.

— Frotte fort et fais reluire ! t'encourageait l'oncle Joseph.

Tu détestas le fourneau comme tu détestais l'humanité tout entière.

On avait coutume chez les Griffon de célébrer les anniversaires. Modestement. Maria préparait un gâteau. Paulou débouchait une bouteille. On s'embrassait. Tout le monde y passait, même Florian le domestique. La maîtresse eut un jour cette curiosité de vous demander votre date de naissance. Marguerite répondit : le 15 juin 1947.

— Et toi ?

L'année, tu savais, 1947 également. Mais le jour était parti dans les nuages. Ta collègue aurait-elle donc le plaisir et l'honneur de voir fêter son 15 juin et serais-tu victime d'une absence d'anniversaire ? Alors, y ayant réfléchi quelques secondes, tu répondis froidement :

— Le 14 juillet.

C'est que tu avais vu et entendu le tam-tam que les Français menaient ce jour-là, au temps de leur pouvoir, à Saigon. Et les Griffon de s'étonner :

— Le 14 juillet, vraiment ?

— J'en suis sûre. Ma mère me disait : « Le jour de ta naissance, on tire un feu d'artifice. »

— Comme c'est étrange ! Tu as donc le même anniversaire que la République !

On examina tes papiers. Il s'en était perdu. On ne trouva ni confirmation ni infirmation. L'oncle Joseph soutint ta cause :

— Cette petite a bien droit à un anniversaire, comme tout le monde ! Vaut mieux un 14 juillet qu'un 29 février.

Le 15 juin, Marguerite-la-Lèche reçut son bouquet et ses honneurs, suivant la coutume. Mais lorsque arriva la Fête nationale, personne ne voulut se rappeler que c'était aussi ta fête, selon ce que tu prétendais. Sans faire aucune allusion à toi, toute la famille s'en fut quand même regarder d'un sommet voisin le feu d'artifice allumé par Nozières. Les fusées montèrent très haut, applaudies et saluées. Après avoir explosé, elles lâchaient une pluie d'étoiles blanches, rouges, bleues. Tu t'écrias, après le bouquet final :

— Y en a une qui reste accrochée, à cause de mon anniversaire !

— Mais non, grosse bête, te corrigea l'oncle Joseph, qui t'avait pourtant à la bonne. Celle-ci ne redescendra jamais : c'est l'étoile du berger.

Si brillante et si seule au milieu du ciel bleu nuit, il te sembla qu'elle clignotait à ton intention. Pour la remercier, tu lui adressas des baisers à pleines mains.

Tu avais du moins à la Grangeasse un ami indéfectible : l'âne Miladzeu. Ainsi nommé parce que son premier propriétaire le faisait avancer, attelé à la charrette, en lui criant :

— Hue miladzeu !

Si bien que la pauvre bête avait pris ce juron pour son nom de baptême.

Il t'accompagnait lorsqu'on te confiait la garde des brebis, car il était chargé de vous défendre contre les loups et les chiens sauvages. Sa seule présence, son seul fumet suffisaient à tenir ces fauves éloignés, car ils ont le souvenir héréditaire des ruades qu'il peut décocher. En bordure du pacage, il broutait les plantes épineuses que les moutons n'apprécient pas : ronces, orties, onagres à fleurs jaunes. Tu aimais sa patience, le regard de ses yeux vastes et profonds, sa fourrure rêche. Et son museau d'une douceur extrême, que tu baisais lorsqu'il voulait bien pencher la tête à ta hauteur. Tu en profitais pour empoigner les cornets de ses oreilles tapissées de longs poils, dans lesquelles tu enfonçais tes petits poings. De temps en temps, il se couchait sur l'herbe sèche. Tu t'asseyais entre ses pattes, car il prenait bien garde de ne pas te faire mal. La tête renversée, tu regardais passer les nuages et tu lui parlais :

— Miladzeu, ô Miladzeu ! Est-ce que tu m'aimes ? Moi, je t'aime.

D'autres fois, il se mettait sur l'échine et gigotait des quatre fers. Les paysans appelaient cela « demander l'avoine ». Mais on ne lui en donnait point, il devait se nourrir tout seul. Soudain, il se relevait et poussait vers le ciel un braiment comme trente-six trompettes. Sans doute exprimait-il par là l'ennui que lui causait cette existence oisive et sans intérêt. Depuis bien longtemps, on ne l'attelait plus. Il ne sortait pas des pâturages. Il n'avait plus de famille. Entre lui et toi, tu trouvais quelque ressemblance, comme tu avais fait précédemment avec ton nounours Chocolat. Pour le consoler, tu lui fredonnais une chanson apprise à l'école :

> *Chante, chante pour nous plaire,*
> *Petit âne gris.*
> *Chante, chante pour nous plaire,*
> *Tu seras gentil.*
> *Hi-han ! Hi-han ! Hi-han ! Hi-han !…*

Les grandes vacances arrivèrent. Et avec elles, les fenaisons, les moissons. Sous ton grand chapeau de paille, tu te montrais des plus actives à râteler, à construire les andains, à transporter à bras-le-corps les gerbes de seigle que les hommes disposaient en faisceaux appelés gendarmes. Exactement comme moi dans mon enfance à Aydat, Puy-de-Dôme. Pendant ce temps, Marguerite se contentait, l'aiguillon en main, de faire patienter les bœufs de l'attelage, de leur demander quatre pas au moment opportun en prononçant deux syllabes ardéchoises :

— *Aaaa-nen*[1] !

Paulou se montrait satisfait de tes services et de ta vaillance. En septembre commença l'arrachage des patates, désignées par leur couleur : les

1. « Allons ! »

blanches, les roses, les violettes. Tu en remplissais les paniers, tu enfonçais les doigts dans la terre pour ramener à la surface les « œufs de pigeon », les petites qui cherchaient à se faire oublier.

Une nuit que tu ne dormais pas, tu entendis une conversation qui se tenait dans la cuisine entre Paulou et sa femme. Près de toi, Marguerite goûtait le sommeil profond dont jouissent les consciences pures. Il y avait dans le plancher un trou gros comme une noix, résultant d'un nœud qui avait perdu son cœur. Par là montaient un rayon de lumière et avec lui le bourdon des paroles. Tu y collas ton oreille, d'autant plus intriguée que tu avais distingué ton nom et celui de ta collègue.

— Je ne pense pas, disait Maria, que nous pourrons les garder toutes deux. Elles s'entendent si mal ensemble !

— Si on doit choisir, répondait le manchot, je n'hésiterai pas : je prendrai Béatrice. Elle a un caractère impossible, mais elle est aussi vaillante qu'un garçon. Tu devrais la voir au bois m'approcher les bûches !

— Eh bien, moi, je prendrai Marguerite. Habile aux travaux d'aiguille. Toujours sage, toujours obéissante.

— Avec des jambes et des bras d'allumettes !

— On l'engraissera. Je n'ai pas besoin d'un chien fou dans ma maison.

Voilà donc ce que tu étais : un chien fou. Tu ne compris pas exactement ce que cela signifiait. En tout cas, rien de flatteur. A Marguerite-la-Lèche convenait plutôt le rôle de chien couchant.

— Patience, conclut Paulou. Avec le temps et avec la paille les nèfles mûrissent. Laisse mûrir celle-là.

L'été aurait dû bien se passer, tu travaillais de tout ton corps, tu commençais à te laisser apprivoiser. Et puis, il se passa mal car, après t'être tenue tranquille quelques semaines, tu retombas dans tes folies. La plus belle était encore à venir.

Une fourgonnette se mit à battre la campagne, à répandre de la musique dans les hameaux, et cette annonce par haut-parleur :

« Aujourd'hui et demain, le cirque Fratelli Cipollini présente son chapiteau à Lamastre. Petits et grands, vous pourrez y voir un spectacle éblouissant. Les acrobates-trapézistes Luigi et Adalgisa vous feront frémir par leur audace. Aux cabrioles des clowns Pipo et Pipa vous vous tiendrez les côtes. Le dompteur Romuald et ses tigres du Bengale vous couperont le souffle. Pendant l'entracte, vous pourrez aussi rendre visite à notre ménagerie somptueuse. Prix des places : soixante francs pour les grandes personnes, demi-tarif pour les militaires et les enfants de moins de douze ans. »

Roulement de tambour. Musique de cirque.

A midi, chez les Griffon, l'on parla de l'événement. Sans avoir jamais assisté à cette sorte de spectacle, tu en connaissais l'existence pour avoir emprunté et lu à la bibliothèque de Nozières *Tiarko enfant du cirque* d'Arthur Bernède. Tu osas ouvrir la bouche :

— J'aimerais bien…

Long silence. Et Maria :

— Mademoiselle aimerait bien quelque chose ?

Nouveau silence.

— Parle donc !

— J'aimerais bien aller au cirque. C'est demi-tarif pour les enfants.

— Pas question. Tu n'es pas assez sage. Tu fais toutes les bêtises possibles.

— J'en ferai plus.

— Qui peut te croire ? Si quelqu'un ici méritait d'y aller, c'est Marguerite. Pas toi. Mais d'ailleurs, personne n'ira. Nous avons trop d'ouvrage en ce moment.

Tu baissas le nez sur ton assiette. Les Ardéchois ne pensent qu'à l'ouvrage, au foin, à l'orge, au seigle, à l'avoine, au bois, aux pommes de terre. Et s'il leur arrive de chômer quelques heures, c'est pour aller à l'église, au mois de Marie, à la procession. Toi, tu avais ton compte du christianisme. Mais tu n'avais pas ton compte du cirque encore jamais vu. La solution te vint à l'esprit : descendre à pied à Lamastre. Six kilomètres ne t'effrayaient point. Cela s'appelle une fugue. On te rechercherait, on aurait très peur pour toi, on te pardonnerait. Naturellement, tu ne possédais pas les trente francs de l'entrée. Tu pourrais voir du moins l'extérieur du cirque, le chapiteau, les caravanes, les chevaux, comme dans *Tiarko*. Peut-être pourrais-tu même te glisser sous la toile comme une souris et assister au spectacle sans billet. « Et si les gendarmes me ramassent ? Ils ne me mettront pas en prison, je suis trop petite. Ils me ramèneront à la Grangeasse. »

Tu avais aux pieds tes sandales de cuir. Tu fis semblant de te rendre à l'étable pour un besoin naturel. Et te voilà partie.

Or, quand tu fus à quelques pas de la ferme, tu tombas nez à nez avec le tracteur que Paulou avait laissé au bord de la route, tourné vers Lamastre. Tu y vis une invitation. En trois sauts, tu grimpas sur le siège métallique. Tu connaissais exactement les manœuvres qu'il fallait faire pour mettre en route le diesel, les ayant vu pratiquer par Griffon. Tu poussas la manette du chauffage, tiras le bouton du démarreur. Et le moteur ronfla. Ta seule difficulté venait de tes jambes courtes et de l'éloignement des pédales. Tu la résolus en te tenant debout sur elles, le volant à hauteur des yeux. Tu réussis à enclencher la première vitesse, à démarrer, non sans soubresauts. Le tracteur sortit de la banquette, s'engagea sur le bitume. Tu passas la seconde. La troisième. Roulant à peu près à 15 kilomètres-heure, tu jugeas la vitesse suffisante. Le tracteur zigzaguait sur la route, comme s'il était conduit par un ivrogne.

D'abord, Paulou ne s'aperçut de rien car il avait à faire dans la ferme. Maria, cependant, ne voyant point Béatrice, la chercha des yeux, l'appela dans toute la maison, dans la cour. Pas de réponse.

— Où est passée cette malfaisante ?

— Je pense, dit Marguerite-la-Dénonceuse, qu'elle est partie voir le cirque.

On ne voulut point la croire. On appela encore. Sans résultat.

— Je saute sur le tracteur, dit Griffon, et je vais voir.

Cinq minutes plus tard, il revient :

— Mon tracteur a disparu ! On me l'a volé !

L'idée ne lui traverse pas encore l'esprit que tu puisses être la voleuse. A toutes fins utiles, il s'arme de son fusil de chasse, dont il sait très bien se servir avec un seul bras, monte sur son vélo, s'élance en direction de Lamastre. Il n'eut pas besoin d'aller bien loin. A deux kilomètres de la Grangeasse, il trouva le tracteur dans un fossé, les pattes en l'air. Et ladite Béa, couchée sur le talus, les yeux clos. Evanouie pour de bon ? Ou pour du beurre ? Les mains tremblantes, il te tapota les joues, te frictionna la poitrine, t'appela doucement :

— Hé !… Petite !… Hé !… Ouvre les yeux !

Tu bougeas un peu. Puis, levant les paupières, tu reconnus le visage angoissé penché sur toi. Un moment, pour le rassurer, tu pensas lui sourire. Puis tu te retins, craignant qu'il ne prît pas ton accident au sérieux.

— Est-ce que tu as mal ?

— Oui.

— A quel endroit ?

— Partout.

Couchée sur son bras et demi, le fusil toujours en bandoulière, il te rapporta à la Grangeasse, courant plus qu'il ne marchait. On te mit au lit. Le domestique pédala, malgré ses mauvais genoux, jusqu'à Lamastre. Le médecin ne trouva rien de cassé, rien de démis, rien d'abîmé dans ta personne. Le tracteur n'avait pas beaucoup de mal non plus. Tout rentra dans l'ordre.

Mais, huit jours plus tard, une sœurette vint te reprendre pour te ramener à Saint-Rambert-en-Bugey. Maria Griffon ne voulait plus de cette malfaisante.

— C'est elle qui quitte la maison, ou bien c'est moi.

Paulou se tenait dans un coin, muet, ne s'opposant pas à ton départ. L'oncle Joseph te cherchait des excuses :

— Elle en a tellement vu, des vertes et des pas mûres, depuis son Indochine ! Faut l'excuser un peu !

223

La patronne lui conseilla sèchement de s'occuper de ses chaussettes. Et, s'adressant à toi :

— Quand tu seras dans une autre famille, je te conseille d'être plus sage et plus obéissante. Sinon, jamais personne ne t'adoptera.

Tu demandas la permission d'aller dire au revoir à Miladzeu. Comme tu tardais à revenir, on alla te chercher. On te trouva tenant embrassée la tête de l'âne et pleurant presque contre son museau. Il fallut, malgré tes cris, t'arracher à cette étreinte.

A Saint-Rambert, les religieuses de Notre-Dame-des-Missions, informées par la novice, ne se montrèrent pas enchantées de ton retour. Une dame de la FOEFI t'interrogea longuement :

— Quelle est ta date de naissance ?
— 1947.
— Quel jour ?
— 14 juillet.
— Tu es donc entrée dans ta onzième année. Tu n'es plus une toute petite fille. Comment vois-tu ton avenir ?
— …
— Que voudrais-tu faire quand tu seras grande ?
— Je veux pas grandir.
— Nous devons tous grandir, vieillir, mourir.
— Je veux bien mourir. Comme maman Rôt, ma sœur, mon frère.

Après de longs efforts, la dame jugea la conversation sans profit. Ayant consulté ses autorités, elle décida de te confier aux sœurs du Bon Pasteur installées à Saint-Martin-d'Hères, près de Grenoble. Ces religieuses s'étaient donné pour mission de recueillir, de nourrir, d'éduquer des « filles en souffrance ». Malmenées par le destin ou par les hommes. C'était exactement ton cas.

6

Saint-Martin-d'Hères est une excroissance de Grenoble, en terrain plat, mais avec une montagne au bout de chaque rue : la Bastille et sa forteresse, le casque du Néron, le mont Rachais, la Pinéa, le Saint-Eynard... Le Bon Pasteur était un grand domaine entouré d'un mur d'enceinte haut et gris qui semblait en faire ce qu'il n'était pas : un camp de concentration pour vierges folles. Il comprenait deux bâtisses considérables aux persiennes vertes, avec dortoirs, cellules des religieuses, salles de classe, réfectoire, infirmerie, ateliers de couture et de cartonnage. Sur la façade principale, longue, longue comme un jour sans chanson, se dressait la haute chapelle, avec son fronton triangulaire, sa fenêtre ovale, ses faux piliers, sa porte ferrugineuse.

L'enclos embrassait une ferme, des vaches, des brebis, de la volaille, des prés, des jardins, des terres de culture, sous la responsabilité d'un fermier et de sa famille. Pendant les offices, la chapelle accueillait les gens du bourg intéressés ; mais les religieuses occupaient les places du devant, les pensionnaires celles du milieu, le vulgaire ce qui restait. A droite, derrière une grille, s'asseyaient les sœurs contemplatives, qui ne parlaient à personne et passaient leurs jours à contempler.

Les filles confiées à la congrégation n'étaient pas toutes des orphelines. Certaines se trouvaient bel et bien pourvues de parents, de frères, de sœurs, mais rejetées par leur famille qui abandonnait à d'autres leur éducation. C'est qu'il s'agissait d'enfants caractérielles. Violentes, insolentes, déréglées, insoumises. Certaines avaient déjà eu affaire à la justice pour vol, fugue, rébellion, prostitution. D'autres s'y destinaient. Le Bon Pasteur se proposait de les remettre dans le droit chemin, affirmant qu'« il n'y a pas d'enfants coupables, mais seulement des enfants malheureux ».

Or tu avais ce singulier privilège d'être à la fois une orpheline, une déracinée, une caractérielle. Un cas difficile, mais non désespéré. Les religieuses entreprirent ta métamorphose. D'une main douce ou rude selon les circonstances. Des femmes dévouées qui ne craignaient pas de pétrir la pâte pour qu'elle levât et produisît du bon pain ; c'est-à-dire de t'envoyer quand il le fallait des gifles retentissantes. Selon leur conception de la justice et de la charité. Les plus frappeuses étaient toutefois les novices à peine sorties de l'adolescence et des chamailles que cet âge comporte.

La discipline avait quelque chose de militaire dès le vêtement. Vous portiez un uniforme : corsage blanc, jupe bleue, jambes nues, socquettes de coton gris, galoches ferrées. Par-dessus, un sarrau noir tombait à mi-mollet. Vos cheveux seuls avaient la liberté d'être courts, longs ou mi-longs suivant vos goûts.

Lever à 6 heures au son de la cloche. Prière, toi-

226

lette, déjeuner de pain, de lait et de café d'orge. L'effectif était divisé en trois sections : les petites, les moyennes, les grandes. Vu ton âge, on t'incorpora d'abord aux moyennes. Mais tu étais si nulle en orthographe et en calcul qu'il fallut te rabaisser parmi les chiardes. Heureusement, ta courte taille ne contrastait pas trop avec la leur.

Ton teint, couleur de l'ambre pâle, tes yeux légèrement étirés dénonçaient ton origine asiatique. Cela suffit pour que plus d'une te collât le sobriquet de Chinetoque. Or si quelque chose peut te mettre en fureur — et c'était déjà vrai à Cholon — c'est bien qu'on te prenne pour une Chinoise. En Cochinchine, les Chinois sont généralement détestés des autres : trop industrieux, trop riches, trop dominateurs malgré leurs sourires. Dans la cour de récréation, tu entendais ce vocable courir de bouche en bouche :

— Voici la Chinetoque... Laissez passer la Chinetoque... Voyez comme la Chinetoque se tient droite pour se grandir... Prenez garde à la Chinetoque : elle mord...

Il est vrai que tu te défendais du bec et des ongles contre ces agressions. Elles te venaient des moyennes et des grandes ; mais peu à peu les petites employèrent aussi le mot, qu'elles trouvaient amusant. Il courait si bien, comme le furet, d'un point à l'autre de la maison qu'une religieuse, sœur Rose-Virginie, jugea bon d'intervenir au réfectoire. Elle t'appela près d'elle et précisa d'une voix forte :

— Cette enfant s'appelle Béatrice. C'est une Française née en Indochine. Elle n'est donc pas chinoise comme certaines d'entre vous le croient. Mais si elle l'était, ce serait une enfant de Dieu comme vous toutes, quelle que soit la couleur de sa peau. Il y a beaucoup de catholiques en Chine. Vous devez la respecter.

Te respecter ? Une Chinetoque ? Cela fit sourire, mais ne changea point les habitudes.

Pour vous guider sur la voie sans erreur, vous receviez les leçons de l'aumônier, le père Gattaz. Un vieux, vieux bonhomme à la tête blanche avec des dents artificielles, une soutane élimée, de grands pieds et de gros godillots. Sa principale méthode était de vous inspirer la terreur de l'enfer :

— Vous n'imaginez pas, mes chères enfants, les tortures que vous devrez subir si, accablées de péchés, vous devez un jour descendre dans ce domaine. Vous suivrez d'abord un long couloir, noir comme le putois. Au bout, une porte de fer, le cordon d'une sonnette. Vous tirerez le cordon. Une voix énorme demandera : « Qui est là ? » Vous donnerez vos nom et prénom. La porte s'ouvrira. Et tout de suite vous serez dans le vestibule de l'enfer. Vous tiendrez à la main votre condamnation prononcée par saint Pierre : *Mille années de flammes*. Aussitôt, vous serez jetées dans une fournaise épouvantable, tandis que des diables auxiliaires vous perceront de leurs fourches. Ce qu'il y a de plus affreux, mes chères enfants, c'est que l'âme est incombustible. Vous ne brûlerez donc pas comme un morceau de papier, vous ne serez pas réduites en cendres. Non, ce serait trop court et trop doux. Mais l'âme incombustible est capable de souffrir autant que la chair. Et pendant mille ans, vous devrez supporter la brûlure de ces flammes…

La description que l'abbé Gattaz faisait des peines infernales était si terrible et si précise que tu te demandais comment il pouvait être si bien informé. Est-ce que par hasard il y avait lui-même fait un stage ? Est-ce qu'il en avait été arraché par l'intervention de Jésus-Christ, comme il était dit dans le *Notre Père* ?

Ni à ses cours ni aux autres leçons tu ne te montrais bien attentive, pas plus qu'à ceux de madame Chabrot de Nozières. Tu bavardais, tu t'agitais, tu regardais voler les mouches. Les religieuses menaçaient de te priver de Paladru. De quoi s'agissait-il ? L'été qui suivit t'informa exactement.

Tandis que certaines filles étaient alors reprises par leurs parents, les autres allèrent passer trois semaines dans la maison de vacances qui appartenait au Bon Pasteur, établie sur les rives du lac de Paladru. Un car vous y transporta. Long à peu près de cinq kilomètres, large d'un seul, le lac est enchâssé entre des collines au nord de Grenoble dans une région appelée Terres froides. Encadrées par des monitrices laïques, vous pouviez vous adonner aux plaisirs de l'eau. Et toi qui étais en classe une des plus nulles, dans la cour de récréation une des plus moquées, tu devenais soudain une vedette car tu nageais comme un poisson : tu avais appris en Cochinchine dans les arroyos et la rivière Sai Gon en compagnie de ton frère et de ta sœur.

Au contraire, la plupart de tes compagnes en étaient à leurs premières brasses. Tu savais même plonger et nager sous l'eau. Tu y restais assez longtemps pour que tes ennemies pussent espérer : « Ça y est ! La Chinetoque ne ressort pas, elle s'est noyée ! Chouette ! » Mais ensuite ton bonnet rouge reparaissait, tu soufflais l'eau de ta bouche comme font les baleines. Les autres crevaient de dépit.

Ce n'est pas tout. Au cours de ces trois semaines, les bonnes sœurs, en robe noire et voile bleu, chaussées de godillots, vous emmenaient sur les montagnes environnantes. Vous couchiez dans la grange des fermes. On vous gorgeait de lait mousseux et de fromage à trous. Vous respiriez un air transparent. Vous reveniez ensuite exténuées, émerveillées de tout ce que vous aviez vu, bu, reçu. Etre privée de Paladru aurait donc été pour toi le pire des châtiments. En vérité, tu ne le fus jamais.

Lors de ces vacances lacustres, tu avais en outre le privilège de rencontrer souvent sœur Rose-Virginie, préposée aux cuisines. Elle t'avait prise en amitié. Elle t'appelait près d'elle, te régalait de petites gourmandises, caillé sucré, tartines de confiture. Puis elle t'essuyait la bouche soigneusement, t'embrassait sur les cheveux, te renvoyait parmi tes tortionnaires.

Tu accomplis — peut-être le 14 juillet 1959 — ta douzième année. La maison du Bon Pasteur avait une singulière façon de célébrer la fête nationale, qui n'était pas en odeur de sainteté parmi ces dames. Elles se rappelaient trop bien, comme si elles les avaient vécues, les souffrances que la Révolution a infligées à l'Eglise catholique. Aussi, le jour de cette récurrence, se contentaient-elles de donner à leurs pensionnaires toute liberté à l'intérieur de l'enceinte. Les filles s'éparpillaient dans les prés, se mêlaient aux vaches et aux volailles, aux enfants du fermier. La fermière vous offrait du sirop de myrtilles, qui a la couleur du vin sans en être.

A la rentrée suivante, tu fus admise parmi les moyennes sans avoir comblé tous tes retards.

— A quel âge comptes-tu obtenir le certificat d'études ? te demandaient ironiquement certaines enseignantes.

230

Tu haussais les épaules, pour signifier que tu t'en souciais comme d'une guigne. Pendant les heures d'étude, tu t'endormais sur ton pupitre parce que les heures de sommeil ne te suffisaient pas, tu as toujours été une longue dormeuse. Tu avais d'ailleurs le sentiment que ta tête était déjà pleine, de fables, de prières, de tables arithmétiques, de points culminants. Que plus rien ne voulait y entrer. Qu'un jour elle allait éclater.

Arriva le temps de la Noël. Le père Gattaz vous fit construire une crèche avec tous les personnages recommandés et, au-dessus, une étoile en papier de chocolat. A la suite peut-être de son stage en enfer, l'abbé était un peu sourd, un peu myope, et il s'assoupissait durant les confessions. Il est vrai qu'il savait d'avance la liste de vos péchés et n'avait guère besoin de les entendre. Si bien que, arrivée au terme de ta liste, tu devais le tirer de sa sieste :

— Mon père, j'ai fini… Ma pénitence, s'il vous plaît.

— Heu… oui. Trois *Je vous salue*. Va, mon enfant, et ne pèche plus.

Il souffrait aussi d'une infirmité grotesque : il portait un dentier mal accroché à son palais ; si bien qu'au milieu de ses propos on le voyait se détacher et danser dans sa bouche. La première fois que tu remarquas ce branlement, tu crus qu'il s'agissait d'un tour de magie.

— Mais non ! t'informèrent les grandes. C'est ses dents qui se décollent. Il suffirait qu'il y mette un peu de Scotch.

Que firent ces gredines ? Elles se procurèrent un tube de cette colle et te travaillèrent au foie pour que tu en fisses cadeau au vieux père Gattaz :

— Ça lui fera le plus grand plaisir… Ses dents ne tomberont plus.

Tu y consentis. Après une messe, tu restas seule dans la chapelle avec l'aumônier. Tu lui présentas le tube de Scotch :

— Pour coller vos dents, mon père. Pour qu'elles ne tombent plus.

Ton visage était si innocent, ton sourire si naïf qu'il prit la chose avec bonne humeur :

— Merci beaucoup. Tu l'as donc acheté ?

— C'est deux grandes qui me l'ont donné pour vous.

— Tu les remercieras aussi de ma part. Si je n'en colle pas mes dents, j'en collerai mes semelles.

On pouvait remarquer en effet que ses souliers bâillaient. Ils ne bâillèrent plus.

Mais revenons à ce Noël de 1959. Le père Gattaz vous fit chanter les cantiques traditionnels. Vous eûtes, l'après-midi du 25, un goûter d'exception. Chacune s'y bourra de cette brioche qui porte le nom de *pogne*. De papillotes, de mandarines. Ensuite, distribution de jouets au nom du Bon Pasteur, car le Père Noël n'avait pas cours dans la maison. Tu reçus une poupée d'étoffe, donc incassable, aux longs cheveux, aux yeux immenses, à la bouche minuscule, aux joues marquées d'un îlot rouge. Après y avoir réfléchi, tu la baptisas Doï, du nom de ta sœur.

Or un moment plus tard se produisit un incident d'une extrême gravité. Comme tu traversais la cour avec d'autres, tenant Doï dans tes bras, une grande que l'esprit de Noël n'avait point touchée tenta de te l'enlever en criant :

— Elle est bien trop belle pour une Chinetoque !

232

Ivre de fureur, tu te jetas sur elle. Et comme, dans l'empoignade, tu avais perdu une de tes galoches, tu ramassas cette chaussure et tu lui en portas au visage un coup si rude qu'elle en eut la mâchoire fêlée. Ses compagnes l'emmenèrent à l'infirmerie, hurlante et ensanglantée. De ton côté, tu fus saisie par les novices, traînée devant la mère supérieure. Tu te trouvais dans un tel état d'exaspération qu'elle commanda :

— A la douche, tout de suite !

On t'enleva tes vêtements, on te mit sous une pluie d'eau froide qui suffoqua ta rage. Tu fus ensuite essorée, rhabillée, ramenée au tribunal de la mère supérieure :

— Pour un simple sobriquet, tu as cassé la mâchoire d'une de tes camarades. Est-ce ainsi que tu pratiques le pardon des offenses recommandé par Notre-Seigneur Jésus-Christ ? « Si on te frappe sur la joue droite, tends aussi la joue gauche… » Cela veut dire : « Ne cherche pas à te venger. » En conséquence, pour bien te fourrer dans la tête cette leçon, je te condamne à terminer à la cave la journée de Noël.

On t'arracha la poupée Doï. A la cave, une cellule était destinée à recevoir les pensionnaires les plus indisciplinées. Elle comportait un lit, une chaise et un seau hygiénique. Un peu de lumière y descendait par un soupirail garni de barreaux. C'est dans ce trou à rat que pour toi s'acheva la fête la plus chrétienne de l'année.

Tu en sortis le 26. Ta poupée te fut rendue. Ta victime, sans famille comme toi, demeura trois semaines à l'infirmerie. Nourrie de crèmes, de yaourts, de bouillies. Des douceurs qu'elle n'avait aucunement méritées.

A ton égard, la mère supérieure essaya d'un autre traitement, en te proposant une marraine. Une dame qui te recevrait chez elle le dimanche, surveillerait tes études et ta conduite, te donnerait de bons conseils, t'entourerait d'affection, serait pour toi une seconde maman. Tu acceptas une rencontre. Elle eut lieu dans le parloir où, de loin en loin, des parents putatifs venaient parler aux enfants dont ils s'étaient séparés. La pièce était placée sous la surveillance en peinture de la mère Pelletier, fondatrice de la congrégation.

Tu attendais depuis dix minutes lorsque parut devant toi, accompagnée par la mère supérieure, une dame aux cheveux gris marchant appuyée sur une canne. Elle portait un pantalon, vêtement alors jugé indécent chez une femme. Strictement interdit aux pensionnaires du Bon Pasteur. Elle t'observa un moment d'un peu loin, sans rien dire. Tu la regardais de même. Puis elle s'approcha, sa canne faisait sur le plancher de petits toc-toc. La bonne sœur se retira, tandis que la possible marraine s'asseyait et te parlait d'une voix douce :

— Bonjour, Béatrice. Je m'appelle Claire Vinay.

— Bonjour, madame.

— Quel âge as-tu ?

— Douze ans et demi.

— J'en ai soixante. Tu n'as plus de parents, n'est-ce pas ?... Moi, plus de mari. Je n'ai qu'un fils. Mais il vit loin d'ici, à Marseille. Je ne le vois guère. Je crois que nous sommes faites pour nous entendre. Ce serait pour moi un honneur et un bonheur si tu me voulais bien pour marraine. Qu'en dis-tu ?

— ...

— Ecoute. Faisons un essai. Je viendrai te cher-

234

cher dimanche prochain. Nous passerons la journée ensemble. D'accord ?

— D'accord.

Elle te souriait. Son sourire était tout lumière. Elle tira de son sac une boîte de carton :

— Ce sont des langues-de-chat. Tu en donneras à tes amies…

— Je n'ai pas d'amies.

— Eh bien, donnes-en à tes ennemies. Ce sera peut-être un moyen de gagner leur amitié.

Vous avez parlé encore un long moment. Tu racontas un peu de ta vie à Cholon, ton père Lieutenant Bartaleuf, tes voyages par avion, par bateau, par tracteur. Elle écoutait passionnément. Pour finir, elle t'embrassa, disant « A dimanche ! ». Elle repartit avec sa canne qui faisait toc-toc.

Tu goûtas aux langues-de-chat. Sèches et sucrées, elles fondaient dans la bouche. Tu en mangeas une, puis deux, puis trois… puis dix. Te rappelant l'étrange recommandation d'en donner à tes ennemies, tu n'avais que l'embarras du choix. Toutes les pensionnaires du Bon Pasteur étaient des ennemies de la Chinetoque. Excepté les indifférentes, qui te méprisaient comme on méprise une chiure de mouche. Tu choisis celle dont tu avais brisé la mâchoire et dont tu connaissais le prénom, Stani, car elle était d'origine polonaise. Lorsque tu t'approchas d'elle, la main tendue, elle eut un recul, croyant à une menace. Tu dis très vite :

— Je te donne cette langue-de-chat de la part de ma marraine.

N'en croyant ni ses yeux ni ses oreilles, Stani examina le petit gâteau. Puis elle fit une grimace et cracha dessus. Tu compris qu'il n'est pas facile de changer une haine en amitié. Tu te rabattis sur

235

sœur Rose-Virginie, la cuisinière. Lorsque tu lui présentas la boîte ouverte, elle soupira :

— Mon Dieu ! Cette petite veut me faire commettre le péché de gourmandise !

Elle se signa, enfonça les doigts dans la boîte, en tira une langue, la brisa en deux avec le même geste que le prêtre lorsqu'il brise l'hostie sainte sur l'autel, posa chaque moitié de langue sur la sienne, les yeux levés au ciel. Et toi d'insister :

— Encore une, ma sœur.

Elle succomba de nouveau. Puis encore. Puis encore.

Le dimanche suivant, tu fis grande toilette. Tu rassemblas tes longs cheveux noirs en une queue de cheval comme la mode l'imposait. Tu quittas tes galoches pour des souliers. Tu assistas à la messe avec un intérêt particulier et chantas *Le voici l'agneau si doux, Le vrai pain des anges* en pensant aux langues-de-chat.

A 11 h 30 madame Vinay entra dans le parloir. Elle t'embrassa, te prit par la main, t'enleva au Bon Pasteur. A quelques pas de là, une voiture vous attendait, une quatre-chevaux, qu'elle conduisait fort bien malgré sa patte folle. Car non seulement elle clopinait, mais, comme tu pus le constater plus tard, elle avait une jambe de bois dissimulée sous le pantalon. Elle avait perdu sa jambe de chair dans les combats du Vercors en 1944, comme infirmière. Si on lui demandait : « De quel côté étiez-vous ? », elle répondait : « Du côté des blessés. Je suis contente qu'on ne m'ait pas fusillée à la Libération, comme monsieur Vinay. » Elle ne portait aucun ruban décoratif. Elle aussi avait été persécutée par la guerre, le communisme, le catholicisme, le fascisme.

Sa maison était un pavillon qu'elle disait

modeste, trop grand pour elle cependant, avec un jardin, une tonnelle, un bassin minuscule où nageaient des poissons rouges. Elle avait pour seule compagnie à l'intérieur de ses murs deux chats, un mâle et une femelle. Non point chats de gouttière, mais chats aristocrates, quatre quartiers de noblesse, achetés à une éleveuse. De race British Shorthair, les yeux ronds, le nez court, le pelage bleuté, une queue insignifiante comme si cet organe avait quelque chose de roturier. Chacun d'eux accompagné d'un arbre généalogique qui remontait, sinon aux croisades, du moins à six générations. Leurs noms témoignaient de leur grande classe : *Norelly-Ann du Rouvre* pour la chatte, réduit à Norelly dans l'usage courant ; *Nestey Hipsy Tipsy du Rouvre* pour le mâle, son petit-cousin, réduit à Nestey. Ils ne risquaient pas d'engendrer ensemble des chatons, l'éleveuse ayant pratiqué les mutilations nécessaires. Plus choyés que des enfants, ils disposaient dans la maison d'un « arbre à chats », structure à plusieurs étages et à grattoirs, où ils pouvaient grimper et s'exercer les griffes. En revanche, ils ne devaient pas sortir, pas se promener dans le jardin, où ils auraient pu prendre des goûts excessifs de liberté.

Les rapports que tu devais avoir avec eux te furent exactement précisés par la maîtresse de maison :

— Le chien est normalement soumis à son maître et lui obéit pour lui faire plaisir. Si le chat obéit, c'est parce qu'il y trouve son intérêt. Il importe donc qu'il soit récompensé quand il fait bien, puni quand il fait mal. Les récompenses sont de trois sortes : les caresses, les jeux, les friandises. Les punitions, de même, vont par trois et doivent être appliquées sitôt après la faute, sinon l'animal risque de ne pas comprendre : une petite claque du bout des doigts sur le nez ou le crâne ; un bruit de la bouche exprimant la gronderie : *pchchchch* ; une aspersion d'eau au moyen d'un vaporisateur lorsqu'il se fourre en un endroit défendu.

Comme l'appartement était d'une netteté de clinique, qu'aucune souris n'y était même imaginable, les deux nobles cousins passaient leurs jours à dormir, à manger, à grimper à leur arbre, à folâtrer avec leurs jouets. Eventuellement, à faire la chasse aux mouches lorsqu'il s'en présentait quelqu'une, bondissant jusqu'au plafond, grimpant au mur pour essayer de l'attraper. Aussi oisifs, aussi ennuyés que ces fonctionnaires inutiles qu'on voyait à Saigon fréquenter les bars de la rue Catinat. Madame Vinay te demanda de t'occuper d'eux, de les distraire, de les tenir propres. Lorsque tu les eus apprivoisés, accoutumés à ta présence, à ton odeur, à ta main, tu pus exercer avec conscience tes fonctions de bonne de chats. Aveulis par leur esclavage, ils n'avaient jamais le moindre mouvement d'humeur et ne griffaient que leur grattoir.

Pendant les quatre années où Claire te garda sous sa protection, elle t'occupa heureusement à d'autres choses. La maison était pleine de livres. Il en traînait sur chaque meuble et même dessous. Elle sut mettre entre tes mains ceux qui convenaient à ton âge et à ta double origine : *Madame Chrysanthème*[1], *La Bataille*[2], *Sao-Van-Di*[3]. Car, contrairement aux dames du couvent des Oiseaux,

1. Pierre Loti.
2. Claude Farrère.
3. Jean Ajalbert.

238

elle voulait garder dans ton esprit quelque chose d'oriental.

Plus tard, elle te fit lire Balzac, Lamartine, Mérimée. Comme tu ne manifestais pas toujours un grand appétit pour ces auteurs, elle t'en lisait elle-même quelques pages les jours de pluie, afin de t'en mettre l'eau à la bouche. Au moyen d'albums de qualité, elle te présenta les grands peintres français ou étrangers. Elle jouait agréablement du piano, mais n'eut pas le courage de t'asseoir devant le clavier : l'entreprise aurait demandé trop de temps, trop de cette patience dont la nature t'avait mal pourvue. Tout cela fut fait avec tant d'amour qu'une véritable mère n'y en aurait pas mis davantage. Surtout pas maman Rôt, qui vivait à Cholon toujours accroupie.

Les premiers mois, madame Vinay venait te prendre à la porte du Bon Pasteur. Plus tard, à partir de ta quatorzième année, tu fis seule le trajet qui conduisait à son pavillon. Tu devais cependant présenter au retour un certificat rédigé en ces termes : *Je soussignée... demeurant... atteste que la jeune... est arrivée à mon domicile ce jour à... heures. Elle est repartie à... heures pour la maison du Bon Pasteur.* La formule était imprimée, il suffisait de remplir les blancs. A la vérité, tu aurais pu les remplir toi-même et te lancer dans des escapades. Tu n'en éprouvas jamais la tentation.

Au cours de ces voyages, tu t'aperçus que les passants te regardaient avec une insistance un peu moqueuse. C'est que ton uniforme révélait assez de quelle prison tu sortais, occupée par des filles sans foi ni loi, rejetées de leur famille. A quinze ans, tu ressentais très fort cette sorte d'opprobre. Tu t'en ouvris à madame Vinay. Elle y trouva une solution. Le dimanche qui suivit, elle te présenta un paquet :

— Quitte ta jupe. Et enfile-moi ça.

Un pantalon ! Vêtement féminin traditionnel au Viêt Nam, mais interdit au Bon Pasteur. Celui-là t'était un peu long. Claire le retoucha. Tu lui sautas au cou. Dans la glace, tu souris à ton image nouvelle. Pour mettre un comble à ses bienfaits, elle t'emmena au cinéma voir Don Camillo et Peppone. En fin d'après-midi, quand vint l'heure de retourner au pensionnat, tu fus dans l'obligation de te déculotter, puis de te rejuper.

Les dimanches de beau temps, madame Vinay t'emportait en promenade aux environs de Saint-Martin. Selon la saison, vous cueilliez des violettes, des primevères au revers des talus, des mousserons en bordure des chemins. Elle jouissait d'un regard spécial pour découvrir les trèfles à quatre feuilles parmi leurs frères trilobés. Toi, tu avais beau t'y crever les yeux, tu ne les distinguais pas. Sa jambe artificielle lui interdisant de se baisser, elle te les désignait du bout de sa canne :

— A cause de leurs quatre feuilles, affirmait-elle, ils portent bonheur.

— Moi aussi. Je m'appelle Béatrice.

— C'est vrai. C'est écrit dans ton prénom. Et tu m'en donnes beaucoup.

Pour te remercier, elle t'embrassait. Et pour que le bonheur ne t'oubliât jamais, elle glissait des trèfles à quatre feuilles entre les pages de tes livres.

Tu fis ta première communion avec beaucoup de retard. En même temps que cinq autres pensionnaires plus jeunes que toi. Au cours de tes voyages, tu avais perdu ton catéchisme indochinois. Claire Vinay te fit cadeau d'un petit *Paroissien romain* contenant toutes les prières, avec ces lignes écrites de sa main sur la page de garde : *N'oublie jamais le plus beau jour de ta vie. Claire.* Tu y trouvas, naturellement, un trèfle séché. Avec de telles promesses, tu te préparas donc à goûter un bonheur sans pareil. L'aumônier Gattaz vous posa des questions dont vous aviez longuement préparé les réponses, prononcées en chœur :

— Qu'est-ce que l'homme ?

— L'homme est une créature raisonnable composée d'une âme et d'un corps.

— Pourquoi Dieu a-t-il créé l'homme ?

— Dieu a créé l'homme pour le connaître, l'aimer et par ce moyen lui permettre d'obtenir la vie éternelle.

— Quel est le Sauveur promis au monde ?

— Le Sauveur promis au monde est Notre-Seigneur Jésus-Christ…

Vous fûtes déclarées aptes à recevoir Son corps vivant dans la sainte hostie. La chapelle était pleine à éclater de parents, d'amis, d'habitants de Saint-Martin. Devant tous ces témoins, tu t'affirmas chrétienne et tu consommas le corps du Christ. Chaque communiante portait une aube prêtée par la maison et tenait à la main un petit cierge. Après la cérémonie, un vrai festin vous fut offert au réfectoire. Et ce fut vraiment une heureuse journée.

Tes sentiments chrétiens furent renforcés par la venue d'un nouvel aumônier qui remplaça le père Gattaz, admis à la retraite. D'origine bretonne, l'abbé Yves Le Goff avait les yeux bleus. Ces yeux attiraient les filles du Bon Pasteur comme la flamme d'une bougie attire les mites. Du moins les plus grandes, celles que tourmentaient les signes d'une proche puberté. Le samedi soir, toutes voulaient être confessées et l'on faisait la queue devant son confessionnal. Quels péchés pouvaient-elles bien avouer pour se rendre intéressantes ? Tu te laissas gagner par la contagion, tu t'agenouillas dans la sainte encoignure, un petit coussin sous les genoux. Toi, du moins, tu ne manquais pas de péchés confessables :

— Mon père, j'ai quitté ma jupe et pris un pantalon.

— Où ça ?

— Chez ma marraine. Plusieurs dimanches de suite.

— Le pantalon n'est pas un vêtement scandaleux, ma chère enfant. Autre chose ?

— J'ai été paresseuse en histoire et géographie. Je n'apprends pas les leçons.

— La paresse est bien un péché, en effet. Quoi encore ?

— J'ai regardé les hommes.

— Où donc ?

— Dans la rue.

Chaque fois qu'il était question d'hommes devant elle, la mère supérieure vous avertissait en ces termes :

— Les hommes sont pareils à des arbres : on passe devant sans leur parler, sans les regarder. Et si l'on doit absolument le faire, on ne regarde que leur tête.

L'abbé Yves Le Goff était un homme dont tu ne voyais que la tête éclairée par ces yeux bleus qui scintillaient dans la pénombre de son placard. Deux petites rides parallèles descendaient entre ses sourcils.

— Avec quelle pensée avez-vous regardé ces hommes ? demanda-t-il.

242

— Avec aucune pensée.

— Il n'y a donc pas de péché. Mais il vaudra mieux à l'avenir que vous regardiez ailleurs.

Ces deux rides te fascinaient. Tu avais envie de les aplanir de l'index. Le père Le Goff était un arbre avec beaucoup de feuillage, ses cheveux blonds formaient un nimbe autour de sa tête. Il te donna une pénitence dérisoire, qui te laissa sur ta faim. Car tu avais faim de péché. Lors d'une autre confession, tu osas aller beaucoup plus loin. Après quelques préliminaires, tu avouas :

— Mon père, je suis amoureuse.

— L'amour n'est pas forcément un péché. Puis-je savoir de qui ?

— D'un homme qui a les yeux bleus, les cheveux blonds, et qui s'appelle Yves.

Le confesseur parut un moment suffoqué. Tu l'entendais respirer fort, presque haleter derrière sa grille de bois. Comme il ne répondait pas, tu dus insister :

— Mon père, je vous ai dit que je suis amoureuse.

— Ce que vous dites, mon enfant, est très audacieux. J'ai l'impression que vous vous moquez de votre confesseur.

— Je ne me moque point, mon père, je suis vraiment…

— Arrêtez, je vous prie ! Et, comme je vous l'ai conseillé précédemment, regardez ailleurs. Deux *Je vous salue*. Allez en paix.

Il dut être assiégé par beaucoup d'autres pensionnaires et personne ne sut ce qu'il en résultait. Secret de la confession. Mais un vent de coquetterie soufflait dans la maison. Il venait aussi de la mode du crêpage. Une mode venue des Etats-Unis,

243

lancée par une Noire très dégourdie qui, par ce procédé, triplait le volume de ses cheveux. Les jeunes profs laïques qui enseignaient au Bon Pasteur l'y introduisirent en se montrant ainsi attifées. Les filles entreprirent donc de se crêper l'une l'autre. Un jour, la mère supérieure piqua une grande colère. Elle envoya dans les classes des novices armées d'une bassine d'eau et d'une éponge. Chaque fille crêpée dut présenter sa toison. La sœurette passait dessus son éponge mouillée et les cheveux retrouvaient leur platitude naturelle. Tu subis cette épreuve comme beaucoup d'autres.

C'est à l'âge de seize ans, en 1963, que tu obtins ton certificat d'études. La plus âgée de toutes les candidates. Reçue du moins avec la mention *Très bien*. Le diplôme qui te fut remis était une véritable œuvre d'art. Ornée de magnifiques figures symbolisant l'agriculture, l'industrie, le commerce, les cinq continents. Au milieu, en écriture ronde, ton nom dont les boucles composaient une ligne de broderie : *Béatrice Bartaleuf*. Dessous, la signature de l'inspecteur de l'enseignement primaire qui avait présidé le jury. Tu ne te lassais pas d'admirer ce témoignage de ton savoir. Tu l'enfermas dans l'atlas que Claire Vinay t'offrit pour l'occasion, enrichi d'un trèfle à quatre feuilles.

Ainsi prirent fin tes études. Les religieuses n'envisagèrent pas de te les faire poursuivre davantage et te cherchèrent un emploi. Après avoir été bonne de chats, tu devins bonne d'enfants chez monsieur et madame Gonthier à Grenoble, rue Lesdiguières. Tous les deux professeurs, l'une au lycée Champollion, l'autre à la faculté de droit.

Les pièces de la maison portaient des noms anglais : *living, nursery, quiet room.* Ils te confiaient leurs deux rejetons, Wilfrid et Salomé, quatre ans et deux ans. Deux chiards munis de prénoms distingués, mais qui embrenaient leurs couches comme des enfants de ramoneurs. Plus foireux par conséquent que les chats de madame Vinay. On ne t'avait donné au Bon Pasteur aucune notion de puériculture. Tu l'appris toute seule en mettant les mains dedans. Tu sus bientôt les changer, les laver, les abecquer, les bercer, jouer avec eux. C'étaient d'ailleurs de charmants enfants. Surtout quand ils dormaient. L'aîné toutefois avait ses humeurs. Certains matins, quand tu voulais l'embrasser, il te repoussait :

— Aujourd'hui, tu es moche.

Tu allais au miroir, tu te regardais, tu te repeignais, tu revenais à lui :

— Maintenant, tu es belle.

L'argent que tu gagnais était placé, selon les termes du contrat, sur ton livret de caisse d'épargne dont la garde était confiée au Bon Pasteur en attendant le jour de ta majorité. Ce premier emploi salarié aurait donc eu des côtés encourageants si tes deux maîtres t'avaient traitée comme une personne digne de respect, non comme une serve. Dans leur esprit, tu n'étais pas préposée seulement aux soins des deux marmots, mais aussi à leur propre commodité. Toutes sortes de besognes t'étaient imposées, très ingrates : nettoyer la poubelle, faire la vaisselle, récurer les casseroles, éplucher les légumes, évacuer les cendriers de Monsieur, grand fumeur de cigares. Celui-ci, bien installé dans son fauteuil et te tutoyant, te commandait sans vergogne :

— Béa, apporte-moi mes pantoufles… Béa,

245

approche-moi la boîte de cigares qui est sur mon bureau… Sers-moi un verre de cognac…

Jamais un « s'il te plaît ». Rarement un « merci ». Il est vrai que, de loin en loin, outre la somme inscrite sur ton livret, ils t'allongeaient un billet de cinquante francs, pourboire occasionnel plus humiliant que rétributaire.

Tu logeais dans une chambrette, sibérienne l'hiver, africaine l'été. Elle avait été aménagée dans les combles et tu y grimpais par un escalier escamotable. Du moins y avais-tu la compagnie des pigeons et des tourterelles que tu entendais piéter et roucouler sur la toiture. De ton œil-de-bœuf, tu admirais la large enfilade du Grésivaudan et les dents de scie des montagnes.

Les Gonthier recevaient beaucoup. Rien que des intellectuels. Ces soirs-là, après le dîner, lorsque tu avais couché les mômes dans leur *nursery*, assise sur le plancher entre leurs deux petits lits, tu leur chantonnais une berceuse. Vous finissiez par vous endormir tous les trois, presque ensemble. Mais, un peu plus tard, tu étais réveillée par les éclats de rire, par les pétous du champagne provenant du *living*. Tu partais à quatre pattes, tu tirais ton échelle, tu grimpais dans ta chambre. On ne t'invitait point aux festivités.

Tu restas une année complète chez ces professeurs. Puis tu donnas ta démission et tu retournas au Bon Pasteur.

Joie de retomber dans les bras de ta marraine.

— Je ne comprends pas, s'étonna-t-elle, que les bonnes sœurs t'aient lâchée dans le siècle à seize ans, sans protection, sans spécialité professionnelle, sans autre diplôme que le certif.

Elle reprit contact avec ces dames et les persuada

de te faire préparer le CAP de secrétariat. Te voilà pour deux ans partie sur une voie nouvelle. Orthographe, anglais, sténographie, dactylographie. Tu passais des heures dans le crépitement des lettres commerciales : *Messieurs, En réponse à votre courrier du 7 ct, nous avons l'honneur de vous informer*... Cela aurait dû te conduire jusqu'à ta dix-neuvième année. Mais ce complément d'études, alors qu'il n'y manquait que quelques mois, fut interrompu par l'irruption de Daniel Vinay dans ta vie.

Le fils de Claire résidait à Vitrolles (Bouches-du-Rhône) où il vendait des diamants. Non pas sur le marché comme on vend des melons, mais à domicile, après avoir pris rendez-vous avec les acheteurs éventuels. Gens fortunés qui, préoccupés par la dépréciation de la monnaie, essayaient d'investir leurs économies dans des valeurs refuges. Le diamant était de celles-là. Trafiquants, maquignons, bouchers, fraudeurs du fisc, politiciens véreux en raffolaient.

Daniel faisait des affaires d'or. Sa marchandise n'était pas présentée dans de somptueux écrins, mais fixée à de petits cartons grands comme des cartes à jouer. Sur chacun, une ou plusieurs pierres brillaient de tous leurs feux, disposées à peu près comme les boutons-pressions qu'on trouve dans les merceries. Le plus astucieux argument de vente était un engagement signé du diamantaire — monsieur Marcellus Van der Waals d'Amsterdam — imprimé sur papier vélin, chargé de cachets et de sceaux, et rédigé à peu près dans les termes suivants : *Je soussigné, Marcellus, etc., certifie que, l'acquéreur, M...., voulant se défaire des diamants qui font l'objet du présent contrat, quelle que soit*

247

la date de cette revente, serai intéressé par la reprise de ces diamants contre une somme au moins équivalente à celle de leur achat par M..., telle qu'elle figure ci-dessous.

Le trafiquant, ou politicien, ou fraudeur du fisc, se disait qu'il ne risquait rien en acquérant ces précieux cailloux puisque, en cas de chute des prix, monsieur Marcellus d'Amsterdam promettait de les reprendre sans un centime de perte. Il ne s'apercevait pas — et tu fus longue aussi à t'en apercevoir, ô ma naïve ! — que ledit Marcellus s'engageait seulement à être *intéressé par la reprise* des diamants, non à les reprendre. Daniel Vinay faisait fortune en exploitant cette confusion sémantique.

Pour toi, Daniel ne fut d'abord qu'un bel homme aux tempes grises. Un fils affectueux qui comblait sa mère de cadeaux. Sa haute taille, son air sérieux, sa voix douce, ses rares sourires inspiraient confiance. Quoiqu'il n'y eût entre vous deux qu'une dizaine d'années d'écart, tu crus voir en lui une image du père que tu n'avais jamais vraiment connu. Il te tutoya tout de suite et te traita d'ailleurs paternellement. De nouveau, tu résidais au Bon Pasteur, mais de façon très libre. Tu pouvais en sortir chaque jour sans formalité. Pendant plusieurs semaines, tu fréquentas assidûment le pavillon de ta marraine. Elle semblait encourager ces rencontres. Comme son fils possédait une belle voiture, il proposa de vous promener toutes deux à travers le département.

— Ne vous embarrassez pas, dit Claire, d'une boiteuse qui ne pourrait vous suivre.

Vous voilà donc partis dans la Peugeot qui devait avoir l'habitude de ce genre d'équipée. Daniel roulait vite, tu admirais son habileté ; l'élégance de ses gestes ; la finesse de ses mains que n'avait point usées la fréquentation des diamants. Tu admirais son élégance. Tu admirais tout de lui. Il te présenta les beautés et curiosités de l'Isère. Les colchiques bleuissaient les prés, les raisins rougeoyaient sur les treilles, les vaches merdoyaient dans les prairies. Printemps, été, automne, toutes les saisons se bousculaient. Lorsque Daniel te prit dans ses bras, tu tombas comme une feuille morte. Je n'insiste pas sur les détails, que tu ne m'as jamais révélés.

Toujours est-il qu'au retour de ce voyage initiatique le vendeur de diams te présenta ainsi à sa mère :

— Voici ma fiancée, Béatrice Bartaleuf.

Elle ne parut pas extrêmement surprise. Elle sourit et vous embrassa tous deux. On parla sans plus tarder du mariage. Le fils précisa qu'il serait célébré à Vitrolles dans les délais réglementaires. En attendant, sans se soucier d'en demander l'autorisation à la FOEFI ni au Bon Pasteur, il te prenait sous sa protection et t'emmenait avec lui, en qualité de promise et de collaboratrice. Car il pensait que tu lui serais fort utile pour vendre ses boutons-pressions.

— Quand toutes les démarches auront été faites, promit-il à sa mère, je viendrai te chercher pour la noce.

Vitrolles est une petite ville près de Marignane. Le ciel y est en continuel grondement à cause des avions qui se posent ou qui s'envolent. Peu de curiosités, hormis un rocher roux, énorme, escarpé, sur lequel est assise une chapelle.

Alors commença ton métier de racoleuse. De femme-appât. Tu accompagnais ton futur mari dans ses démarches. Tu ouvrais toi-même sa marmotte, en tirais les cartons, te mettais au cou, aux oreilles, aux doigts des bijoux constellés de diams qui n'étaient en fait que du strass. A te voir si jeune, le visage innocent, enjolivée par ces verres, maints pépères se laissaient convaincre et signaient le contrat. Tu croyais sincèrement à l'honnêteté hollandaise. Et tu brûlais d'amour pour ton fiancé aux tempes grises.

— A quand notre mariage ? demandais-tu de temps en temps.

— Lorsque nous aurons amassé un magot qui me permettra d'acheter une maison digne de nous. Prends patience.

Vous vous décriviez l'un à l'autre cette résidence de rêve, le jardin, la terrasse, les arbres à fleurs et à fruits, la sonnette avec la plaque de cuivre gravée *M. et Mme Daniel Vinay*. Sans doute, pour la première fois depuis Cholon, te sentais-tu heureuse.

Un jour, tu lui annonças une grande nouvelle : tu attendais un enfant. Il secoua la tête :

— C'est un peu tôt. Mais enfin, il faudra bien le recevoir. Régulariser notre union.

Le dimanche, il t'emmenait voir de près les avions sur l'aéroport. Spécialement la Caravelle, orgueil de notre flotte aérienne, qui volait plus vite que le son. Vous échafaudiez des rêves de voyage. Pas vers le Viêt Nam, en tout cas, où la guerre avait repris furieusement depuis l'intervention américaine. Vers Paris, à cause de la tour Eiffel. Vers les Antilles, où les hommes et les femmes passent leur temps à danser le zouk et à manger des bananes.

Et puis, il y eut le 22 juillet 1966.

Vous étiez en train de dîner de nems et de soupe au riz lorsque quelqu'un sonna. Vous n'aviez pas l'habitude de recevoir à cette heure tardive. A travers la porte, Daniel demanda l'objet de la visite :

— Je suis un client de passage. Vous ne me connaissez pas. Je viens de Toulon pour acheter des diamants.

— Ne pouvez-vous pas revenir demain ?

— Non. Il y a urgence. Je vous expliquerai.

Comment refuser ? Les affaires commandent. Le Toulonnais fut admis et suivit Daniel dans son bureau. En fait, il ne s'agissait point d'un inconnu, mais d'un ancien client. Il venait proposer ses boutons-pressions en rachat, comme prévu dans le contrat signé par monsieur Van der Waals. A travers le bois, tu pus distinguer l'essentiel de la discussion.

— Adressez-vous, répondit Daniel Vinay, à monsieur Van der Waals lui-même.

— C'est ce que j'ai fait. Voici sa réponse... (Bruit de papier.) Comme vous pouvez lire, il refuse le rachat, la situation économique actuelle n'étant pas favorable à cette reprise.

— Monsieur Van der Waals ne s'est pas engagé à les reprendre. Il s'est engagé seulement à y être intéressé. Je peux être intéressé par la vente d'un Picasso sans avoir les moyens de me l'offrir. Il ne faut pas confondre promesse d'intérêt et promesse de rachat.

— Dans ce cas, c'est à vous que je m'adresse, puisque c'est vous qui me les avez collés.

— Mais moi, cher monsieur, je n'ai promis ni intérêt ni reprise. Je ne suis qu'un modeste intermédiaire. Si vous pensez avoir été trompé dans

251

cette affaire, il y a des tribunaux pour vous faire rendre justice.

— J'ai proposé mes diamants à des bijoutiers. Ils m'en ont offert des sommes dérisoires. Si vous ne me remboursez pas au prix qu'ils m'ont coûté, je suis ruiné.

— Je vous le répète : intentez un procès.

La discussion prit ensuite un crescendo épouvantable. Le client proféra des menaces de mort. Et soudain, pan ! pan ! La porte du bureau s'ouvrit avec violence. Le client parut, les yeux hors de la tête, un revolver fumant à la main, qu'il pointa sur toi. Tu t'écartas. Tu entendis le ronflement d'une voiture. Il fila comme il était venu, sans laisser d'adresse. Monsieur Daniel Vinay était bel et bien mort, avec deux balles dans la poitrine.

Ainsi, tu te trouvas veuve avant que d'être mariée. Avec un polichinelle sous le tablier, comme on dit à Marseille. La police fouilla les papiers du défunt, n'eut pas de peine à retrouver le Toulonnais. Il passa aux Assises d'Aix-en-Provence. Tu dus témoigner devant les juges.

Tu trouvas une place au *Kapok* de Marseille. Le *Con dan bép* voulut bien t'engager malgré ta situation dite intéressante. Jeannette vit le jour le 5 novembre 1966. Et c'est dans cet établissement que je fis ta connaissance quelques années plus tard.

7

Et me voici revenu à mes propres origines. Raoul Mercier, comme le champagne, fils d'Auguste et d'Augusta. Aydat, Avitacum, Sidoine Apollinaire. Monsieur Méliodon et sa fille Papianille. Le curé Septour. Notre mariage en 1970.

— Tu n'aurais jamais dû te lancer dans la navigation, dit mon père. Tu avais assez de terre ici pour bien vivre.

— Tu n'aurais jamais dû épouser une Asiatique, dit ma mère. Ces filles sont trop différentes de nous. Y en a plus d'une ici qui aurait été contente de t'épouser.

— Tu n'aurais jamais dû t'absenter si longtemps, dit mon oncle Saturnin. On ne laisse pas une femme seule des huit-dix mois. Elle aurait pu prendre un amoureux. Elle a préféré foutre le camp. Faut comprendre.

— Tu n'aurais jamais dû… Tu n'aurais jamais dû…

Les conseilleurs m'environnent. Le bon Dieu n'aurait jamais dû créer les continents et les mers qui les séparent. Les hommes n'auraient jamais dû

253

inventer les bateaux pour aller d'un continent à l'autre. A présent, la mer existe et je dois la boire neuf mois chaque année pour payer le loyer de notre appartement riomois et toutes les nécessités de ma famille. Je suis monté me réfugier dans le nid de ma naissance, chacun me dit ce que j'aurais dû ou ne pas dû faire. Une fois par jour, je téléphone au commissariat de Riom. Les recherches suivent leur cours.

A point nommé, un voisin aydatois vient de mourir pour me distraire de mes angoisses. C'est le père Battut, un retraité de l'EDF, qui a passé la plus grande partie de sa vie à relever les compteurs. Sans autre horizon que les poteaux électriques auxquels il grimpait quelquefois, avec ses pinces de crabe.

— Le reste du monde ne m'intéresse pas, avouait-il. J'ai ici tout ce que je veux : des corbeaux, des taupes, des vaches, des chevaux. Je n'ai pas besoin de singes, d'éléphants, de crocodiles.

Veuf et sans enfant, il cultivait son jardin, mangeait bien, buvait bien, dormait bien. Le soir, en hiver, il venait taper la belote avec mon père et moi. On ne jouait que pour des haricots ; il avait cependant horreur de perdre et se plaignait à Auguste de sa distraction :

— Il y a huit atouts dans le jeu. C'est quand même pas malin de compter jusqu'à huit ! Auguste, quand tu joues aux cartes, tu dois te dire : je joue aux cartes. Et ne pas penser à autre chose. Les cartes, c'est du sérieux.

A ce régime, il avait pris un poids énorme. Il se vantait d'être le plus lourd paroissien d'Aydat, ce qui était sans doute vrai. Le boucher Rivalier affirmait qu'il devait bien peser dans les deux cent cinquante. Il voulait dire, naturellement, deux cent cinquante livres. Huit comme lui auraient fait une tonne.

Mon père et moi, justement en compagnie de Rivalier, sommes donc allés veiller le pauvre Battut, allongé sur son lit, les joues bleuies par la barbe, les mains jointes sur son gros ventre. Les pieds en l'air comme dans la devinette : qu'est-ce qui est debout quand je suis couché, qui est couché quand je suis debout ? Nous avons parlé de lui, des compteurs électriques, des pinces de crabe. Je ne pensais plus à toi ni à Jeannette. Le boucher avait apporté une bouteille ; et nous avons trinqué à la santé du défunt. Tout à coup, Rivalier s'est mis à l'examiner :

— Il me semble qu'il a perdu beaucoup de poids ces dernières semaines.

— La maladie. Le veuvage.

— Oh ! il doit bien lui rester encore plus de deux cents livres.

— Tu l'as mal regardé. Je lui en donne pas plus de cent cinquante-cent soixante.

Il s'ensuivit une assez longue dispute sur le poids du mort, à laquelle je ne voulus pas me mêler. Rivalier n'en démordait pas sur ses plus de deux cents, Auguste tenait bon sur les cent soixante. Chacun, manifestement, y mettait un grain d'amour-propre.

— C'est bien simple, dis-je pour les départager. Vous n'avez qu'à le peser.

Peser un mort ? Ça ne s'était jamais fait. Et c'est justement ce qui leur plut. Le boucher alla chercher la romaine avec quoi il pesait les veaux. Elle comprenait une tige de la grosseur du poignet, d'où pendait un poids coulissant et des sangles. On fit passer celles-ci sous le corps de Battut. Auguste et Rivalier soulevèrent la tige, le cadavre décolla du lit. Je mis le curseur dans la bonne encoche et me penchai pour lire. Battut, pétrifié, se balançait faiblement dans les sangles comme sur une escarpolette ; il semblait même y prendre plaisir.

— Cent cinq kilos.

— Deux cent dix livres ! C'est bien ce que je pensais ! triompha le boucher. Le veuvage l'avait plutôt engraissé. Mais la maladie l'a fait maigrir de quarante livres.

Allais-je maigrir, moi-même, ou engraisser de mon veuvage ?

Ces cinq années de mariage avaient été pourtant très heureuses. Même si elles n'avaient duré que cinq fois trois mois, quinze mois en tout. A chacun de mes retours, notre lune de miel recommençait. Oh ! ces premières nuits de nos retrouvailles, dans le lit que tu avais pris la précaution de vaporiser à l'eau de lavande ! Cette frénésie d'amour qui nous poussait à nous entre-dévorer, insatiablement ! Les nuits, d'ailleurs, ne nous suffisaient pas. Il t'arrivait de confier Jeannette à madame Coupat ou à sa fille Oursine. Et pendant ce temps je te récitais *Le Cantique des cantiques* :

« Que vous êtes belle, ma bien-aimée ! Vos yeux sont comme ceux des colombes. Vos cheveux sont comme des troupeaux de chèvres qui sont montées sur la montagne de Galaad.

« Vos dents sont comme des troupeaux de brebis tondues, qui sont montées du lavoir, et qui portent toutes un double fruit.

« Vos lèvres sont comme une bandelette d'écarlate. Vos joues sont comme deux moitiés de grenade, sans ce qui est caché dedans.

« Votre cou est comme la tour de David : mille boucliers y sont suspendus.

« Vos seins sont comme deux petits faons qui paissent parmi les lys… »

Je te demandais :

— M'as-tu réellement été fidèle pendant ces neuf mois ?

— Demande à Riom. Tous les Riomois se connaissent, s'observent, se commentent. Malgré la cour d'appel, il n'y a pas plus de vertu à Riom qu'ailleurs ; mais chacun est informé de ce qui se passe chez le voisin ou la voisine. En général, on ne dénonce pas ; mais il y a des sourires, des clignements d'yeux qui parlent. Interroge donc qui tu voudras.

— Comment te croire, quand je te vois… si brûlante ?

— Je suis comme les allumettes : je m'enflamme si on me frotte. Mais dans ma boîte, je reste froide.

— Il t'arrive bien d'en sortir ! Tu peux bien faire des rencontres !

— Presque toujours, je sors en compagnie de Jeannette. Elle me préserve. Elle tient à l'écart les malintentionnés.

— Quand tu vas aux assises, tu es bien seule.

— Dans ces moments-là, les gens ont assez de regarder les acteurs de la pièce. Ils ne se soucient pas de moi.

Par précaution, tout de même, par jalousie, je te faisais des bleus sur le corps. Aux endroits les plus intimes. Tu riais de mes morsures :

— Dans l'ombre, tous les chats sont gris. Les bleus ne se voient plus.

En revanche — et j'en étais un peu mortifié — tu ne m'interrogeais pas sur les rencontres que j'avais pu faire, moi, lors des escales. Ce qui m'évitait de mentir. Il était difficile en effet, que ce fût à Bornéo, à Panamá, à Rio de Janeiro, de refuser les services des petites femmes qui se pressaient sur les quais, papillonnaient des mains, éblouissaient de leurs sourires :

— Capitaine ! Capitaine (car nous étions tous capitaines pour elles). Moi laver, repasser, cuisiner. Moi très habile ! Moi très propre ! Moi pas chère !

Bien peu de marins ne succombaient pas à la tentation. Les petites Jaunes ou Noires logeaient dans leurs cabines un ou plusieurs jours, une ou plusieurs nuits. Disposées à donner satisfaction dans tous les domaines. Le seul inconvénient était d'y attraper certaines maladies fort désobligeantes. Mais il existait des parades et des précautions. Aucune trace de sentiment dans ces échanges, malgré la comédie amoureuse que jouaient très plausiblement les lavandières. Rentrés chez eux, les navigateurs pouvaient honnêtement jurer à leurs épouses qu'ils n'avaient pas été infidèles, c'est-à-dire qu'ils n'avaient jamais eu un seul battement de cœur pour une autre femme. Lors de nos retrouvailles, j'éprouvais, je manifestais tant de bonheur dans tes bras que, sans doute, tu ne cherchais pas si, dans le vaste monde, j'avais frotté d'autres allumettes.

Après ces heures de braise, nous nous refroidissions un peu. Je prenais Jeannette sur mes genoux, je lui contais mes voyages dans ce qu'ils avaient de racontable. Les Laotiens qui mangent de la terre.

Le droute, ce pigeon géant de la Réunion, qui ne sait ni courir ni voler et qu'on assomme à coups de bâton. L'arbre à pain des îles Marquises qui, en fait, est un arbre à farine. Tous les soirs, je m'asseyais près de son lit pour l'aider à s'endormir.

— Raconte-moi, me demandait-elle, une histoire bien longue, que je ne connais pas et qui fait rire.

Par bonheur, j'en avais une pleine tête, que je tenais aussi de mon grand-père Mercier : le diable marchand de cochons, le paysan et la bouse, le gamin et la moutarde, le rémouleur et les grenouilles. Mais, avant la conclusion, Jeannette était déjà endormie. C'était une enfant adorable qui, à elle seule, aurait suffi à me faire épouser sa mère. Tous ceux qui la voyaient, hommes ou femmes, tombaient amoureux d'elle. Et de s'écrier :

— Cette petite est trop mignonne ! Trop mignonne !

Pendant mes trois ou quatre mois de présence annuelle je vous fis encore connaître un peu de l'Auvergne, dont vous n'aviez une notion que par ouï-dire. A toi qui venais de loin, qui avais vu l'Asie, l'Afrique, les océans, Saint-Martin-d'Hères et Vitrolles, j'expliquai qu'on trouve en Auvergne, en raccourci, toutes les curiosités de la terre :

— Toutes sauf la mer. Elle y était autrefois, dans les temps géologiques. Pour des raisons à elle, cependant, elle a préféré se retirer.

Pour la commodité des présentations, je fis l'acquisition d'une voiture 4L. Partis de Riom, nous nous sommes enfoncés dans la Limagne :

— Voici une belle plaine à blé, comme celles de l'Ukraine ou du Minnesota. En plus petit. La terre est ici tellement riche qu'elle n'a pas besoin d'engrais.

Clermont-Ferrand dressait devant nous les deux flèches noires de sa cathédrale.

— Ne crois pas les Riomois : ils prétendent que Clermont est une banlieue de Riom. C'est que, entre les deux villes, il y eut une longue rivalité. Chacune voulait être la capitale des Auvergnes.

— Pourquoi dis-tu les Auvergnes ?

— Parce qu'il y en a deux. La haute et la basse. L'Auvergne à vaches et l'Auvergne à vignes. L'Auvergne du gigot brayaude et l'Auvergne du tripou. L'Auvergne aux tuiles rouges et l'Auvergne aux lauzes bleues. Celle qui danse au son de la vielle et celle qui danse au son de la *cabrette*.

De là, nous avons fait l'ascension du puy de Dôme par une route en spirale qui permettait d'admirer sous tous les angles une ligne de cratères :

— Voyez ces volcans, comme dans l'Italie du Sud. Le puy de Dôme fut jadis une montagne sacrée, comme le Sinaï, le Parthénon, le Capitole. Foi et montagne vont ensemble.

Un autre jour, nous avons entrepris la tournée des lacs qui m'ont permis d'établir une comparaison entre l'Auvergne et la Finlande. Pour nous remettre de nos efforts, nous avons trouvé çà et là des auberges rurales qui nous ont proposé une cuisine robuste, aussi savoureuse que celle de l'Espagne. Fermes-auberges, où le coucher laissait parfois à désirer, justement à l'espagnole ; mais dont les fermières s'extasiaient devant Jeannette, joignaient les mains :

— Votre fille est trop mignonne !

Quelle idée me poussa à vous présenter l'auberge de Peyrebelhe, en bordure de notre Auvergne ?

Sans doute voulus-je te montrer que nous avions eu nos brigands coupeurs de têtes, comme l'ancienne Calabre. Cela se passait vers 1820 et les aubergistes d'alors furent guillotinés. L'actuel tenancier nous raconta le moindre détail en nous montrant les lieux : la salle commune, le tuyau acoustique qui permettait d'écouter les conversations des voyageurs et de supputer l'argent qu'ils transportaient ; le four à pain dans lequel les corps étaient brûlés. Puis il nous proposa les articles de son bazar : cartes postales, clochettes à brebis, *boufadous* pour souffler sur les braises. Petit conflit avec Jeannette qui voulait des bonbons que sa mère lui refusait :

— C'est mauvais pour la santé, prétendais-tu. Ça fait tomber les dents.

Et comme elle insistait, en pleurnichant :

— Si tu nous embêtes, ma fille, on te laisse dans l'auberge !

— Non, non, supplia-t-elle. On me jettera dans le four. Ne me laissez pas. Je suis bien trop mignonne.

Elle a eu ses bonbons quand même, que l'aubergiste lui a offerts gracieusement. Nous sommes repartis.

Remontant le cours de l'Allier, nous avons vu des pêcheurs et je vous ai expliqué qu'il s'agissait d'une rivière à saumons, concurrente des rivières irlandaises.

Dans le Cantal, je vous ai convaincues que les barrages sur la Truyère et sur la Dordogne, destinés avant tout à produire de l'électricité, avaient doté ce département de véritables fjords aux parois abruptes, très comparables à ceux de la Norvège.

Le but de ces excursions n'était pas seulement

touristique. Parfois je te voyais rêveuse, songeant à je ne sais quoi, à je ne sais qui. Peut-être à la Cochinchine. Peut-être à ton marchand de diams. Le cœur de l'homme est creux et insondable. Plus encore celui de la femme. Alors j'appelais l'Auvergne à mon secours pour t'attacher à moi. « Vois en elle une province incomparable, aux ressources infinies. Me perdre, ce serait la perdre. Vois en moi son modeste ambassadeur. »

Je ne négligeais aucun lien. Pas même celui de la gastronomie. Malheureusement, notre dernier voyage de découverte s'acheva de façon lamentable. Passant à Chamalières, près de Clermont, où sont imprimés les billets de la Banque de France, avant de regagner notre domicile riomois, nous poussâmes la porte d'un restaurant de bonne mine. Nous en sortîmes avec cette constatation qu'il n'était pas nécessaire de traverser la Manche : nous venions de manger aussi mal qu'en Angleterre.

Riom-le-Beau participait à ma démarche, avec l'appui de monsieur Beaupré, le parrain d'Oursine Coupat, qui nous révéla la merveille la plus secrète de la ville. Cet éminent historien et collectionneur nous expliqua d'abord les liens qui avaient existé entre sa ville et Jeanne d'Arc. Ayant délivré Orléans, fait couronner à Reims le roi Charles VII malgré ses hésitations et ses mauvais conseillers, la bergère de Domrémy se pressait, répétant souvent : « Je ne durerai guère qu'un an. Il faut songer à me bien employer. »

Les Riomois lui avaient envoyé un secours de vingt-trois mille écus. Mais elle se heurtait à des villes qui tenaient plus à conserver leur statut d'indépendance qu'à soutenir la cause du roi. Au sud d'Orléans, après s'être emparée de Saint-Pierre-le-Moutier, Jeanne dut assiéger la Charité, une place bien défendue. De Moulins, où elle tenait son quartier général, elle appela les Riomois à une aide nouvelle. Nous pûmes déchiffrer sa lettre exposée à l'hôtel de ville de Riom :

« A mes chers et bons amis, les gens d'Eglise, bourgeois et habitants de la ville de Riom… Vous savez bien comment la ville de Saint-Pierre-le-Moutier a été prise d'assaut. A l'aide de Dieu, ay l'intention de faire vider les autres places qui sont contraires au Roy, mais pour ce grand dépense de poudres, traits et autres habillements de guerre a été faite devant la dite ville et que petitement les seigneurs qui sont en cette ville [Moulins] et moy sommes pourvus pour aller mettre le siège devant la Charité…. je vous prie… que veuillez incontinent envoyer et aider pour le dit siège, de poudres, salepêtre, soufre, traits, arbelestres fortes et d'autres habillements de guerre. Et en ce faites que la chose ne soit longue et que on ne vous puisse dire estre négligents ou refusants. Chers et bons amis Notre Seigneur soit garde de vous. Ecrit à Moulins le nev. me jour de novembre (1429) Jehanne. »

Ce texte était écrit d'une main ferme et savante : celle d'un secrétaire. La signature, au contraire, avec la longue ligne du *J*, les jambes confuses et emmêlées du double *n* (il y en avait bien cinq ou six), avait de toute évidence été tracée par une plume malhabile. Jeanne déclara plus tard à son procès qu'elle ne connaissait ni *a* ni *b* ; mais, comme beaucoup d'illettrés, elle avait appris à dessiner son nom.

Monsieur Beaupré ajouta d'autres détails :

— Au moment de sa découverte dans les archives riomoises en 1844, cette lettre comportait, au-dessous de la signature, afin de l'authentifier, un cachet de cire rouge dans lequel Jeanne avait enfoncé son doigt, laissant ainsi son empreinte. De plus, elle avait inséré un de ses cheveux dans la cire molle.

— Que sont-ils devenus ?

— Suivez-moi. Nous en reparlerons.

De l'hôtel de ville, nous sommes allés chez lui. Nous avons revu les automates, le condamné à mort, la guillotine, le geste d'adieu de monsieur Deibler. Tandis que ces mécanismes amusaient Jeannette, l'historien a ouvert un coffre-fort. Il en a tiré une petite boîte d'argent, de la dimension d'une tabatière, fermée par un couvercle de cristal. Il nous a conduits vers la fenêtre, en plein jour. Son visage rayonnait :

— Regardez.

Nous avons vu deux cachets de cire rouge entre lesquels était tendu un fil.

— Ce n'est pas un fil. C'est le cheveu de Jeanne d'Arc. Le cachet originel est tombé en poussière, ces deux-ci sont du XIXe siècle. Le cheveu a été prélevé par mon arrière-arrière-grand-père, qui était conseiller municipal vers 1860. Sans ce prélèvement, le cheveu se serait perdu, par vol ou par insouciance. Depuis, nous nous transmettons cette relique de père en fils, ne la montrant qu'à de rares privilégiés. Le seul cheveu de Jeanne qui n'ait pas été brûlé à Rouen. Un cheveu brun, vous pouvez le constater, et non pas blond, telle que la représentent des portraits apocryphes.

Comme j'ai dit, longtemps j'ai tenu l'histoire de

France pour une collection de récits inventés, au même titre que *Peau d'Ane* et *Le Petit Poucet*. Et je m'émerveille toujours lorsque j'ai la preuve concrète que Napoléon, Robespierre, Henri IV ont réellement vécu ainsi que nous les présentent les historiens. La vie, l'existence même de Jeanne d'Arc m'apparaissait comme un tissu d'invraisemblances. Comment cette jeune fille illettrée put-elle quitter ses moutons, rassembler une armée, porter un roi sur son trône, bouter les Anglais hors de France, être brûlée comme hérétique et relapse ? Or ce cheveu conservé pendant des siècles, dérobé ensuite par un magistrat municipal, cette lettre écrite à Moulins le neuvième jour de novembre 1429, cette signature maladroite établissaient bien l'authenticité de Jeanne, de ses victoires, de sa passion. De cette vérité convenait-il de déduire la vérité de ses voix, de saint Georges, de saint Michel, de ses actions miraculeuses ? Ce cheveu était-il une preuve de l'existence de Dieu ?

Monsieur Beaupré nous laissa le soin d'en débattre avec nous-mêmes.

Ainsi, pendant cinq ans, je vous ai promenées à travers l'Auvergne du levant au couchant, du septentrion au midi. Je t'ai rempli la tête, les oreilles, les yeux de ses merveilles, comblé l'estomac de ses régals, étourdie de ses mystères et de ses prodiges. Pendant cinq ans, j'ai espéré te rendre un peu auvergnate de cœur. Et voici que tu accroches à ma porte une lettre sous enveloppe adressée à *Monsieur Raoul Mercier, navigateur*.

Tu expliques que tu ne t'es pas laissé auvergnatiser le moins du monde. Pas davantage merceriser.

Que je n'ai pas été assez présent à tes côtés et que, par voie de conséquence, tu me quittes à jamais. Que tu t'envoles avec notre fille bien-aimée. Disposée à faire la pute si nécessaire. Que tu te moques de ce que je peux devenir sans vous. Que je n'ai qu'à me consoler avec les lingères de São Paulo.

A chacun de mes coups de fil, le commissariat de la rue Virlogeux répond : «Rien de nouveau.»

Pendant ce temps, la vie continue à Aydat. A Rouillas-Bas. A Rouillas-Haut. Les gardons se multiplient dans le lac. Le blé en herbe prend de la taille sur le plateau de Zanières. Les lilas fleurissent les jardins. Toute l'Auvergne se fout de mes problèmes. Je n'ai qu'à retourner chez les pingouins.

Ma mère Augusta va à la messe tous les dimanches et prie le bon Dieu pour que tu ne reviennes pas. «Faites, mon Dieu, que cette étrangère reste où elle est. Notre blé n'a pas besoin d'une folle avoine de son espèce. Mon garçon trouvera bien une autre fille. Sans bâtarde si possible.» Auguste en profite pour aller boire chopine à l'auberge de la Veyre. La vache Ramette, inséminée, a fait un veau de soixante livres. Tout se passe bien. Je n'ai qu'à prendre patience. Seule la chienne Félicia pose sa tête sur mes genoux, comme une offrande, et me considère avec amour.

La nuit, dans ma chambre de célibataire, je peine à m'endormir. Je pense trop à toi. A nos étreintes parfumées de lavande. A ta peau légèrement grenue comme celle de l'orange. A tes mains sur mon corps. A tes doigts sur ma bouche.

— Tu as, disais-tu, les lèvres aussi douces que le museau d'un âne.

J'aurais été vexé de la comparaison si, éclatant

266

de rire, tu ne m'avais expliqué que tu pensais à ton vieil ami Miladzeu, de la Grangeasse.

Le jour, je cours la campagne pour m'étourdir. Je pêche dans le lac et dans la Veyre. Au cimetière, je rends visite à mes ancêtres. A la ferme, je fends des pierres et je casse du bois. Je m'abêtis.

8

Maintenant que j'avais, malgré moi, repris mon
état de célibataire, ma mère Augusta, oubliant les
tendresses qu'elle avait manifestées à Jeannette,
soutenait ma cause et accablait l'épouse en fuite :

— Je ne te l'ai pas dit au commencement parce
que je voyais que c'était trop tard. A présent, je suis
contente que tu sois débarrassé de cette fille et de
ses orages.

Elle ne manquait pas de me rappeler le vieux
proverbe : « A moins d'une lieue prends ta femme
et tes bœufs. »

— Pourquoi aller en chercher une au bout du
monde ? Par ici, je t'en ferai connaître plus d'une
qui la vaut bien.

Disons la vérité, ma mère était atteinte de
racisme. Un racisme irraisonné, instinctif, contre
celle ou celui qui n'a pas la même couleur de peau,
de cheveux, de plumes, de poils. Si je parle de poils
et de plumes, c'est que je l'ai rencontré chez certains animaux, oiseaux, chiens, volailles. Ainsi
contre cette merlette qui fréquentait quelquefois
notre cour et dont le plumage, saupoudré de blanc,

horripilait les merles entièrement noirs : ils la persécutaient et l'obligèrent à fuir.

Déjà ma mère me voyait officiellement divorcé et commençait à me tympaniser les mérites de telle ou telle : d'une certaine Louise, institutrice débutante à Olby ; d'une Antoinette, de Récoleine, propriétaire de deux cents moutons ; de Jocelyne, pomicultrice à Montaigut-le-Blanc, aussi vaillante qu'un homme. Toutes bâties sur le même modèle : charnues, rougeaudes, fortes d'épaules et de hanches, accompagnées d'une bonne dot. Le contraire de ce que tu avais été : fragile, dépourvue, pétrie d'une matière précieuse et rarissime : ambre ou cire d'abeille. Aux yeux de ma mère, tu étais donc bien loin de l'épouse idéale, soumise, dévouée, bonne ménagère, économe sur la nourriture et les vêtements.

Je voulus compléter le portrait :

— Et le lit ?

— Quoi, le lit ?

— Quelle qualité doit-elle avoir au milieu du lit ?

Ses pommettes devinrent pourpres, car ses rougeurs avaient la particularité de se limiter à cette zone. Elle fit d'abord :

— Pfutt ! Pfutt !

Ce qui lui permit de trouver une décente réponse :

— Au milieu du lit, une bonne épouse doit faire preuve de patience.

— Seulement de patience ?

— Les bons maris font les bonnes épouses. Mais toi, tu as pourri la tienne.

— Pourri ? Au milieu du lit ?

— Quand je dis pourri, je veux dire gâté. A chacun de tes retours, tu lui achetais des robes, des corsages, des souliers.

— C'était pour qu'elle me pardonne mes absences.

— Vois comme elle a bien pardonné !

Afin de me distraire, Auguste m'emmenait avec lui dans ses tournées postales, qui étaient ses dernières, car il allait prendre sa retraite après trente-cinq ans de marches par monts et par vaux. Expression qui convenait parfaitement à sa paroisse, tout en creux et en bosses. Il calculait qu'il avait fait l'équivalent de trois fois le tour du monde à l'équateur ; usé huit paires de godillots ; bu trois cent soixante hectolitres de vin offerts par la clientèle ; mangé cent vingt-six mètres de saucisson et quatre cents kilos de fromage. Sans compter, naturellement, sa nourriture et sa boisson personnelles. C'était un homme de chiffres. Il l'avait bien montré lorsque nous pesâmes le corps de Battut avec la balance romaine.

Etonnés de ma présence aux côtés d'Auguste, les paysans nous accueillaient favorablement, et ils ne manquaient pas de compléter les nombres ci-dessus. Ils m'interrogeaient sur mes traversées. Les gamins s'étonnaient :

— T'es pas marin, t'as pas de pompon !

— Je suis dans la marine marchande, pas dans la marine militaire.

— Est-ce que tu pêches la morue ?

— Non. Je transporte seulement : du pétrole, du charbon, du vin, des bananes, et de grandes caisses appelées conteneurs. Je ne sais pas toujours ce qu'il y a dedans.

— Est-ce que tu as déjà fait naufrage ?

270

— Pas encore. Mais je ferai sûrement naufrage un jour.

Les filles me regardaient avec admiration : un marin auvergnat n'était pas chose ordinaire. Je comprenais bien que plus d'une aurait accepté de s'embarquer avec moi.

Notre vieux curé, l'abbé Septour, atteint par la limite d'âge, prit aussi sa retraite à la maison de Blanzat. Il annonça son départ le premier dimanche de juin et invita tous ses paroissiens à un vin d'honneur à l'auberge de la Veyre. La salle fut trop petite, toute la commune était venue lui exprimer sa sympathie, même ceux qui votaient communiste. Ce fut le cas de mon père. Il avait apprécié les qualités de marcheur et de dévouement chez cet ancien fantassin qui ne craignait pas d'apporter ses huiles aux malades qui les demandaient, hiver comme été, neige ou canicule. Ils s'étaient même rencontrés un matin sur la route de La Garandie obstruée par les congères, et s'étaient soutenus l'un l'autre. La faucille et le marteau avaient donné la main à la croix.

— Pétard de Dieu, reconnaissait Auguste, c'est un saint homme !

Septour se retira donc du monde et fut remplacé par un jeune quadragénaire qui prétendit tout chambarder dans la religion, comme l'y autorisait le concile Vatican II. Pour commencer, il exigea d'être, hors les offices et les sacrements, appelé par son prénom :

— Dites-moi Ernest. Et même, si vous voulez, Nénesse.

Ensuite, il jeta sa soutane aux orties, ce « symbole aussi ridicule de la profession que pourraient l'être la robe et le chapeau pointu des anciens médecins ». On ne le rencontrait jamais dans le village qu'en blue-jeans à la saison froide, en short et chemise écossaise l'été. Il circulait sur une moto japonaise qu'il appelait sa « bécane » et, en cas d'extrême-onction, trimballait le bon Dieu dans ses sacoches. Son langage était aussi très moderne. A son premier sermon, tous ses paroissiens aydatois seraient tombés sur le cul s'ils n'avaient été déjà assis :

— Nous sommes ici un certain nombre de copains et de copines réunis parce que nous nous trouvons bien ensemble à cause de quelques idées et de goûts que nous partageons. La messe n'est rien d'autre, mes chers invités, qu'un repas de famille. Et je trouve complètement débile qu'à ce repas, à cette table offerte à tous, les uns — une minorité — cassent la croûte tandis que d'autres — la majorité — les regardent sans prendre leur part. D'autant plus débile que, si la nourriture est gratuite, elle est plus précieuse que le caviar et le foie gras, puisqu'elle alimente vos âmes, et pas seulement vos tripes. Cette nourriture, vous le savez, ou vous devez le savoir, selon que vous avez dix ou soixante balais, cette nourriture est la chair du Christ. Avant de recevoir une pâture aussi délicate, n'est-il pas normal, chers copains, chères copines, que vous vous rinciez un peu la bouche ? C'est-à-dire que vous veniez un peu avant me confesser les péchés que vous avez commis afin que je vous en lave et que le Christ ne se trouve pas en compagnie d'un tas d'immondices ? C'est la moindre des politesses. Cependant, il se peut que cette cérémonie vous enquiquine ; que vous éprouviez de la gêne à mettre votre conscience à poil devant moi ; que vous craigniez d'être reconnus. Je partage moi-même ce sentiment lorsque je dois me confesser à un confrère, bien plus fort que le vôtre, parce que le confrère n'ignore pas qui il reçoit et qu'il reconnaît mézigue. En ce qui vous concerne, n'ayez aucune crainte. L'ombre est assez épaisse dans le confessionnal pour m'interdire d'identifier qui que ce soit. Venez donc dans mon placard, chers amis, afin de pouvoir ensuite vous asseoir proprement à la table de Jésus-Christ.

C'est quand même en tremblant que ma mère entra pour la première fois dans le confessionnal du nouveau curé.

— Comment dois-je vous appeler ?

— Ici, vous pouvez dire mon père. Mais qu'avez-vous là autour du poignet ?

— Un chapelet, mon père.

— Enlevez-moi cette pendouille, je vous prie. Et maintenant, passons aux choses sérieuses...

A mon père communiste, rien ne paraissait plus ridicule dans la religion que cette manière facile de se laver la conscience :

— On vole, on assassine, on se confesse, et hop ! On est pardonné !

— Il n'y a pas que ces gros péchés, dit Augusta. Il y a aussi les petits. Tu aurais bien besoin de t'en débarbouiller.

— Moi, m'en débarbouiller ? Je suis un Auvergnat pur et dur.

— Pur et dur ! Laisse-moi rire.

— Parfaitement. Pur de dettes et dur de la feuille.

Il est vrai qu'en vieillissant il devenait un peu sourd.

273

Ils vieillissaient tous les deux, parallèlement. A soixante-cinq ans — car elle en avait cinq de plus que lui — ma mère semblait une vieillarde. Usée par son ménage, par les lessives qu'elle faisait en été pour les hôtels d'Aydat et de Sauteyras, par le jardin qu'elle bêchait comme un homme, par le soin des porcs et de la basse-cour, par le beurre et le fromage. Auguste, lui, consacrait la moitié de son temps au travail de la poste ; le reste à garder les vaches, à les panser, à les traire, à faire du bois dans la forêt communale. La chasse était son réconfort, même s'il n'y tuait le plus souvent que le temps. De loin en loin, une battue organisée lui rapportait un demi-cuissot de sanglier.

Lorsqu'il fut promu retraité des PTT, il eut de la peine à changer le rythme de son existence. Ses jambes avaient besoin de leurs quinze kilomètres quotidiens. Il marchait inutilement, sous prétexte de chercher des champignons, de cueillir les noisettes, les fraises des bois, les framboises, les mûres, dont sa femme faisait des confitures et des liqueurs.

Auguste et Augusta n'avaient jamais beaucoup parlé ensemble. Chacun avait ses occupations et ses pensées. Lui rêvait d'un monde égalitaire — qu'il appelait communiste sans avoir lu une seule ligne de Karl Marx — où tous les hommes jouiraient du même bien-être, des mêmes droits, sans riches ni pauvres. Elle économisait les mots comme elle économisait les sous, le fil, l'électricité. Maintenant qu'elle me voyait près d'elle, Augusta éprouvait le besoin de se raconter. Le matin, quand elle nouait son chignon au-dessus de sa tête, elle l'épinglait en me confiant :

— Tu le vois, celui-là ! Il en aurait des choses à dire ! Il est plein de souvenirs !

Et moi de l'encourager :

— Dis-les à sa place.

Elle évoquait son enfance à Aurières, aînée d'une famille de cinq enfants. Une tante, religieuse à Saint-Flour, l'avait persuadée que le bonheur sur terre consiste à s'enfermer dans un couvent. Au service de Dieu. Loin des soucis familiaux, des responsabilités sociales ou professionnelles, à l'abri de la faim, du chaud, du froid. Elle rêvait de devenir de même une bonne sœur. Et puis, sa mère était décédée en mettant au monde un sixième morveux. Plus question du service de Dieu. Elle dut se mettre au service de ses cinq frères et sœurs et de leur père. Et des vaches. Et des cochons. Elle se maria tardivement quand sa présence ne fut plus indispensable dans la ferme.

— Auguste était un païen qui ne savait pas même faire correctement un signe de croix. J'ai eu toutes les peines du monde à obtenir un mariage religieux parce que, qu'il disait, il ne voulait pas obéir aux ordres d'un homme habillé en femme. Ni avaler Gaspard.

— Quel Gaspard ?

— C'est comme ça qu'il appelle la sainte hostie.

— Est-ce que tu as eu d'autres amoureux que lui ?

— Plusieurs. Des enfants comme moi. Un m'avait séduite parce qu'il portait un prénom rare : Sylvain. Personne d'autre à Aurières ne s'appelait comme lui. Le soir, en me couchant, je murmurais : « Bonne nuit, Sylvain ! » J'essayais de rêver de lui, mais les rêves ne se commandent pas. A l'école, il était timide et rougissait jusqu'aux cheveux chaque fois qu'il me regardait. En hiver, à la veillée, il venait chez nous avec son père pour jouer aux cartes. Je le battais toujours parce qu'il était trop occupé à regarder mon nez. Nous nous embrassions seulement une fois par an, le matin du premier janvier. Nous échangions trois bises auvergnates : au nom du Père, du Fils, du Saint-Esprit. Et j'en gardais le souvenir trois cent soixante-cinq jours. Trois cent soixante-six les années bissextiles.

— Est-ce que tu l'aimais vraiment ?

— Bien sûr, puisque je lui parlais chaque soir.

— Pourquoi ne vous êtes-vous pas mariés ?

— D'abord, je devais élever mes frères et sœurs. En 1940, il est mort à Dunkerque, sur le torpilleur *Sirocco*. Quand Auguste m'a demandée en 1944, j'étais à trente-quatre ans une vieille fille. Je l'ai accepté tout de suite malgré notre différence d'âge. La vie est compliquée.

Avec moi, Augusta avait deux bonnes oreilles pour l'écouter. Tout se passait comme si, durant ses trente ans de ménage, elle avait été privée de parole et qu'elle voulût se rattraper.

Tant qu'elle vécut à Aurières, le grand événement annuel était le pèlerinage à Orcival, le jour de l'Ascension, pour honorer Notre-Dame-de-la-Délivrance. Filles et garçons s'y rendaient à pied. Certains pèlerins montaient même de Clermont et ne craignaient pas de se mettre trente bornes dans les souliers, autant pour revenir. En cours de route, afin de se reposer les jambes, ils dansaient une bourrée chantée sur une terre en friche, et les curés qui les encadraient n'étaient pas les derniers à lever les genoux :

276

Mountavo lo marmito,
Lo podiò pa mountà.
Lo marmito, lo mormito,
Lo mormito do curà[1].

(Il fallait que cette marmite fût bien lourde ; mais c'est ainsi que les pauvres chrétiens d'alors se représentaient les marmites des curés.)

A Orcival, une foule énorme se pressait autour de la basilique nette et droite comme un dé à coudre. Certains pèlerins avaient passé la nuit à l'intérieur, en prières. Des chaînes et des boulets accrochés aux murs témoignaient la reconnaissance d'anciens prisonniers, esclaves, captifs, délivrés par Notre-Dame. Quand sa statue sortait de l'église, la foule s'agenouillait sur la terre nue. Toute raide dans son trône, son enfant sur les genoux — mais il ressemblait plutôt à un jeune homme qu'à un marmot —, la Vierge blanche traversait le village, puis entreprenait l'ascension du chemin de croix. A chaque station, la foule marmottait un *Je vous salue*.

Mêlés à ces paysans et paysannes, marchaient de nombreux Romanichels. Mal vêtus, mal rasés, mal peignés, ils manifestaient d'ardents sentiments chrétiens, se signaient, s'agenouillaient, touchaient la châsse de la Vierge, puis se baisaient la main. Leurs femmes aux jupes bariolées élevaient des bébés demi-nus. Une bénédiction spéciale leur était réservée. Les prêtres baptisaient à tour de bras.

— Ma mère me racontait, disait Augusta, quand

1. « Je montais la marmite, Je ne pouvais pas la monter... La marmite du curé. »

j'étais petite, qu'une princesse dormait sous les dalles de l'église d'Orcival. Connue de son vivant pour sa grande charité. Pourtant, elle était mariée à un prince avare qui lui reprochait ses générosités. Il finit même par les lui interdire complètement. Elle alla en cachette dans leur jardin, arracha des carottes, cueillit des petits pois qu'elle entendait distribuer aux pauvres d'Orcival. Tout à coup, son mari revient de la chasse. Il la voit avec ce tablier tout gonflé. « Madame, commande-t-il, lâchez-en les coins, pour que je voie ce que vous voulez donner malgré mon interdiction ! » Elle adresse une prière à Notre-Dame, puis elle lâche les coins de son tablier. Il en tombe une brassée de roses.

Comment ne pas adorer une Vierge qui produisait de si jolis miracles ?

Après ses pèlerinages à Orcival, le souvenir préféré qu'Augusta tirait de son chignon était le repas de ses noces. Elle me l'a répété plus de vingt fois. Il faut dire que, de toute sa vie d'adulte, elle n'avait jamais pris un repas auquel elle n'eût elle-même mis la main. Celui-là avait été le seul préparé par d'autres, parentes, voisines, cuisinières.

Elle avait goûté ce jour-là le bonheur que connaissaient quotidiennement les femmes fortunées : celui d'être servie. Il faut dire aussi que la longueur du menu dépassait l'imaginable :

— Le repas s'est fait à Aurières, dans notre grange. On avait tapissé les murs avec des draps de lit, des branches, des fleurs, des guirlandes. Deux longues tables, sur des tréteaux, cent vingt invités. Pas de nappe, à cause des taches de vin, mais des planches toutes nues, bien rabotées, bien propres. On a commencé par une soupe au vermicelle. Y avait tant d'yeux dans le bouillon qu'on n'en voyait qu'un seul. Ensuite, un plat de caractère : jambon sec, saucisson, pâté, cornichons. Après, des radis au sel. Chacun pelait son radis et le plongeait dans un petit tas de sel fin. Ensuite, second plat de caractère : bœuf en pot-au-feu, carottes, pommes de terre et raves. Après, gigot de mouton piqué à l'ail. Après, morue à la poêle avec des oignons. Les gens avaient beaucoup de travail pour enlever les arêtes et ne pas s'étrangler. Entremets : riz au lait parfumé à l'orange. Pour finir, salade à l'huile de noix. Quatre sortes de fromages. Au dessert, pompe aux pommes à volonté et œufs en neige. Tu peux m'en croire : personne ne s'est levé avec la faim.

Auguste concluait pour rire :

— On s'est bien rempli la panse. Après le dîner, ç'a été la danse.

Une voisine vint nous proposer quelque chose qu'elle portait dans son tablier comme la princesse d'Orcival. Non point des roses, mais un chiot de deux semaines. Une adorable bestiole toute frisée, capable de se nourrir au biberon.

— Notre chienne en a fait quatre, expliqua-t-elle. Nous en avons noyé deux dans la Veyre. Nous en gardons un. Voulez-vous celui-là ? Sinon, il ira rejoindre ses frères.

— Nous n'en avons pas besoin, dit Augusta. Nous avons Félicia.

Je l'acceptai pour moi. Il remplacerait un peu la fille que j'avais perdue. Je l'emporterais sur mon bateau. Marché conclu.

Je le pris dans mes paumes, petite boule chaude

et soyeuse. Il gémissait de bonheur. J'appris à lui donner le biberon. Il tétait goulûment et s'en mettait jusqu'aux oreilles.

— Comment allons-nous l'appeler ?

— C'est à toi de choisir, puisque tu l'as voulu.

Je demandai à mon père d'être son parrain. Pourquoi pas ? Cette parodie de sacrement amusait son athéisme léniniste. Profitant d'une absence de sa femme, qui aurait poussé les hauts cris, il versa une goutte de vin entre les oreilles de la bestiole en prononçant :

— Je te baptise Gustou. Amen.

Dès lors, pour bien lui faire entrer ce nom dans la tête, je l'appelais doucement à longueur de journée, Gustou par-ci, Gustou par-là.

Auguste secouait la tête, comprenant bien ce qui me manquait. Contrairement à sa femme, il regrettait ta disparition et celle de Plampougnette. En vrai grand-père qu'il se sentait, il aimait la prendre sur ses genoux, à califourchon, pour jouer à la main chaude. Lorsqu'ils se trouvaient ainsi face à face, la petite avait coutume d'imiter son tic. Car, de loin en loin, son nez et son menton à lui faisaient une certaine gymnastique, comme s'ils cherchaient à se rapprocher. Et c'était une chose à mourir de rire que de voir Jeannette reproduisant comme elle pouvait ce rapprochement.

— Je n'ai personne à présent pour singer mon tic, se plaignait Auguste. Où est passée ma Plampougnette ?

Et, malgré lui, sa crispation du menton et du nez se répétait plusieurs fois de suite, sans faire rire personne.

Il ne tarissait pas d'éloges sur vous deux, en dépit de ma mère. Il te trouvait des excuses, chose

280

d'autant plus facile pour lui qu'il avait contrarié mon goût pour la marine. «C'est la faute du lac!» se disait-il. Et, quand il lui arrivait de passer sur ses rives, il crachait dedans. J'avais beau répondre que, si je n'avais pas navigué, je ne vous aurais connues ni l'une ni l'autre, il haussait les épaules, plus têtu qu'un âne rouge :

— Quand on se marie, c'est d'abord pour s'occuper de sa femme et de ses enfants.

Il me reprochait aussi de ne pas faire tous mes sept possibles pour vous retrouver. De compter trop sur la police, qui s'en fichait comme de l'an quarante. D'attendre tranquillement votre retour comme celui des hirondelles :

— Tu devrais courir de droite et de gauche. Téléphoner. Ecrire. Envoyer des télégrammes. Te remuer les fesses. Je suis certain qu'elles ont trouvé refuge chez des personnes de connaissance.

C'est ainsi que me vint à l'esprit madame Claire Vinay. Ta première belle-mère et la grand-mère véritable de Jeannette. La dame aux chats. La combattante du Vercors pour la cause des blessés. Si d'abord je l'avais écartée de mes pensées, c'est que j'avais estimé que plusieurs choses à présent vous séparaient : la mort sanglante de son fils, ton témoignage aux assises d'Aix, vos coquineries dévoilées. Après avoir vérifié qu'elle ne figurait pas sur l'annuaire des téléphones, j'écrivis à cette dame une lettre circonstanciée. Adresse : *Madame Claire Vinay, Saint-Martin-d'Hères, près Grenoble* (Isère). Et j'attendis le résultat en me rongeant les poings. Chaque matin, avant la tournée du préposé, je me rendais au proche bureau de poste :

— Rien pour moi ?

La postière secouait la tête d'un air désolé.

Deux semaines s'écoulèrent sans m'apporter de réponse. Cette dame était peut-être morte ? Auguste, l'ancien facteur, secouait la tête :

— Si c'était le cas, ta lettre serait revenue avec la mention *Destinataire décédé*. Ce silence prouve qu'elle est vivante. Mais elle refuse de t'écrire. Attends encore deux ou trois jours. Ensuite, prends ta voiture et va te rendre compte sur place. Si tu retrouves ta Béatrice, ramène-la par la peau du cou. Et n'oublie pas Plampougnette.

— Tu lui donnes de drôles de conseils ! se récria ma mère. Est-ce qu'un homme a besoin de courir derrière sa femme ? C'est à elle de revenir, voilà tout, si elle veut qu'on lui pardonne. Abandon du domicile conjugal : y a pas meilleur motif de divorce. Nos blés n'ont pas besoin de cette folle avoine.

Je me trouvais donc, comme l'âne de Buridan, en face de deux options : celle du communiste et celle de la catholique. C'est la première que je choisis. Un matin, je sautai dans ma 4L et je pris la route de l'Isère.

Afin de ne pas arriver les mains vides, j'emportai des munitions. Un flacon de parfum *Princess*. Une poupée *Brigitte*. Une grande boîte de pâtes de fruits, dont je vous savais gourmandes toutes deux. Un lot de cartes postales représentant quelques beautés de l'Auvergne que nous avions ensemble admirées : la roche Tuilière et la roche Sanadoire, la banne [1] d'Ordanche (que Jeannette appelait la banane d'Ordanche), le lac Pavin, le Pariou et son cratère. Et, surtout, j'emportais dans son panier le petit chien Gustou sur l'intercession de qui je plaçais de grandes espérances.

---

1. Corne.

Il se comporta bien durant la première partie du voyage. C'est-à-dire qu'il dormit tout le temps. A Chabreloche, il se réveilla, se prit à gémir, à s'agiter. Comme je le savais déjà propre, je pensai qu'il avait besoin de faire pipi. Je le déposai sur l'herbe, et, pour l'y encourager, je me mis à émettre un sifflement modulé, comme j'avais entendu faire Auguste quand il voulait faire pisser les vaches devant la maison du garde champêtre. Celui-ci était, depuis trente ans, son ennemi mortel à cause d'une ancienne rivalité amoureuse, et mon père s'amusait toujours à faire pisser ses vaches devant sa porte. Plus heureux encore lorsqu'il réussissait à leur faire lâcher des bouses. Gustou obéit à mon sifflotement et nous repartîmes soulagés.

Nous franchîmes les Bois Noirs par une route difficile; mais elle s'améliora à partir de Boën. Nous dûmes affronter les monts du Lyonnais tout en descentes et en montées. Atteindre Tassin-la-Demi-Lune. Alors vint la traversée, interminable et tumultueuse, de l'ancienne capitale des Gaules. Comme nous traversions la place des Terreaux, Gustou se remit à gémir, et même à aboyer, tout en haletant, la langue pendante. Il ne pouvait être question de pipi; j'eus la pensée qu'il réclamait son biberon. Moi-même, je me sentais un creux dans l'estomac. Après avoir longtemps tournicoté, je finis par trouver une place de parking. Et un banc public sur lequel je disposai notre nécessaire. Là, sous les yeux de nombreux Lyonnais moqueurs ou intéressés, je donnai à Gustou la tétée qu'il réclamait.

— C'est votre dernier-né? me demandait-on avec l'accent de Guignol.

— Il gigue beaucoup, ce petiot!

— C'est bien vrai qu'il ressemble à son papa.

— N'oubliez pas de lui laisser faire son rot.

J'en profitai pour demander la route de Grenoble.

— Vous traversez le Rhône sur le pont de la Guillotière. Vous le suivez ensuite un peu, en descendant. Vous tournez à gauche, et c'est tout droit. Vous pouvez pas vous tromper.

Je pris un sandwich dans ma musette. Nous remontâmes dans la 4L. Nous nous trompâmes quatorze fois, grâce à l'obligeance des piétons à qui je demandais mon chemin. Nous réussîmes enfin à échapper à cette ville de farceurs.

Passant par Bourgoin, nous atteignîmes Grenoble à la tombée de la nuit. Morts de fatigue. Nous trouvâmes un hôtel qui voulut bien nous accepter tous deux. Il s'appelait *Hôtel de l'Univers et du Portugal réunis*. Nous fûmes logés dans le côté portugais. Lorsque, dans notre chambre, j'éteignis la lumière, Gustou se mit à geindre de nouveau. Il avait peur du noir. Je dus le mettre sur mon lit. Nous passâmes, main dans la main, une nuit assez tranquille.

Saint-Martin-d'Hères n'était plus qu'à deux pas. Nous y fûmes le lendemain à l'heure où les facteurs ont coutume de garnir les boîtes aux lettres. J'en abordai un. Il m'indiqua le pavillon de madame Claire Vinay, à la sortie méridionale du bourg.

— La maison est entourée d'une grille verte, avec des lances. Au milieu du jardin, il y a une sorte de grand sapin qui est un séquoia.

Nous étions un jeudi matin, jour sans école. J'arrêtai ma voiture à quelque distance, la confiant à la garde de Gustou. Je m'avançai donc seul, le cœur plein, les mains vides. Quand je reconnus la grille verte et le séquoia, je compris tout de suite, aux fenêtres ouvertes, à la fumée légère qui montait de la cheminée, que madame Vinay était bien vivante ; que si elle n'avait pas répondu à ma lettre, c'est qu'elle en avait reçu la consigne ; que cette consigne ne pouvait provenir que de la Béatrice que le destin avait mise sur ma route pour me rendre heureux ; que par conséquent tu t'étais réfugiée dans cette maison avec notre fille chérie.

Je ne me précipitai point sur la sonnette, mais attendis une confirmation. Un long moment, je fis les cent pas, passant et repassant devant les lances vertes. Tantôt sur un trottoir, tantôt sur celui d'en face.

Tout à coup, j'entendis un rire. Rien ne m'émeut, rien ne me touche au cœur comme un rire d'enfant. Que dire alors de celui-ci, que je reconnus tout de suite ? Mais je me retins encore de sonner. Un moment après, Jeannette parut sur le palier, tandis qu'une autre voix, la tienne, criait de l'intérieur :

— Va jouer dans le jardin.

Ce dernier était parsemé de nains de plâtre, de ces gnomes barbus inspirés de *Blanche Neige*. Elle se dirigea vers l'un d'eux. Comme elle avait grandi pendant ces neuf mois et demi de notre séparation ! Mais elle était toujours l'adorable Plampougnette dont mon père était amoureux. Le moment était venu. Enlevant ma casquette de navigateur, je passai autant que je pus la tête entre deux lances, j'appelai doucement :

— Plampougnette !

Elle sursauta, lâcha le nain qu'elle tenait, regarda vers la rue. Je répétai :

— Plampougnette !

Elle courut vers moi, les bras ouverts, criant :

— Rahou ! Rahou !

Pour qu'il n'y eût pas d'équivoque entre nous, j'avais dès le premier jour de notre cohabitation exigé qu'elle m'appelât par mon prénom puisque je n'étais qu'un père de remplacement. Le mur et la grille nous séparaient. Je saisis ses deux mains entre les barreaux, je les couvris de larmes, de baisers, de gémissements :

— Mon petit cœur... Ma Jeannette... Mon trésor...

Elle répondait de même en mouillant mes mains :

— Rahou ! Rahou ! Rahou !... Entre.

— Je ne peux pas. La porte est fermée à clef.

Elle essaya vainement d'ouvrir, la secouant. Au bruit, tu parus.

Tu parus !

Tu parus !

Immobile sur le palier, tu regardais notre dialogue. Notre enfant se tourna vers toi :

— C'est Rahou ! Faut lui ouvrir !

Pas un trait de ton visage n'avait bougé. Je pensai : «Elle va me chasser, sans m'ouvrir, comme si je venais lui proposer un aspirateur. »

Tu nous regardais. Tes cheveux luisaient, encore plus noirs que dans mon souvenir. Tu tenais à la main une cuillère de bois, car tu devais touiller une sauce, et je vis que son extrémité tremblait un peu. Cette cuillère me rendit quelque espérance. La petite secouait toujours la porte, furieusement. Tu nous abandonnas pour aller déposer ta cuillère. Tu revins avec la clef. Tu descendis les trois marches. Mon cœur battait cent vingt coups par minute. Mes yeux te dévoraient. Je vis ton front bombé marqué par un petit trou de scarlatine, ta bouche adorable, ton menton et ce petit grain de beauté qui décore le milieu de ta joue gauche, que j'appelais ton *spoutnik* et sur lequel j'aimais user mes lèvres. Sans m'ouvrir encore, tu posas seulement deux questions :

— Comment ?… Pourquoi ?

— Je suis le facteur. J'apporte des cadeaux.

— Oui ! Oui ! des cadeaux ! applaudit Jeannette.

— Attendez-moi. Je vais les chercher. Je reviens tout de suite.

Je courus vers la 4L. Gustou, qui gémissait de toute son âme, avait cru bon de quitter sa corbeille et de pisser partout. Je dus remettre les choses en ordre, essuyer mon siège. Enfin, je pus m'asseoir, avancer la voiture jusqu'au pavillon. Laissant le chiot dans son panier, je me représentai à la grille, les bras chargés.

Entre-temps, tu avais tourné la clef dans la serrure. Madame Claire Vinay, sur le seuil de sa porte, bien droite dans le pantalon qui dissimulait sa jambe de bois, appuyée sur sa canne, observait la scène. Je lui fis un grand salut de la tête et du buste, autant que le permettait mon embarras.

— C'est Rahou ! me présenta la môminette. Il apporte des cadeaux.

Tu m'ouvris, je fis deux pas à l'intérieur du jardin. Tu restais à distance et ne m'encourageais pas davantage. Tu retenais même ta fille. Mais elle t'échappa, je me baissai, elle bondit à mon cou, je tombai à la renverse au milieu de mes pâtes de fruits, de mes cartes postales, de la poupée *Brigitte*, du parfum *Princess*.

A la vérité, j'y mis quelque complaisance, persuadé que cette culbute pouvait détendre l'atmosphère. Et c'est ce qui se produisit en effet. Comme je travaillais à me relever, je pus constater que les trois femmes riaient comme des canes. Le rire désarme. Je me rappelai l'histoire de cet horrible baron protestant des Adrets qui, à Montbrison, obligeait ses prisonniers catholiques à sauter du sommet d'une tour. En bas les attendaient ses soldats armés de piques sur lesquelles les malheureux s'empalaient. Or un des prisonniers semblait hésiter.

— Eh quoi ! s'écria le baron. N'as-tu pas vu tes amis faire le saut sans hésitation ? Tandis que toi, tu t'y prends à deux fois ?

— Je te donne ma place en dix fois ! répliqua l'homme.

Des Adrets éclata de rire. Et pour ce rire, il épargna son ennemi.

Madame Vinay eut une réaction comparable.

— Entrez donc, monsieur, entrez donc ! s'écria-t-elle.

— Pas tout de suite. J'ai un autre cadeau.

Abandonnant mes paquets par terre, je courus à la voiture. Quand je revins, portant Gustou roulé en boule contre mon cœur, ce furent des exclamations d'enthousiasme :

— Qu'il est joli !... Quel bijou !... Est-ce un garçon ou une fille ?... Comment s'appelle-t-il ?

Je le déposai sur le sable de l'allée, il trottina de l'une à l'autre. Chacune voulut le prendre dans ses mains, qu'il léchait et mordillait au hasard. Mais c'est à Jeannette qu'il fut abandonné. Elle le couvrit de baisers et de caresses. Et tout de suite, ainsi que je l'avais espéré, ils furent comme un petit frère et une grande sœur. Sous nos yeux attendris.

— Entrez, entrez ! appelait la marraine.

Tu n'avais pas encore consenti à me toucher le

bout d'un doigt. Nous fûmes tous quatre dans le salon. Meubles marocains, minutieusement ciselés. Poufs. Cuivres. Gargoulettes. Posé par terre, Gustou se mit aussitôt à ravager un tapis de Kairouan. Plampougnette dut le reprendre dans ses bras.

— Mon mari, expliquait la dame, a servi en Afrique du Nord dans la gendarmerie.

Portrait au mur de l'intéressé. Les paquets furent enfin déficelés sur la table. Et chacun produisit beaucoup d'effet. Je présentai à Madame Vinay le lac d'Aydat, le puy de Dôme et ses confrères. Je demandai :

— Savez-vous pourquoi on les appelle des puys ? C'est parce que l'on peut s'appuyer à leurs versants comme aux dossiers des fauteuils. Vos Alpes ont quelque chose d'effrayant avec leurs sommets pointus, leurs vallées profondes, leurs avalanches. Nos montagnes au contraire sont tout en rondeurs. Elles encouragent la familiarité. Les vaches grimpent jusqu'à leurs sommets.

— Oh ! s'écria Plampougnette. Je reconnais la banane d'Ordanche.

Avec ces cartes, je jouais, une partie de poker : je les étalais sous tes yeux pour te donner des regrets. En me quittant, regarde ce que vous avez perdu ! Mais la petite écoutait peu mes commentaires, tout absorbée par les jeux de Gustou.

Alors, madame Vinay prononça des paroles importantes : elle estimait que nous devions rester seuls, toi et moi ; que nous avions des choses à nous dire. Elle emmena ta fille et le chiot dans la pièce voisine. Nous restâmes en tête à tête. Sous la surveillance du capitaine de gendarmerie. Tu dis, pour amorcer la conversation, le désignant :

— Je crois qu'il a été fusillé par le maquis du Vercors après la Libération.

C'était un portrait sans couleurs, qui escamotait les nombreuses décorations de sa poitrine. Sur la cheminée un autre portrait, celui d'un jeune homme. Je devinai qu'il s'agissait du fils, le vendeur de diams, le père naturel de ta fille.

— Qu'est-ce qui sent bon comme ça ?

— Ma marraine a l'habitude de brûler de temps en temps du papier d'Arménie.

Il fallut bien entrer dans le vif du sujet :

— Pourquoi es-tu partie de chez nous ?

— Je te l'ai expliqué dans mon billet. Parce que j'en avais assez de vivre comme une nonne. Sans la sainteté. De me trouver seule avec Jeannette huit ou neuf mois par an. C'est tout simple.

— Et tu penses trouver mieux, avec un autre homme ?

— Sans doute.

— As-tu déjà fait… des connaissances ?

— Pas encore. Mais ça ne saurait tarder.

— C'est donc que tu ne m'aimes plus ?

Grand silence. Silence interminable.

— Si c'est le cas, j'aimerais t'entendre dire : je ne t'aime plus.

Nouveau silence.

— Un petit effort. C'est facile. Dis après moi : je ne t'aime plus.

— …

— Il est difficile de régler nos comptes si tu refuses de parler.

— …

— Après tout, peut-être ne m'as-tu jamais aimé ?

— Pourquoi, dans ces conditions, t'aurais-je

290

épousé ? Pour ton bel uniforme ? Pour ton salaire ? Pour ta ferme auvergnate ?

— Peut-être un peu pour tout ça.

Tu hausses les épaules. Tu réponds : « Ne sois pas ridicule. » Je dois en conclure que tu m'as, comme on dit, un peu aimé pour moi-même. Pour mon mètre quatre-vingt-cinq. Pour ma moustache. Pour ma façon de te chanter *Le Cantique des cantiques*. Je poursuis mon enquête :

— A part les absences, est-ce qu'en moi autre chose t'a déçue ?

— Oui. Tu m'as interdit de travailler.

— As-tu besoin d'argent ? Faut-il que je t'en donne davantage ?

— Tu dérailles. Lorsque tu rentres de tes navigations, tu me veux à ton seul service. Comme une odalisque. Pendant trois mois, tu m'occupes beaucoup. Mais ensuite tu repars. Et pendant neuf mois, je crève d'ennui. En fait, tu as deux épouses : moi, qui compte peu. Et la mer, qui compte beaucoup. Tu es bigame. Seulement, la bigamie ne fait pas partie de ma religion. La cour d'assises, les musées, les bibliothèques, j'en ai ma claque. Seul le travail peut me consoler un peu. Un travail utile, qui me donne la patience de t'attendre.

— Quelle sorte de travail ?

— Dans le secrétariat, je tape à la machine. Mais n'importe quoi. Je ferais même des ménages.

Je restai abasourdi. Je te voyais mal frottant les parquets, même si maman Rôt avait passé sa vie dans l'accroupissement. Même si, au *Kapok*, on t'avait imposé ce genre de besogne.

— Nous chercherons, dis-je, quelque chose de plus digne.

— N'importe quel travail utile est digne.

— C'est ce qu'on nous a enseigné dans les écoles.

— Ce qui est indigne, c'est d'être une femme entretenue. J'aurais pu me satisfaire de cette condition. Prendre un jules au besoin pendant tes absences pour me consoler. Mais parce que j'ai pour toi de l'estime…

— De l'estime ?

— … de l'affection, du sentiment, j'ai préféré un honnête divorce.

— Si je comprends bien : un divorce d'amour ?

— On peut l'appeler comme ça.

Je m'efforçai de rire, malgré l'amertume que je me sentais dans la bouche, comme si j'avais mâché de l'absinthe.

— Que c'est joli, un divorce d'amour !

Nous étions assis, face à face, très embarrassés. Dans la pièce voisine, j'entendais Gustou et Jeannette aboyer et rire. Tu convins que le coup du chiot était très habile ; que si je décidais de l'arracher à Jeannette et de l'emporter, cela provoquerait un drame. Mais tu n'étais pas décidée à reprendre la vie commune. Alors, je fis une chose que de ma vie je n'avais faite : de mon mètre quatre-vingt-cinq — je te dépassais d'une bonne tête — je tombai à genoux devant toi. Je pris tes jambes dans mes bras. Je baisai tes pieds ainsi qu'autrefois les pèlerins allaient baiser la pantoufle du pape. Je m'humiliai comme il n'est pas permis. Toi, tu restais assise sur ton trône. Impériale. Je sentis que tu te plaisais dans ce rôle, après avoir subi tant de persécutions. Longtemps, je t'en laissai jouir. Pas moins de six minutes, comme je pus le contrôler sur ma montre-bracelet.

Peu à peu, cependant, je sentais ma contrition

devenir nausée. Tout à coup, je me dis : « Je compte jusqu'à cinq. Si, à cinq, elle n'a pas renoncé à son divorce d'orgueil, je me relève, je lui flanque une paire de beignes, je reprends Gustou et je retourne à Aydat. »

A quatre, je sentis tes mains qui caressaient mes cheveux.

Je me redressai, je me frottai les genoux. Nous tombâmes dans les bras l'un de l'autre.

Madame Vinay ne se montra pas mécontente de notre réconciliation. Elle me garda une journée, le temps de me présenter sa maison et ses chats, de me montrer Saint-Martin-d'Hères, le Bon Pasteur dans son enceinte qui lui donnait un faux air de camp de concentration. Le samedi, nous nous fîmes des adieux émus. Elle te dit en souriant :

— Si par hasard tu as envie de faire une nouvelle escapade, je serai toujours prête à te recevoir.

J'embarquai toute ma famille dans la 4L. Et nous fîmes voile vers l'Auvergne.

Ma mère ne se montra pas fort enthousiaste de te revoir. Du moins se retint-elle d'ouvrir la bouche, s'enfermant dans un silence hostile. Auguste, lui, accueillit à plein cœur ton retour et celui de sa Plampougnette. Il la promena dans toute la maison, annonçant aux vaches, aux chèvres, au cochon la bonne nouvelle :

— Plampougnette est revenue !

De nouveau, il la tint sur ses genoux, et ils échangeaient, bien qu'elle eût grandi, tic et contre-tic.

Tout bien pesé, ce furent des retrouvailles attendrissantes, auxquelles Gustou participa dans la mesure de ses moyens d'expression. Félicia ne se montrait pas jalouse de ce peloton de laine. Aucun reproche, aucune parole amère ne fut prononcée. La nourriture fit le reste. La bonne grosse nourriture montdorienne à base d'omelettes, de lard froid, de saucisses aux choux dites « saucisses de cousin », de salade aux herbes sauvages. Pour la composer, Auguste nous armait de vieilles lames, de couteaux ébréchés, et nous allions tous les quatre dans les friches, au revers des talus, à la poursuite des doucettes et des pissenlits. La petite ne les cueillait point, car il y fallait un certain coup de poignet, mais elle nous les désignait du doigt :

— Ici ! Ici ! Oh le beau !… Oh les belles !

Nous découvrions les plus remarquables pissenlits dans les taupinières ; mais il fallait les trancher en profondeur, les disputer aux taupes. Quand on les exhumait, tout blancs, si visiblement tendres mais craquants, on secouait la terre et l'on se retenait pour ne pas les manger tout de suite, sans vinaigrette. Augusta les épluchait, les lavait minutieusement, les disposait dans un saladier ; puis elle versait dessus une pluie brûlante de lard fondu. Il fallait touiller ensemble le chaud et le froid. Et ma mère osait te dire, moqueuse :

— En Chine, vous ne connaissez pas des salades comme ça !

— C'est vrai. Nous connaissons d'autres choses. Notez que je ne suis pas chinoise, mais demi-vietnamienne, demi-française.

— Bougre ! corrigeait Auguste. Mariée à un Français, vous l'êtes devenue complètement.

Tu secouais la tête, tu souriais sans insister. Tu te sentais pareille et différente. Un peu chinetoque quand même à cause de Cholon, mais cochinchinoise à cause de Saigon. Un peu catholique, un peu bouddhiste, un peu mécréante. Un peu droite et un peu tordue. Très folle avoine. Tu n'as jamais été facile à définir.

— Savez-vous ce que vous devriez faire ? suggéra mon père. Retourner à Riom seuls, tous les deux. Passer ensemble quelque temps. Vous avez besoin de vous raccommoder. Vous laisseriez ici Plampougnette, elle irait à l'école d'Aydat.

Ce vieux roublard voulait d'une part nous ménager une nouvelle lune de miel ; de l'autre, s'assurer quelques jours l'exclusivité de sa petite-fille. Nous nous consultâmes. Jeannette accepta l'arrangement, sachant que pendant cette période elle serait follement gâtée.

Toi et moi, nous retrouvâmes Riom-le-Beau, la rue du Commerce, monsieur et madame Coupat, Oursine et son piano. Et notre appartement, qui portait encore des traces de dévastation. Nous les réparâmes ensemble. Je te comblais de mots doux que je trouvais dans mon cœur, parfois dans ma tête, souvenirs de mes lectures :

— Tu es née de mon âme… Ta tiédeur m'enveloppe comme une marée montante… Comment aurais-je pu seulement respirer sans toi ?… Tu es douce à boire comme le cidre frais… Bonne à manger comme la goyave…

Tu éclatais de rire, pas certaine de ne pas me croire. Nous passions au lit des heures et des heures, sans nous rassasier l'un de l'autre. Malgré la cloche de Saint-Amable qui essayait de nous en tirer à force d'angélus. Nous nous alimentions de sandwiches et de cornflakes ; mais de temps en temps je t'offrais un repas somptueux dans les meilleurs restaurants de la ville. La patronne nous prenait pour un couple en voyage de noces. Amours, délices et orgues.

Après deux semaines, nous récupérâmes Jeannette et Gustou. Je me préparai à repartir, car mon congé s'achevait. Je pris toutes les dispositions possibles pour une séparation sans douleur. Avec la CGM j'avais conclu un contrat qui m'assurait mon retour en mars 1976, après seulement sept mois d'absence. Et je te tenais ce genre de raisonnement :

— De 1940 à 1945, un million et demi de soldats français sont restés prisonniers en Allemagne. Leurs femmes les ont attendus généralement avec fidélité.

— Oui, mais elles espéraient une évasion. Ou une fin de la guerre plus rapprochée. Ça les aidait à vivre.

— Il y a aussi le cas des prisonniers condamnés à dix, quinze, vingt ans de taule.

— Leurs femmes vont les voir.

Tu avais une objection à tout. Je te fis prendre des leçons de conduite afin que tu puisses jouir de la 4L et te transporter à Aydat de temps en temps. Un compte ouvert à ton nom à la poste t'assurait des lendemains qui chantent. Et surtout, je te laissai toute liberté pour prendre un travail à ta convenance. Chaque semaine nous communiquerions par le Centre de Radio Maritime de Saint-Lys.

Vint notre dernier matin. Le 6 septembre, je devais monter comme bosco mécanicien à bord du *Ribaud* à Marseille. Jeannette pleura un peu sur mon épaule avant de partir pour son école riomoise. Mais sitôt qu'elle fut dans la rue, elle retrouva ses copines et je les entendis rire aux éclats.

Toi, tu préparais mon petit déjeuner. Et tes mains tremblaient.

9

Construit au Japon pour l'armement suédois,
francisé en 1972 pour le compte de la CGM, le
Ribaud pouvait transporter 7 000 tonnes de marchandises et 350 passagers. Il emportait aussi une
centaine de conteneurs dont certains empilés sur le
pont. Nous partions pour un tour du monde de sept
mois ; il devait nous conduire à Madagascar, en
Polynésie, nous faire traverser l'océan Indien, le
Pacifique, nous ramener à l'Atlantique par le canal
de Panamá. Retour au printemps 76.

Il y eut dans la salle de conférences une présentation de l'équipage. Si les cadres étaient bien des
Français de souche, tous les hommes de peine
appartenaient à des peuples dits en voie de déve-
loppement : Malgaches, Indiens, Philippins, Javanais. En tout, une dizaine de nationalités. Ce qui
autorisait la compagnie à leur verser des salaires
dérisoires.

Le pacha, un Catalan, nous fit un beau discours
où revenaient les mots de tradition, solidarité,
camaraderie, honneur de la marine marchande, à
côté d'expressions plus actuelles : concurrence

déloyale menée par les compagnies asiatiques. Le voilà donc, le vrai péril jaune, purement économique et social. Il fallait à ces hommes un mois de travail pour obtenir ce que les cadres européens gagnaient en un jour.

Aux machines, j'avais sous mes ordres deux Vietnamiens, deux Malais, un Philippin. Nos courtes conversations se faisaient en anglais océanien. Nous ne nous comprenions pas toujours. Les gestes suppléaient au vocabulaire. J'étais obligé de mettre souvent la main aux robinets. Vois-tu, quand je suis sur mon bateau, je deviens un autre homme. J'oublie mes soucis terrestres et ne pense qu'à mes responsabilités. Pendant dix heures, chaque jour, je n'ai d'autre inquiétude que pour mes moteurs Diesel, pour le bon mouvement des cylindres, des arbres, des hélices. Mes oreilles guettent la moindre vibration anormale. Mes narines hument la senteur du mazout, de l'huile chaude, des gaz d'échappement. Mes doigts palpent le métal comme ceux d'un médecin palpent les épidermes. Mes yeux sont partout. De loin en loin, seulement, je m'offre une gorgée d'air que je vais prendre sur le pont supérieur.

Il est étrange comme la mer est inodore. Ne me parlez pas d'iode, de sel ni de marée. Mille fois je l'ai constaté dans mes promenades respiratoires : la mer ne sent rien. S'il flotte une senteur d'eau de Javel ou de Crésyl, elle provient du navire lui-même. Et c'est là une énorme différence avec la terre. Celle des campagnes non polluées par les voitures. Spécialement celle d'Aydat et de ses environs. Parfums des jardins suivant la saison, lilas, jonquilles, giroflées, narcisses. Parfums des landes à genêts, à serpolets, à bruyères. Parfums des prés, primevères, pissenlits jaunes. Odeurs des bois, aubépines, résineux, feuilles mortes. Odeurs de la terre elle-même, enrichie par les fumures, les feux d'herbes, les essarts. Dois-je l'avouer ? L'odeur qui me manque le plus lorsque je suis en navigation est celle de la bouse. Car là où il y a de la bouse, nécessairement, il y a des vaches, des pâturages, de la chlorophylle. La musique qui me manque le plus est celle de leurs clarines.

Dans les coursives du *Ribaud*, j'avais l'occasion de rencontrer des passagers. Touristes de tous âges, de toutes fortunes, de toutes nationalités. Les Français s'étonnaient de mes origines :

— L'Auvergne produit donc des marins ?

— Quelques-uns. Moins que la Bretagne ou la Provence.

— Je croyais que les Auvergnats étaient tous marchands de charbon.

— Nous avons aussi des fleuristes, des vétérinaires, des boulangers, des romanciers, des châtreurs de porcs, des mécaniciens. La preuve : j'en suis un. L'Auvergne a produit un de nos plus illustres marins : l'amiral comte d'Estaing.

— D'Estaing ? C'est un nom qui me dit quelque chose.

Monsieur Valéry Giscard d'Estaing tenait depuis un an le gouvernail de la République. Dans ces contacts, je me suis aperçu que beaucoup de Français nourrissent contre nous d'étonnants préjugés. Un autre passager s'étonnait de m'entendre parler sans accent auvergnat.

— Qu'est-ce que c'est, l'accent auvergnat ?

— Eh bien… cha conchiste à parler comme cha… La chauchiche et le chauchichon.

— C'est peut-être parce que j'ai un défaut de

langue. Une sorte de zézaiement. Ce qui m'oblige à dire la saucisse et le saucisson.

— Peut-être.

— Vous connaissez l'histoire de cette religieuse qui faisait à Paris la quête pour les bonnes œuvres de son évêque ? Elle entre dans une brasserie tenue par un Auvergnat, et dit tout de suite : « Je viens pour l'évêché. » Et l'Auvergnat, pensant qu'elle se moquait, de répondre : « Les wéchés ? Ils chont au chous-chol, au fond du couloir. »

Un troisième croyait que les commerçants auvergnats ne s'intéressent qu'à leurs sous.

— Vous vous trompez, dis-je. Ils s'intéressent principalement aux sous des autres.

— Il paraît qu'en Auvergne on ne voit guère de monuments.

— Pure médisance. Chaque ferme en montre un grandiose dans sa cour : le tas de fumier.

— On dit que les Auvergnats sont tout d'une pièce : avares ou généreux, stupides ou roublards, incroyants ou fanatiques.

— Personnellement, j'ai trouvé chez eux autant de nuances que dans l'arc-en-ciel. Mais il est bien vrai que rien n'égale leur avarice, si ce n'est leur générosité.

— Ce sont des gens plutôt rudimentaires.

— Rudimentaires ? Les autres hommes sont composés, paraît-il, d'un corps et d'une âme. L'Auvergnat est composé d'un corps, d'une âme et d'un parapluie.

— On dit qu'il ne se lave pas souvent.

— En vérité, c'est un faible consommateur d'eau. Tant à usage externe qu'à usage interne. Son eau, il la met plutôt en bouteilles et la vend aux

300

Parisiens qui, sans elle, devraient boire l'eau de la Seine.

Vois un peu : il existe un racisme anti-Auvergnat comme chez Augusta un racisme anti-Vietnamien. Nous devrions en souffrir, mais nous en souffrons modérément sachant qu'il est le fait de gens qui nous ignorent. Quand on nous connaît un peu, on nous aime. Voici la source de tous les racismes : l'ignorance. L'anti-Juif ne connaît rien à l'histoire, à la culture, aux travaux des Juifs. Il se comporte aussi stupidement que les merles noirs d'Aydat anti-merlette saupoudrée.

Je rencontrais aussi des pieds-noirs qui s'exilaient en Nouvelle-Calédonie pour essayer de refaire ce qu'ils avaient raté en Algérie : une colonisation à visage humain. Cela existe-t-il ? Cela a-t-il jamais existé ? Des Allemands, des Italiens, des Danois qui allaient peupler l'Australie. Des touristes du troisième âge, bardés d'appareils photographiques, qui voulaient mettre dans leurs boîtes le bateau, le ciel, les mouettes, la crête des vagues.

A mesure que nous approchions de l'Egypte, les nuages se faisaient plus rares, le bleu du ciel blanchissait comme le fer au feu. Vint ensuite la longue, la brûlante traversée du canal de Suez et de la mer Rouge dans le sens nord-sud. Annoncés par une cloche, les repas comprenaient deux services, car nulle part au monde on ne mélange les serviettes avec les torchons : le premier réservé aux officiers, aux marins européens et aux passagers, le second aux hommes de peine ; ces derniers, musulmans pour la plupart, ne mangeaient ni ne buvaient comme nous : pas de porc sur leurs tables, pas de vin, mais du poisson, du thé, de l'eau auvergnate en bouteille.

Notre service était toujours précédé par un court speech du pacha en guise d'apéritif. Le dimanche se reconnaissait aux croissants surgelés et tiédis du petit déjeuner et au service religieux proposé dans la chapelle. Le prêtre était un bel homme à l'éloquence contrariée par un bec-de-lièvre jadis amendé chirurgicalement, mais qui escamotait certaines syllabes. Il peinait à prononcer les consonnes sifflantes, ce qui lui conférait un « accent auvergnat » quoiqu'il fût natif de Normandie. Il m'arrivait d'aller écouter ses sermons, moins par croyance que par désœuvrement. Il profita de notre passage dans la mer Rouge pour nous rappeler la fuite des Hébreux, guidés par une colonne de feu, poursuivis par les troupes égyptiennes :

— Moïse, ayant étendu *ha* main *hur* la mer, le *Heigneur* entrouvrit les flots en faisant *houffler* un vent violent et brûlant. Et il en *déhécha* le fond, et l'eau fut divisée en deux. Les enfants d'Israël marchèrent au milieu de la mer, talonnés par la cavalerie du Pharaon. Mais le *Heigneur* dit à Moïse : « Etendez votre main *hur* la mer, afin que les eaux *engloutihent* les *Egyphiens*, leurs chariots et leur cavalerie… »

Le Seigneur nous laissa tranquillement naviguer et nous diriger vers Djibouti. Je n'avais pas la responsabilité de notre route. Mon rôle consistait à assurer le bon fonctionnement des machines. Comparable au soigneur qui s'occupe des muscles et des intestins d'un coureur cycliste. Je devais aussi veiller au bon fonctionnement des groupes électrogènes, des installations électriques, frigorifiques, sanitaires.

Visitant quotidiennement et dans son ensemble toute la machinerie du *Ribaud*, je parcourais de six à huit kilomètres de coursives, d'escaliers, de ponts et entreponts, de soutes et de cales. Mes pieds auscultaient les planches, me transmettaient leur vibration rassurante, me disaient : « Tout va bien. »

J'ai déjà avoué une faiblesse honteuse chez un marin : je suis encore assez sensible au mal de mer. Un peu de roulis, un peu de tangage ne m'incommodent guère ; mais je crains les vagues profondes dans lesquelles le navire s'enfonce comme dans un gouffre. Autour de moi, les passagères crient d'épouvante. Les passagers se cramponnent aux bastingages. A moins qu'ils ne soient en train de vomir par-dessus. Moi, je me bourre de Nautamine. Et surtout je monte, je descends, je cours d'un point à l'autre comme un forcené. L'occupation est mon meilleur remède.

Nous entrâmes dans l'océan Indien, que j'ai déjà présenté. Escale à la Réunion, où nous débarquâmes des conteneurs et des passagers. Nous fîmes le plein de FO, d'eau, de farine, de poisson congelé. Quatre jours d'immobilité. Les Européens de l'île étaient admis à bord, où ils pouvaient se procurer des liqueurs et du tabac hors taxes. Services à tout faire des lavandières réunionnaises. J'en acceptai une. Selon l'usage, elle m'appelait Capitè, s'exprimant en un charmant français créolisé.

— Comment te nommes-tu ?
— Ma'ie-Antoinette.
— Une reine de France portait le même nom.
— Ze sais. On me l'a dit.
— Qui te l'a dit ?

— Un aut'e Capitè.

Elle n'avait pas la grâce des Martiniquaises, ni la gaieté des Brésiliennes, ni le savoir-faire des Ivoiriennes. Elle accomplissait ses fonctions avec une sorte de tristesse qui me donna mauvaise conscience. Je la payai généreusement, ce qui parut la consoler. Elle me baisa la main :

— Me'ci, Capitè.

Nous mîmes le cap sur l'Australie. Naviguant au sud du tropique du Capricorne, nous échappâmes aux écœurantes moussons. Mais, pendant cette route de deux mois, nous n'échappions point à l'ennui. Tous les jours se ressemblaient. Depuis que j'ai été affecté aux mers australes, j'ai vécu des années sans saisons, faites d'un été perpétuel. Sept mois, huit mois d'un implacable soleil.

Avec quelle tendresse je me souvenais des douces pluies printanières que le ciel dépose sur l'Auvergne ! Comme j'aurais aimé m'enfoncer dans notre brouillard d'automne, si épais qu'on pourrait le coucher sur le pain et le manger en tartines ! Combien j'aurais apprécié un vrai temps de Noël, avec ses chandelles de glace, ses congères, ses bonshommes de neige coiffés d'un vieux chapeau ! Cette année-là, nous vécûmes Noël à Nouméa, dans une touffeur insupportable, la chemise collée à la peau. Les enfants caldoches dans la cathédrale chantaient en robes d'organdi ou en chemisettes des cantiques invraisemblables :

Crions Noël ! Noël tout blanc !
Il est né un divin enfant
Dans une étable à petit jour.
Il instaure une loi d'amour.

A Aydat, l'église n'était pleine que deux jours dans l'année : le dimanche de Pâques et le 24 décembre à la messe de minuit. A cette seconde occasion, il venait deux bergers avec leurs accessoires traditionnels : chapeau de feutre, limousine, jambières, sabots, houlette. Un instrument de musique, flûteau, ou cette sorte de cornemuse qu'en Auvergne on nomme suivant les régions *cabrette* ou simplement *tchabro* parce que sa poche à vent est faite d'une peau de chèvre retournée ; sa voix a d'ailleurs le son aigrelet d'une bique qui appelle son biquet ; et le musicien la fait chevroter par le jeu de ses doigts sur le chalumeau.

Ils apportaient surtout un agneau qui bêlait pendant la messe, très effrayé. Tous les enfants voulaient le caresser, ne se doutant pas de sa fin dernière, car les bergers en faisaient cadeau à l'abbé Septour qui le rôtissait à la broche et le mangeait avec sa bonne et son sacristain. La messe de minuit s'achevait à 1 heure du matin dans un grand concert de cloches. Chacun rentrait chez soi et ma mère ne manquait pas, en nous présentant la soupe au lait qui nous servait de réveillon, de nous raconter le miracle du pommier de Champeix :

— C'est une histoire que je tiens de ma tante Mariette, originaire de ce pays de pommes. Une histoire aussi vraie que l'Evangile, puisqu'elle lui est arrivée à elle-même, qui était fille d'un ferblantier. Il y avait donc à Champeix un pauvre d'esprit qui s'appelait Abel, comme le frère de Caïn. Orphelin de père et de mère. Mais la commune entière le secourait et l'empêchait de mourir de faim ou de froid. Il suffisait qu'il cogne à une porte. « Qui est là ? — C'est Abel. » On ouvrait aussitôt, on lui donnait un bol de soupe ou un morceau de pain. Mais un soir de Noël comme aujourd'hui, les Champillons avaient trop à faire pour s'occuper de lui parce que chaque famille préparait le réveillon. Abel a suivi la messe de minuit près du poêle qui fumait un peu et le faisait éternuer. Ses éternuements dérangeaient la messe ; mais quand les gens comprenaient qu'ils venaient d'Abel, ils n'en faisaient pas de cas. Ensuite, tout le monde s'est dispersé. Lui est resté seul. Il s'est promené un peu dans les rues vides de Champeix sur lesquelles tombait une neige fine comme la poudre de riz. Chaque maison avait fermé ses volets. Il a vu quand même une fenêtre éclairée, celle du ferblantier, le père de ma tante. Il s'approche. Il regarde à travers les vitres, il voit la famille ferblantière en train de bien manger, bien rire, bien boire. Voici que Mariette, alors toute petite, a reconnu la figure d'Abel. Elle le montre du doigt : « Monsieur le Curé a dit de secourir les malheureux. Il faut inviter Abel à notre table ! » Aussitôt, la mère va lui ouvrir. Il entre tout couvert de neige. On secoue ses hardes. On l'installe au bout de la table, on lui sert des restes dans une assiette. « Mange, Abel. Mange tant que tu voudras ! » dit la petite Mariette. Et il s'en met jusqu'aux oreilles. Ensuite, il a fallu le faire coucher. Dans l'écurie, sur la paille, à côté de l'âne. Avant d'aller au lit, Mariette et ses frères avaient disposé leurs sabots devant la cheminée pour recevoir les cadeaux du Jésus. Mais voilà que l'âne et Abel entrent en conversation. « Dis-moi, vieux frère, demande la bête, est-ce que tu as mis aussi tes souliers devant la cheminée ? — Bien sûr que non. Je fais pas partie de la famille. — Tu devrais. Je suis sûr que le Jésus y mettrait quelque chose. » Abel se lève, tenant à la main ses deux godasses toutes bâillantes. Il retourne dans la salle du réveillon, voit les sabots des enfants, dépose ses souliers juste à côté. Puis il regagne son écurie. Au petit matin, le Jésus est descendu par le tuyau de la cheminée. Dans les sabots des enfants, bien astiqués, il dépose une toupie, un jeu de cartes, une poupée. Puis il voit les chaussures toutes dégoûtantes du pauvre d'esprit. « Je les reconnais, se dit le Jésus. C'est celles d'Abel. Un farceur. Il a bien cinquante ans ! Je n'ai rien prévu pour ce genre de client. Qu'est-ce que je pourrais bien lui mettre ? » Il regarde autour de lui et remarque sur la table une petite salière oubliée. Une salière poudreuse. Il la prend et, pour répondre à la farce, l'introduit dans une des godasses. Un peu plus tard, tout le monde se réveille. Les enfants du ferblantier courent vers la cheminée, trouvent leurs sabots bien garnis. Cris de joie ! A son tour, Abel vient récupérer ses pompes. Il y trouve la salière poudreuse. Les gamins se moquent de lui. « Une salière ! Quel joli cadeau ! » Eclats de rire. Mais lui s'en montre ravi. « Ça tombe bien : j'en avais pas ! » Il enfile ses souliers, remercie tout le monde, sort de la maison. Comme il se dirige vers la cabane où il habite, il passe près d'un verger d'arbres à pommes, tout givrés par le froid. Et là, quelle idée lui passe par la tête ? Une idée de pauvre d'esprit, naturellement. Il s'est approché d'un des pommiers et s'est mis à le saupoudrer avec la salière. Sous le sel fin, le givre a fondu, obligé ! Mais, loin de s'en tenir aux branches inférieures, Abel est grimpé dans l'arbre et il l'a saupoudré de la tête au pied. Et, chose merveilleuse, non seulement le gel a disparu, mais l'arbre s'est couvert de fleurs. Chaque hiver qui a suivi, l'arbre a fleuri pareillement, au temps de la Noël. Les ferblantiers l'ont appelé le pommier d'Abel. Voilà ce qui est arrivé à ma tante Mariette de Champeix quand elle était gamine.

Tandis que je me remémorais cette histoire, aussi vraie que l'Evangile, les Caldoches de Nouméa, en tenue estivale, rendaient visite dans leur cathédrale à la crèche de Noël. Les Kanaks célébraient Noël à part, dans leurs temples protestants. En fin de journée, remonté à bord du *Ribaud*, j'ai fait l'inventaire de mes souvenirs auvergnats : un peu de terre dans un flacon ; ta photo prise à Riom, dans le jardin de la sainte chapelle, en compagnie de Jeannette, notre fille bien-aimée, et de Gustou ; des cartes postales ; le lac d'Aydat et le puy de Dôme ; quelques livres. J'ai fermé les yeux en demandant au petit Jésus ce cadeau de Noël : qu'il me fasse rêver de toi.

10

Je tiens ma promesse : je te téléphone une fois par semaine. C'est par ce moyen que j'ai appris la grande nouvelle : tu as trouvé une occupation. Elle ne te rapporte pas un centime, c'est un emploi de bénévole. Te voilà visiteuse des prisons.

En face du Pré-Madame, la maison d'arrêt dresse sa façade grise. Aux heures réglementaires, les familles des incarcérés attendent l'ouverture de la grande porte, sans le moindre abri, en plein soleil l'été, sous la pluie et la neige l'hiver. Il faut que les parents souffrent aussi. Toi, en revanche, tu sonnes n'importe quand, un guichet s'ouvre, tu es admise aussitôt. Tu passes quand même, pour le principe, sous le portique détecteur d'objets métalliques. Un gardien te déverrouille les herses successives.

Naturellement, tu ne rends visite qu'aux femmes. Peu nombreuses, jamais plus de trois par cellule. Lits superposés, table scellée au mur, lavabo, cuvette du WC entourée d'un rideau. Elles t'acceptent avec joie. Tu ignores les motifs de leur incarcération, tu n'interroges personne. C'est toi d'abord qui parles. Tu racontes ta vie. L'Indochine, le Bugey, l'Ardèche, Saint-Martin-d'Hères, Marseille, l'Auvergne. La délinquance, tu connais, par ton marchand de diams assassiné. Elles rient de tes exploits, le chat dans le fourneau, le tracteur dans le fossé, la mâchoire brisée d'un coup de galoche. Tu te noircis un peu pour te rapprocher d'elles :

— J'étais une caractérielle. Par moments, j'avais envie d'étrangler quelqu'un.

En somme, avec un peu de malchance, tu aurais pu connaître leur sort. Il t'est interdit d'apporter le moindre cadeau, à moins qu'il ne passe pour vérification par la voie administrative. Tu apportes quand même du chocolat, dissimulé sous tes vêtements. Tu partages équitablement la tablette. Sans toi, elles en perdraient le goût, elles n'ont pas d'argent pour cantiner. Et si elles ont quatre francs, c'est pour acheter des clopes. Le tabac est la seule drogue autorisée dans la maison. Certaines en ont les doigts jaunes, les dents noires, l'haleine fétide.

Les unes, encore jeunes, se tiennent propres. Elles se sont peignées pour te recevoir. Les autres sont de vieilles carnes édentées, les cheveux pendouillants, hideuses. Il y a les douces. Il y a les méchantes. Tu remarques des griffures, des yeux pochés, tu sais de laquelle ils proviennent. Elles ne racontent jamais rien d'elles. Elles t'appellent Béa et te tutoient comme si tu étais de leur denrée. Elles te posent des questions parfois surprenantes :

— Est-ce que t'as déjà fait la pute ?

— Pas eu l'occasion. Mais j'y étais disposée.

— Est-ce que tu crois en Dieu ?

— Par moments. Quand je suis heureuse.

— Et quand tu es malheureuse ?

— Je crois au diable.

Elles veulent savoir comment tu fais l'amour, si tu as trompé tes maris, si tu as des tendances lesbiennes, si tu as avorté exprès. Tu réponds par des affirmatives atténuées :

— Je crois bien… Il me semble… J'aurais pu… Presque…

Quelquefois, tu en invites cinq ou six dans la bibliothèque et tu leur présentes tes livres préférés. Tu les engages à les lire. Elles t'écoutent en bâillant. Puis elles retournent à leurs clopes.

Un jour, tu parais la main droite enveloppée d'un bandage.

— Qu'est-ce que t'as fait ?

— Je suis tombée d'un escabeau en changeant une ampoule électrique. Je me suis démoli le pouce.

— T'as vu un toubib ?

— Pas encore. Je me suis enveloppée comme ça, avec l'aide de ma propriétaire. J'attends de voir comment ça évolue.

Or il se trouve parmi elles une Manouche guérisseuse : Mélina.

— Mélanie ?

— Non. Mélina.

— D'accord.

Quelles poules a-t-elle volées ? Quelle vieille grand-mère escroquée en lui vendant de la dentelle ? Elle propose de soigner ta main. Pourquoi pas ? C'est une mémère au ventre excessif, on la croirait enceinte, n'était son âge : soixante ans.

— Soixante ans juste ?

— A peu près. Un peu plus ou un peu moins. Peut-être soixante-cinq. Tu peux pas croire le nombre de personnes que j'ai guéries dans ma vie ! J'ai les yeux comme les rayons X. Je découvre le mal tout de suite, que ça soye le foie, la rate ou la vessie.

Tu regardes son ventre.

— Moi, je peux pas me soigner. Mon pouvoir, c'est pour les autres, pas pour moi. Le bon Dieu le veut comme ça. En dedans, je suis toute pourrie, mais j'y peux rien. Fais-moi voir ta main.

Elle défait le bandage, palpe tes doigts, ton métacarpe.

— Je vois ce que c'est. Le pouce est sorti de sa bigonce.

— Sa bigonce ?

— Sa cuvette. Je vais le remettre à sa place. Pose ta main par terre.

— Par terre ?

— Oui. Agenouille-toi. Sur le ciment... Bien à plat.

Tu obéis. Que fait-elle alors ? Elle quitte un soulier, en tire un pied dégueulasse, le pose sur ta main, pèse dessus de tout son poids. Au moins quatre-vingts kilos. Tu étouffes un hurlement.

— Relève-toi. Le pouce est rentré dans sa bigonce. Il reste l'enflure. Dans trois jours, elle sera partie. Plus besoin de bande. Si par hasard, l'enflure passait pas, tu reviens : je te ferai un autre traitement.

D'instinct, tu mis la main derrière ton dos. L'enflure disparut au bout d'une semaine. En somme, tes visites à la maison d'arrêt te rapportent de temps en temps quelque chose. Ainsi, encore, ton portrait dessiné au crayon Bic par une de tes protégées et dédicacé :

A Béatrice
mon bonheur du lundi.

312

Vie quotidienne. Ma nuit est toujours incertaine, je ne dors que d'un œil, cela contrarie le déroulement des rêves. Il m'arrive souvent de flotter entre la veille et le sommeil, les yeux clos. Je te vois, je crois te saisir, mais tu manques de véracité, je pense à toi seulement. Les Italiens ont un joli mot pour désigner cet état : le *dormiveglia*.

Ce qui m'empêche de plonger, c'est la crainte de la panne. La disjonction générale : le *black*. Un fusible a pété quelque part, perdu dans la forêt vierge des organes. Tout s'éteint. Les moteurs s'arrêtent. Le navire s'immobilise au milieu de l'océan. Sous un ciel bouché de préférence, prêt à lâcher des trombes d'eau. Panique absolue. Armés de lampes-torches, les officiers montent, descendent, courent de tous côtés, s'interpellent, s'engueulent :

— Quel est le con ?... Quelle est la face d'andouille ?...

Celui qui entend les plus belles injures, c'est moi, le bosco des machines. On met en marche le groupe électrogène de secours. A moins qu'il ne fasse partie de la grève organisée par le petit fusible, et qu'il ne refuse lui aussi de fonctionner. Le *black* est donc ma grande terreur. Je n'ai pas droit aux somnifères. Il faut bien, cependant, qu'à la fin je sombre dans une inconscience dont j'émergerai avec une sorte de gueule de bois, comme si je m'étais soûlé sans mesure.

Toilette. Radio. J'écoute sur ondes courtes les nouvelles du monde. A 8 heures, en uniforme blanc, je monte au carré des officiers, où je prends mon petit déjeuner. Ensuite, je descends à la salle des machines vérifier si tout marche bien. Je ren-

313

contre en cours de route mes subordonnés, le second mécanicien, l'officier polyvalent, dit *yo-yo* parce qu'il monte et descend à longueur de journée; le maître mécanicien, dit *chouf*; le maître électricien, dit *tabatière*; les hommes d'entretien. J'examine, j'ausculte les moteurs grands comme une maison de deux étages.

A midi, tout le monde remonte au carré. On remarque une hiérarchie de la crasse inversement proportionnelle à la hauteur du grade. Mais la chère est bonne, pour tous, le service brillant : maître d'hôtel à épaulettes, garçons en livrée blanche. Conversation avec les passagers et les passagères. Il y a des drogués de la mer, comme cette vieille dame que j'ai rencontrée huit années consécutives. Entre-temps, elle naviguait encore sur d'autres océans. Je converse aussi avec les scientifiques, océanographes, climatologues, météorologistes, ichtyologues; ils me racontent leurs recherches.

Je passe l'après-midi dans mon bureau à remplir des paperasses administratives. Nouvelle descente dans les entrailles du monstre. Le soir me remplit de mélancolie. Je te parle quelquefois par l'intermédiaire de Saint-Lys. Tu m'apprends que notre fille bien-aimée a un goût prononcé pour les beaux-arts; qu'elle voudrait devenir peintre ou illustratrice professionnelle; que ses maîtres lui trouvent du talent. Que Gustou souffre d'eczéma. Que la France grelotte sous la neige, que les routes sont bloquées par les congères alors que nous cuisons sous les tropiques. J'ouvre un livre anglais pour oublier la France et ses problèmes. *The Taming of the shrew*. « La Mégère apprivoisée ». *Coriolanus*. *Cymbeline*. Les mots ce soir prennent plus d'importance que les pensées. Lire, déchiffrer ces vocables étrangers, c'est presque une activité de cruciverbiste. Elle me donne sommeil. Je lutte. Puis je ne lutte plus.

Un dernier regard à travers mon hublot. La mer est parcourue de frissons phosphorescents. La houle me berce. Je n'ai plus trente ans, j'en ai deux. La mer est une mère.

Entré dans l'océan Pacifique allégé de soixante voyageurs, le *Ribaud* fait route vers Tahiti, l'île heureuse. La Nouvelle Cythère, comme la baptisa Bougainville à cause des mœurs très libres de ses habitants. Ses pitons volcaniques s'élèvent à plus de deux mille trois cents mètres. Elle est en fait composée de deux îles, une grande et une petite, soudées entre elles par l'isthme de Taravao. Les côtes sont abruptes et rocheuses, entourées d'une ceinture de massifs coralliens ; les plages couvertes de paillotes de luxe à l'usage de touristes fortunés. Le climat, d'une douceur extrême, permet aux gens de vivre l'année entière presque nus, vêtus d'un simple paréo.

A Papeete, qui est un port important, nous débarquâmes notre cargaison de passagers, persuadés qu'ils prenaient pied dans un paradis terrestre. Ils furent accueillis en effet par les grandes manifestations de liesse traditionnelles, couverts de fleurs et de baisers. Quatre jours d'escale, quatre jours de délices. Nous refusâmes de voir la pauvreté des baraques indigènes, le délabrement des routes et des écoles, la forêt inextricable qui recouvrait les montagnes, les revendications nationalistes par voie d'affiches et de graffiti.

Toutes ces îles dites françaises, qui n'ont de

français que l'étiquette, revendiquent une indépendance qui leur fournira une présidence de la République, un gouvernement, une ou deux assemblées, des ambassades. Tout ce qui est un peu intellectuel aspire à occuper ces places de choix. Quant à la population illettrée, elle passe son temps à danser, à chanter, à pêcher quelques poissons, à cueillir les fruits qu'une nature généreuse lui offre, ignames, bananes, oranges, noix de coco, et à faire l'amour.

Ayant récupéré les voyageurs qui voulaient accomplir son tour du monde, le *Ribaud* fit route vers les Nouvelles-Hébrides pour y prendre un chargement de bois de rose. Cet archipel était encore placé sous l'autorité d'un condominium franco-anglais dont la capitale, Port-Vila, est dans l'île de Vaté, grande comme l'arrondissement d'Issoire. La population est composée de Papous, de Javanais, de Chinois, d'une pincée de métropolitains. C'était ma première escale dans cette petite agglomération. Le bosco général, Germain Huguet, un Vendéen proche de la retraite, connaissait ces îles et îlets comme sa poche. Sachant mon goût pour la cuisine typique, il me proposa de m'emmener chez Ernest.

— En réalité, il s'appelle Ernst. Un ancien légionnaire allemand, peut-être aussi ancien nazi, qui s'est établi dans Port-Vila pour échapper aux questions sur ses antécédents. Si nous le prévenons l'avant-veille de notre venue, il nous servira un plat de sa façon. Introuvable ailleurs. Je me charge de lui envoyer un message.

— De quel plat s'agit-il ?
— D'un plat de viande.
— Quelle sorte de viande ?

316

— Tous les clients que je lui ai amenés l'ont trouvée à leur goût.

— Chair ou poisson ?

— Plutôt chair.

— Tu fais bien des mystères.

— Je devrais te laisser le plaisir de la découverte. Mais il se peut aussi que tu aies des scrupules. Je ne voudrais pas qu'après consommation tu me reproches de t'avoir tenu dans l'ignorance. Il s'agit de la plus rare, de la plus précieuse des chairs. Devine un peu.

— Tu ne veux pas dire… ?

— Si. Je veux parler de chair humaine. Ernst la cuisine admirablement. J'en ai mangé plusieurs fois, dans les meilleurs morceaux. Elle tient à la fois du veau et de la langouste. En plus ferme que la langouste, en plus délicat que le veau.

Et moi, révolté :

— Tu me proposes… de l'anthropophagie ?

— Quel grand mot ! Il ne s'agit pas de s'en nourrir, mais d'y goûter seulement. Par curiosité culturelle et gustative. Par raffinement. Je te propose un délice exceptionnel.

— Et comment ton légionnaire se procure-t-il cette denrée ?

— Ça, c'est son affaire. Il se ravitaille auprès des Papous qui peuplent l'archipel et qui, malgré les lois franco-anglaises, n'ont pas renoncé entièrement au cannibalisme. Celui-ci leur fournit les protéines dont le corps a besoin et que la pêche ne suffit pas à satisfaire. Il faut comprendre cette population.

— Je vois que tu la comprends bien.

— Nos ancêtres ont été anthropophages. Il est bon de se rappeler d'où l'on vient. Mais je ne

317

t'oblige pas d'accepter cette expérience. C'est par pure amitié que je…

— Et ces Papous fournisseurs d'Ernst, sais-tu comment ils procèdent ?

— Ils font certainement les choses selon les coutumes de leur tribu.

— C'est-à-dire ?

— Leur civilisation est différente de la nôtre. Inférieure ou supérieure ? Je n'ose la classer. Par exemple, sais-tu comment ils traitent leurs vieillards ?

Il me raconta un usage papou presque incroyable. Chaque famille tient en réserve un solide gourdin suspendu au fond de la case. Elle l'appelle facétieusement Tabao, ce qui veut dire Guérit-Tout. Lorsqu'un vieil homme ou une vieille femme constate que ses forces déclinent et qu'il devient une bouche de plus en plus inutile, il déclare un matin à son fils aîné : « Mon garçon, je t'autorise à recourir à Tabao quand tu voudras. » Muni de cette permission, le fils laisse s'écouler quelques jours afin que s'apaise chez son parent une inquiétude bien naturelle. Chaque soir, celui-ci demande en souriant : « Eh bien, mon garçon, est-ce la nuit prochaine que tu vas employer Guérit-Tout ? — Rien ne presse, mon père », répond l'autre affectueusement. Chaque matin, en rouvrant les yeux, le vieillard s'émerveille de retrouver le soleil et il remercie son descendant de lui avoir accordé ce délai. Enfin, entendant son père gémir sur sa couche dans l'excès de ses douleurs, une certaine fois l'aîné se lève avant l'aube. Tout dort dans la case, y compris l'ancêtre. Sur la pointe des pieds, il va décrocher le gourdin. Revenu vers le grabat du vieillard et prenant son temps pour bien viser, il lui décoche sur le sommet du crâne un coup fort et net qui met fin à ses souffrances et à son inutilité. Dans les jours qui suivent, le corps du grand-père est découpé en tranches et cuit au court-bouillon. Toute la famille s'en régale respectueusement. Le festin peut durer une semaine. Parfois, on garde en réserve telle ou telle partie qu'on fait sécher au soleil. Ainsi, le grand-père nourrit les siens de ses protéines et ils connaissent grâce à lui une satiété de chair fraîche. Mais, en même temps qu'il comble leurs estomacs, il alimente leurs âmes de ses qualités : patience, courage, sagesse. Il continue de vivre en eux.

— Et nous, poursuivit le bosco, comment traitons-nous nos vieillards ? Nous nous débarrassons d'eux en les enfermant dans des maisons-poubelles, où ils sont alimentés jusqu'à leur totale décrépitude. Ils y survivent entre eux, souvent oubliés de leur famille. Radotant ensemble, bavant ensemble, s'ennuyant ensemble, se querellant, se racontant un passé qui n'intéresse que le conteur. Ne crois-tu pas que l'usage du Guérit-Tout procure une plus belle mort ?

Après une longue discussion, j'acceptai d'accompagner Germain chez Ernst. Il lui envoya les instructions nécessaires.

Le restaurant de l'ancien légionnaire était en réalité une sorte de paillote précédée d'une terrasse, sous une couverture en feuilles de cocotier, qui donnait directement sur le port. Là des hommes bronzés, bien que visiblement français de souche, se rafraîchissaient de l'été austral en sirotant des punchs au citron, des anisettes, du *manu coco,* qui est une eau-de-vie dérivée du cocotier. Ils se racontaient des histoires gauloises et s'en désopilaient.

A l'écart, des pasteurs anglais buvaient du thé. Ernst vint lui-même nous accueillir. Avec sa tête de Boche de caricature, joufflue, balafrée, des poches sous les yeux. La moustache en moins, tu aurais dit Bismarck. Tablier blanc sur sa bedaine, serviette sur le bras gauche, mollets nus et poilus.

— Inutile de lui parler de son passé, m'avertit Huguet. Il te raconterait des mensonges.

Il y a des mensonges aussi indispensables que les vêtements qu'on endosse. Ils vous protègent du chaud l'été, du froid l'hiver, dissimulent votre laideur. Mensonges des médecins, des politiques, des prêtres. Les livres sacrés sont remplis de mensonges indispensables, sans lesquels les religions s'effondreraient. Mensonges de la peinture, du cinéma, de la poésie. Mensonges de l'amour. Sans ses mensonges, Ernst aurait été fusillé depuis trente ans.

Après le *manu coco*, il nous servit les hors-d'œuvre, poisson cru aromatisé en compagnie de *popoï*, une sorte de beignet composé avec la farine de l'arbre à pain. Vint ensuite un poulet pour deux avec des bananes cuites. Chaque plat consommé, Ernst demandait une confirmation :

— C'est pien pon ? Pien manché ?

— *Ja wohl.*

Enfin, il interrogea :

— Ch'apporte le plat spécial ?

Le bosco approuva de la tête et cligna de l'œil en ma direction. Le moment était venu de goûter à la chair humaine. A cette simple idée, je m'attendais à éprouver une envie de vomir. Mais non, le *popoï*, le poulet, les bananes cuites restaient bien tranquilles dans mon estomac.

Ernst revint avec une casserole en grès qu'il déposa au milieu de la table et d'où s'éleva aussi-

320

tôt une agréable odeur de sauce bourguignonne.
Plusieurs choses vinrent dans ma pensée. D'abord,
l'illustre recette du coq au vin, une des gloires de
la cuisine limagnaise. *Adoncq quand voudrés cuire
le coq au vin, il faut prendre un coq jeunet de
Limaigne et l'ayant prestement occis le despecer
en six quartiers...*

Une seconde pensée fut celle de l'étrange repas
auquel, le soir de la Cène, le Christ invita ses
apôtres : *Prenez et mangez, ceci est mon corps,
mangez-en tous en mémoire de moi...* N'était-ce
pas une sorte d'anthropophagie à laquelle il les
conviait ?

— Pon appétit ! nous souhaita le cuisinier. Si
fous foulez encore, temantez.

Il s'éloigna aussitôt comme s'il craignait d'assister à notre manducation. Germain prit une
cuillère, la plongea dans le ragoût, en retira un cube
de viande qu'il déposa dans mon assiette.

— Assez, dis-je. Je ne sais pas si j'aimerai.

— C'est un miroton, ni plus ni moins.

Je contemplai le morceau de viande. D'où pro-
venait-il ? De quelle partie charnue ? Ernst dispo-
sait-il d'une réserve dans son réfrigérateur ? Je me
représentai le vieillard endormi par le coup de
gourdin. Une forme rudimentaire d'euthanasie. Au
lieu de tout consommer, la famille a bien voulu en
vendre un morceau à l'ancien légionnaire, un bon
client.

Dans ce cube, je découpai une portioncule avec
la pointe de mon couteau. Longtemps, je l'obser-
vai au bout de ma fourchette. Germain ne me quit-
tait pas des yeux. Déjà, pour m'encourager, il avait
enfourné une tranche et il la mastiquait avec appli-
cation. Son visage voulait exprimer le plaisir. Il

avala, but derrière un petit coup d'eau de Volvic. Je méditais toujours. Enfin, je me décidai, je mis la viande dans ma bouche, en fermant les yeux pour mieux en ressentir la saveur. A la vérité, je n'y trouvai que le goût de la sauce au vin ... *Sur le tout ensemble répandés vivement chopine de bon vin vieux du païs de Chanturgue préférablement. Servés bien chauld, enduict de beurre fondu... Buvez-en tous, ceci est le calice de mon sang, le sang de la nouvelle alliance...*

Comme Germain, je mâchai longtemps. Je finis par avaler. Moi aussi, je bus derrière.

— Alors ?

— Elle a le goût du coq au vin.

— La sauce dissimule celui de la chair.

— Ne te gêne pas. Tape dedans.

— Ça me suffit.

— Une seule bouchée ? Ernst va être vexé.

Mais lui aussi semblait rassasié de peu. Un scrupule, une espérance me vinrent. Après tout, l'Allemand nous avait peut-être servi de la viande de veau. Il y a aussi le mensonge des cuisiniers. Rien n'était moins certain que mon anthropophagie. Quand j'eus exprimé ces sentiments, le bosco se mit à farfouiller dans la casserole. Je n'étais pas le premier client sceptique de ce plat spécial. Il savait qu'il allait trouver dedans la preuve indubitable. Il la piqua de sa fourchette, la déposa dans mon assiette. Elle avait la forme d'une saucisse courte.

— Une chipolata ? dis-je.

— Regarde bien.

Je me penchai. J'étouffai un cri d'horreur : un doigt, c'était un doigt humain, avec l'ongle et les trois phalanges bien reconnaissables. Je voulus encore croire que tout cela provenait d'un magasin de farces et attrapes. Je saisis la saucisse, je la dépiautai, je trouvai l'os dedans. Plus aucun doute n'était permis.

L'Allemand revint :

— Pas pon ?

— Nous n'avons plus faim, dis-je.

Il ne s'offensa nullement, il avait l'habitude de ce genre de réaction, il sourit ; puis il emporta son ragoût, avec peut-être l'intention de le resservir.

J'ai digéré depuis longtemps cette portioncule d'un Papou inconnu, zigouillé par consentement familial. Est-il raisonnable de vivre encore lorsqu'on a perdu les sens, l'esprit, les sentiments, tout ce qui fait la dignité de l'homme ? J'ose espérer que ce brave vieillard, du moins, m'aura enrichi d'un grain de sa sagesse.

11

Une semaine plus tard, nous avons abordé aux îles Marquises. Archipel volcanique qui est la répétition des Nouvelles-Hébrides, excepté que la population est presque entièrement d'origine kanake. Autrefois, les hommes étaient tatoués de la tête aux pieds, par-devant et par-derrière, chacun constituant une œuvre d'art. Les Eglises ont combattu cet usage « barbare ». Sans leurs tatouages, les Marquisiens se sont vus aussi nus que nous-mêmes sans nos vêtements. Ils se sont dégoûtés de ce qu'ils découvraient, se sont adonnés à l'alcool et à l'opium. L'importation de maladies européennes a fait le reste : de cinquante mille habitants au début du XIXe siècle lorsque la France prit possession de leur archipel, ils sont tombés à cinq ou six mille. La capitale, Atuona, dans l'île Hiva-Oa, ne compte pas plus de quatre cents personnes.

Le paysage est fait de falaises vives qui surplombent la mer. A leur pied, des plages de sable noir bordées de cocotiers. Palmiers aussi précieux que le bambou au Viêt Nam : ils fournissent l'huile de leurs noix, des rondins, des feuillages pour couvrir les cabanes, des fibres propres au tissage et à la vannerie. Les montagnes sont percées de grottes où dorment les dépouilles des grands chefs, veillées par Tiki. Cette divinité de la virilité et de la fécondité montre une tête massive posée sans cou sur un corps trapu, la bouche entrouverte découvrant la langue. On en trouve la représentation un peu partout. En petites dimensions, Tiki orne des tambours, des échasses, de la vaisselle, des hameçons, des bijoux, des casse-tête du genre Guérit-Tout. Il figure dans les tatouages.

Par étages successifs, la végétation habille les montagnes jusqu'aux sommets : hibiscus, cocotiers, frangipaniers à la base ; bananiers sauvages, bambous, ficus à mi-hauteur ; fougères arborescentes en capuchons. Elle nourrit une quantité d'animaux jadis domestiqués, mais revenus à leur état primitif, bovins, chevaux, chèvres, chiens, pigeons. La chasse se pratique selon une méthode préhistorique dont témoignent en France des ossements au pied de la roche de Solutré. Elle consiste à mettre en fuite un troupeau, à le terroriser, à le pousser à grands cris et grand tapage vers une falaise. A la fin, il saute dans l'abîme et se fracasse. Les hommes ramassent ses débris.

Nous vînmes à Atuona prendre un chargement de coprah. Les seuls Français de la capitale ne devaient pas dépasser la douzaine. Parmi eux, deux gendarmes, un médecin, un instituteur.

Plus que sous l'autorité du gouverneur, le bourg était sous celle du curé kanak. Celui-ci nous reçut en paréo, nous présenta sa femme et ses enfants, car l'Eglise catholique accepte le mariage de ses prêtres dans ces paroisses lointaines. Il nous prêta des chevaux qui nous permirent de parcourir l'île.

Nous rendîmes visite à la tombe de Paul Gauguin, qui déserta la France pour chercher ici le bonheur. Il mourut dans une case misérable sans l'avoir trouvé. Il repose entouré d'un muret, en face d'une anse qui porte l'étrange nom de baie des Traîtres.

Tout le monde recherche le bonheur, nous dit Blaise Pascal, même ceux qui vont se pendre. Que fais-je d'autre moi-même en parcourant les mers ? Que cherchaient d'autre les passagers du *Ribaud* ? Ils n'étaient plus qu'une cinquantaine quand nous quittâmes les îles Marquises afin de les accompagner dans leur poursuite.

Six mille kilomètres jusqu'au canal de Panamá. Six mille kilomètres d'ennui. De temps éternellement radieux. De navigation parfaite. Nos voyageurs nageaient dans la piscine ou se laissaient cuire au soleil. Des liaisons amoureuses se faisaient et se défaisaient. Bonheur des épidermes.

Au quatrième jour, nous eûmes du moins une curiosité lorsque nous vîmes flotter sur les eaux une étrange charpente qui nous parut, au premier examen, être la carcasse d'un navire abandonné. Une nuée d'oiseaux marins, mouettes, cormorans, albatros, volaient et jacassaient au-dessus de l'épave. Lorsque nous fûmes plus près, l'objet non identifié fut exactement reconnu : il s'agissait d'une baleine égarée dans ces eaux équatoriales où elle était peut-être venue aussi chercher un bonheur exotique. Morte, dévorée par les rapaces, ce qui restait d'elle flottait encore. Nos touristes la photographièrent de face et de profil, pendant que les oiseaux continuaient leur curée.

Mes escapades sur le pont duraient peu. Juste le

temps de respirer. Pareil au nageur de crawl qui se retourne par intervalles pour avaler une gorgée d'air et puis replonge sa figure dans l'eau. Aussitôt après, je retournais dans mes profondeurs. Les murs blêmes, l'acier mouvant, les tôles varangues, le caillebotis métallique, tout cela montait et descendait avec ensemble, selon l'âpre remous des lames contre les flancs du navire.

Mon poste de commandement était la chaufferie. Mes organes, les embouchures des porte-voix, le cadran du chadburn avec ses indications en relief : *En avant. En arrière. Lente. Demi. Stop. Toute.* Les machines faisaient jouer leurs membres d'acier lentement ou à toute vitesse, mais toujours avec une douceur ferme et quasi silencieuse.

Tout à coup, cette harmonie vole en éclats. Le jeudi 14 février, à 5 heures du matin, grelottement des sonneries d'alarme. Lampes rouges : INCENDIE. Cris des Malais et des Philippins. Sirène de branlebas. Affolement général. Les haut-parleurs répandent dans tout le navire les ordres du commandant Delherme :

— Tous les passagers sur le pont supérieur. Débâchage des chaloupes. Ordre à chacun de revêtir son gilet de sauvetage. Les passagers doivent se tenir près des embarcations. Si nécessaire, ils seront embarqués en priorité sous la responsabilité des marins titulaires.

Le feu avait pris dans le compartiment moteurs. Ce genre d'accident avait été prévu, chacun connaissait par cœur les manœuvres à exécuter. On essaya d'abord d'étouffer le foyer au moyen des extincteurs. J'avançais dans la fumée à l'aveuglette. Les sprinklers jouèrent leur rôle : une pluie ruissela des plafonds. Mais elle ne dura pas assez.

327

Le feu commençait à gagner les cabines. On mit en marche la pompe à incendie qui, au bout d'une heure, tomba en panne. On capota la cheminée, les ventilateurs, les grilles d'aspiration, la hotte des centrifugeuses, en obstruant au moyen de toiles goudronnées tout ce qui pouvait produire un courant d'air et favoriser le sinistre. La radio lança un SOS :

— Appel à tous du cargo mixte *Ribaud*. Incendie à bord. Sommes à l'ouest des îles Cocos, à 4°40 Nord et à 89°05 West.

Cocos n'est autre que l'île au trésor décrite et racontée par R.L. Stevenson.

Des passagers voulaient participer à la lutte, afin d'exposer le restant de leur vie comment ils avaient sauvé le *Ribaud*. On organisa une chaîne d'eau pour vider la piscine.

Après des efforts infinis, la motopompe fut remise en service. Il nous fallut dix-sept heures pour éteindre tous les foyers. Au *Ribaud* désemparé, il ne restait plus qu'à attendre un remorquage. A l'appel de notre radio, un avion américain C 130 avait décollé d'Albrook, près de Panamá, chargé de canots pneumatiques et d'équipements de sauvetage. Il survola notre navire qui, déjà, ne produisait plus de fumée. Nous l'informâmes que nous avions maîtrisé l'incendie. Il battit des ailes et s'en retourna. Avant d'être inondé par nos propres sprinklers, notre émetteur avait pu avertir la CGM.

Panamá est une république bananière, caoutchoutière, cafetière, indépendante depuis 1903, mais où les Etats-Unis ont la prétention de faire la pluie et le beau temps. C'est qu'ils veulent garder la haute main sur le canal long de quatre-vingt-un kilomètres qui joint l'Atlantique au Pacifique. D'où leur occupation militaire permanente sur la *Canal Zone*, large de huit kilomètres. Ruban de terre yankee qui serre au cou l'Amérique latine. Périodiquement, des conflits éclatent entre les occupants et les occupés, même si le président Carter a signé une promesse d'évacuation pour le 31 décembre 1999. Cet état de choses inspire aux Panaméens une haine intense lisible dans les graffiti qui fleurissent sur les rives de ladite zone : *Muerte a los Gringos. Exterminio de Yankees. US go home.*

Remorqué à Balboa pour réparations, le *Ribaud* devait y rester quatre semaines. Notre escale en dura plus de dix. Irrités de ces retards, la plupart des passagers qui nous restaient nous abandonnèrent et achevèrent leur tour du monde par avion, au départ de Panamá City.

Pour te prévenir de notre accident, je t'envoyai un long télégramme, qui ne te toucha jamais, comme je le sus par la suite. Ceux de l'équipage qui le voulurent profitèrent de ces longues vacances pour visiter le pays. A six officiers, nous avons loué chez Hertz une voiture Volkswagen. Souvent arrêtés par les *barbudos* de la *Guardia nacional* ou par les *M.P.* amerloques pour vérification d'identité. Coffrés même une nuit, soupçonnés de trafic de drogue par des policiers qui s'en réservaient l'exclusivité.

La capitale est composée de trois villes distinctes. La moderne, avec ses larges avenues, ses gratte-ciel, ses parcs, ses restaurants de luxe, ses boîtes de nuit, ses machines à sous. La coloniale, avec une cathédrale riche de deux tours incrustées d'azulejos, un palais présidentiel sur lequel flotte le drapeau panaméen. Enfin *Panamá la Vieja*, autour des ruines pittoresques de la vieille ville, incendiée en 1671 par le pirate anglais Henry Morgan qui, pour cet exploit, fut anobli par le roi d'Angleterre. Nous avons fréquenté plusieurs gargotes où, à défaut de chair humaine, on nous a servi du *tazajo*, viande de bœuf grillée et nappée de sauce tomate. En buvant de la *chicha*, un breuvage rafraîchissant dépourvu d'alcool.

Plusieurs fois, nous faillîmes nous faire assassiner. La vieille ville est un véritable coupe-gorge et nous nous trouvâmes bien d'être un groupe de six et d'avoir sur nous des couteaux Laguiole. En souvenir de notre panne à Panamá — puisque nous sommes dans les calembours, pourquoi ne pas organiser un jumelage entre Paname et Panamá City ? —, en souvenir, dis-je, de notre escale panaméenne, j'achetai un collier de corail à triple rang, payé en dollars, pour ma fille aux orages, et un collier à rang simple pour notre Plampougnette.

Ces dix semaines ne furent pas cependant pour moi une longue période de farniente, car je devais me rendre fréquemment aux chantiers de Balboa pour surveiller les travaux de réparation que subissait notre *Ribaud*. Tantôt seul, tantôt en compagnie du commandant Delherme. Les discussions anglo-espagnoles étaient parfois ardentes avec les ouvriers panaméens. Vint enfin le jour des essais définitifs. La mise en route des moteurs. Quand j'eus la joie de les entendre ronronner de nouveau, les larmes me montèrent aux yeux. Faute de Mercier, nous bûmes du champagne argentin. Et nous nous séparâmes en nous envoyant des tapes chaleureuses dans les omoplates.

Un pilote vint prendre notre barre. La traversée du canal peut se faire de nuit, éclairée par des phares de haut mât placés aux endroits difficiles. Notre commandant nous l'offrit de jour parce que ce voyage d'un océan à l'autre présente un des plus fabuleux spectacles qui soient au monde. Il dure neuf heures et trente minutes. Au départ de Balboa, on passe d'abord sous l'arche unique du pont des Deux-Amériques. Peu après viennent les écluses de Miraflores qui élèvent le bateau d'une trentaine de mètres en trois marches successives. On traverse un lac du même nom, on s'élève encore dans l'écluse de Pedro Miguel.

Le défilé Gaillard Cut, avec ses rives escarpées, donne l'impression que le canal est un énorme fossé que domine un sommet pointu, Gold Hill, dont le profil rappelle le puy Mary cantalien. Toutes ces terres disparaissent sous une forêt tropicale exubérante, peuplée de singes et de perroquets. On traverse Gatun, un grand lac aux eaux putrides, infestées de moustiques, sur lesquelles semblent flotter une myriade d'îlots couverts de végétation. Les pélicans qui peuplent ses rives se gobergent de poissons. Il faut ensuite redescendre comme on était monté. Au port de Cristobal, on entre dans l'océan Atlantique.

A Sainte-Adresse, monsieur Géraud, notre professeur de géographie, nous expliquait ainsi l'origine de ce nom :

— Il dérive du verbe grec *tlas*, qui veut dire « supporter ». Partant de cette racine, les anciens Grecs inventèrent Atlas, un géant condamné à supporter le monde sur ses épaules. Le même nom fut donné à la chaîne montagneuse qui forme l'épine dorsale du Maroc et dont les cimes, à plus de quatre mille mètres, se confondent avec les nuages. Cette chaîne marquait dans l'antiquité la limite occidentale du monde connu. D'où le nom d'Atlantique donné, lorsqu'il fut découvert, à l'océan qui la bordait.

Notre navigation se déroula pendant huit jours sans incident notable. Les machines fonctionnaient très régulièrement. J'avais l'œil et l'oreille à tout. Je dois avouer une chose : mes responsabilités, mon amour de la mer et des voyages m'occupent tellement l'esprit que j'oublie pendant de longues périodes la France, l'Auvergne et ma famille. Tu n'avais pas vraiment tort de m'accuser de bigamie. Alors le soir, dans ma cabine, avant de m'abandonner à mon sommeil de cyclope, comme d'autres s'abîment dans leurs dévotions, je me forçais à me concentrer sur vous. Je rassemblais mes souvenirs.

Sur le point de quitter cette surface sans saisons, je passais en revue les quatre saisons auvergnates. J'entendais à Aydat l'horloge à poids qui tousse un peu avant de sonner les heures, comme un chanteur qui se racle la gorge. L'acide chanson du bois vert dans le feu. Les aboiements furieux de Félicia chaque fois que le clocher sonnait l'angélus. Je me délectais à la pensée des champs de neige dans lesquels on s'enfonce jusqu'aux genoux. Des brumes printanières sur le lac. Des prés tout blancs de narcisses ou tout jaunes de jonquilles. Des fruits de l'été. Je rêvais de ma vieille maison qui sentait la paille, le blé, le vieux, le séculaire. Je voyais mon père sur son tracteur, aussi fier que Giscard conduisant le char de l'Etat. Et ma mère au milieu de ses poules ou à son fourneau, sur lequel veillait en permanence la cafetière à long col. De là, dans l'hélicoptère de ma pensée, je volais à Riom. Tu rentrais de la maison d'arrêt où tu étais allée porter des consolations aux putes, aux avorteuses, aux droguées, aux infanticides. Jeannette s'appliquait à ses devoirs. Je sonnais à la porte, elle s'écriait :

— C'est Rahou ! J'en suis sûre !

Elle avait raison. J'arrivais de Panamá couvert de colliers de corail, vous m'entouriez de vos quatre bras, Gustou aboyait de bonheur. A force de songer à vous, je n'arrivais plus à trouver le sommeil.

Soudain, à l'ouest des Açores, le ciel se remplit de nuées pareilles à une troupe d'ânesses noires. Le vent se leva. Le *Ribaud* se mit à danser au milieu de vagues de plus en plus impressionnantes. Des tonnes d'eau s'abattirent sur nos ponts. Les marins couraient de tous côtés, s'agrippant aux sauvegardes. La tempête dura plus de trois heures, pendant lesquelles le *Ribaud* subit des inclinaisons épouvantables. Des conteneurs brisèrent leurs attaches et tombèrent par-dessus bord. Ces accidents font partie des «fortunes de mer» couvertes par les assurances. Heureusement, les hélices continuaient de nous tirer vers le nord. Enfin, le vent perdit de sa fureur, le bateau retrouva sa verticalité.

Nous entrâmes dans le port de Marseille le 14 mai 1976 avec deux mois de retard. Le 17, à 14 heures, j'arrivai à Riom. Comme je montais la rue du Commerce, je crois bien que j'évoquai mon patron : «Saint Raoul, faites qu'elle ne soit pas retournée chez sa marraine.»

L'étiquette de notre double nom était toujours fixée à la porte. Je n'eus pas besoin de sonner : un chien donnait l'alerte. Gustou ! Ses abois joyeux prouvaient qu'il me reconnaissait. Puis tu m'ouvris. J'attendais tes bras autour de mon cou. J'allais m'excuser de me présenter avec une barbe de trois jours. Et paf ! C'est une gifle que je reçus, avec ce mot d'accueil :

— Salaud !

— Merci beaucoup !

— Deux mois de retard !

— Nous avons été incendiés. Je t'ai expédié un télégramme.

— Je ne l'ai pas reçu.

— La poste panaméenne…

— Qu'est-ce que ça veut dire, panaméenne ?

— République du Panamá. Un pays sous-développé. Je jure sur la tête de Gustou que je l'ai envoyé…

Il était en train de manger mes souliers. De bonheur. Je dus fournir les détails les plus urgents. Tu m'ouvris enfin les bras. Nos deux cœurs s'envolèrent comme deux pigeons par-dessus la coupole de l'église du Marthuret.

— Et Jeannette ?

— Elle est encore à l'école. Attends un peu.

Tu disparus dans notre chambre. Je perçus le léger chuintement d'un vaporisateur.

Amours, délices et lavande.

Quand nous fûmes provisoirement repus l'un de l'autre, je fournis enfin toutes les justifications que tu attendais : le *Ribaud* en flammes, le SOS, le remorquage jusqu'à Balboa, les réparations interminables, ma présence nécessaire sur le chantier, l'erreur que j'avais commise en me fiant aux postes de Panamá.

— Pourquoi ne me parlais-tu plus par le CRM ?

— Notre radio était bousillée en même temps que tout ce qui était électrique.

— Tu pouvais écrire.

— Je te croyais rassurée.

Tu secouais la tête, mal convaincue, je dus te reprendre dans mes bras, recourir à d'autres arguments. Vint celui du collier de corail à triple rang. Lorsqu'il brilla autour de ton cou, tu consentis enfin à sourire, à me pardonner mes fautes vraies ou supposées au moyen d'une formule qui exprimait bien ton scepticisme :

— Quoi que tu aies fait, je te donne mon absolution.

— Mais je n'ai rien fait d'inavouable…

— Amen.

Tu posas une main sur ma bouche. Tu as le goût du silence, du non-dit, du sous-entendu, comme tous les Asiatiques. Maman Rôt ne se plaignait de rien ni de personne, cela faisait partie du *Ngôn*, de la pudeur du langage. Un long silence aurait dû tomber entre nous comme un rideau. Je l'écartai en recourant à mon tour à l'interrogatoire :

— Parle-moi de notre fille.

— Elle sort de l'école à 16 h 30. Tu ne la reconnaîtras pas. Elle a grandi et changé.

— En quoi ?

— Tu verras toi-même. Elle réussit très bien en classe.

— Gustou aussi a changé. Il est devenu un chien corniaud, bicolore, propre à poursuivre les vaches, comme tous ceux d'Aydat.

L'extraordinaire était qu'il se souvenait de moi,

après neuf mois de séparation. Il ne se doutait pas cependant qu'il avait devant lui un anthropophage.

— As-tu des nouvelles de mes parents ?

— Je crois qu'ils vont bien. Je suis allée les voir.

— Combien de fois ?

— Cinq ou six. Tu sais bien qu'Augusta n'a pour moi aucune sympathie. Elle me traite honnêtement. Mais il y a de la gêne entre nous. Ton père, lui, nous reçoit bien. Il est toujours aussi amoureux de Plampougnette.

J'avais constaté souvent les marques de cette adoration. Il lui tressait des paniers de joncs, des cages à hannetons, des pendants d'oreilles. Et je m'aperçus — oserai-je le dire ? — que cet amour excessif me déplaisait un peu. Je le voyais comme détourné de l'enfant que tu ne m'avais pas donné. Car c'était malgré moi une chose convenue : tu refusais de mettre au monde un fils ou une fille orphelins de père neuf mois par an.

— Tu n'as, m'avais-tu dit, qu'à accepter des voyages plus courts. Deux ou trois mois au maximum.

— C'est ça ! Du cabotage !

— C'est à prendre ou à laisser.

— Que veut dire laisser ?

— Nous vivrons chastement, comme frère et sœur.

— Tu sais que c'est un cas de divorce.

— Divorçons.

Sans aller jusque-là, je m'étais résigné à notre stérilité. La pilule contraceptive était arrivée à point pour nous épargner le rôle d'Abélard et Héloïse. En attendant, Jeannette était censée satisfaire à mes besoins d'affection paternelle.

336

Nous allâmes l'attendre à la sortie de son école, rue Victor-Basch, derrière Saint-Amable. Elle me reconnut à peine, ou fit semblant.

— Présente-moi, dis-je, le cœur serré.

— C'est Rahou.

Gustou m'avait réservé un meilleur accueil. Elle consentit à être embrassée, sans rien me rendre. Tu confirmas :

— Il est revenu. Son bateau a brûlé. Ça explique le retard.

Je la dévorais des yeux, douloureusement ravi de la trouver si belle, avec ses deux nattes pendantes que terminaient deux papillons de ruban bleu. Quelque chose qui devait rappeler tes anciennes couettes. Dépité de cette beauté qui ne me devait rien, reçue de sa mère et d'un père inconnu. Tu avanças un argument qui devait nous rapprocher :

— Je crois qu'il t'a apporté un joli cadeau.

— Qu'est-ce que c'est ?

— Tu le verras toi-même.

Haussement d'épaules. Elle n'avait plus rien à cirer de mes cadeaux. Comment avait-elle pu s'éloigner de moi à ce point ? Le cœur de l'homme est creux… Et celui de la petite fille, donc ! Je la débarrassai de son cartable, ce qu'elle accepta volontiers. « Joseph, portez ma valise ! » Comme je disposais d'une autre main, je cherchai à prendre la sienne. Elle s'écarta, offensée :

— Je suis trop grande !

Etrange trio. En sandwich entre nous deux, elle regardait la rue, les passants, les boutiques comme une personne adulte. Où avait-elle les pensées ?

Lorsque je lui passai au cou le collier de corail, fait pour aller avec le tien, et qu'elle se vit dans la glace, elle ne manifesta aucune joie.

— J'ai, dit-elle, une copine qui porte exactement le même.

— Pourquoi pas ?

— C'est du plastique. Elle l'a acheté à Monoprix.

— Celui-ci est en corail. Une matière très précieuse qu'il faut aller cueillir sous la mer, accrochée à des rochers.

— Ah.

— Tu pourrais quand même dire merci.

— Merci.

— Merci qui ?

— Merci Rahou.

Est-ce ce même soir qu'avant de me coucher j'aperçus sur la table de nuit un petit flacon rempli de comprimés blancs ? Ayant examiné son étiquette, déchiffré les lignes minuscules qui en expliquaient le contenu, je compris qu'il s'agissait des fameuses pilules contraceptives qui, depuis quelques années, bouleversaient les relations amoureuses. Un point étonnant : elles avaient exactement la forme, la couleur, les dimensions de la Nautamine que je prenais de temps en temps pour combattre le mal de mer. Tu étais dans la salle de bains, occupée à ta toilette. Cette similitude et le calembour qu'on pouvait faire là-dessus firent germer en moi une idée maligne. Je me levai, je fouillai dans mon havresac, j'y trouvai sans peine un flacon de Nautamine, je vidai le tien de ses pilules, je les remplaçai par les miennes. Et j'attendis la suite des événements.

Dès le lendemain, un jeudi, la 4 L que tu conduisais nous transporta par Clermont et la N. 89 jusqu'à Aydat. L'accueil des Mercier fut ce que je prévoyais : enthousiaste ou réservé selon les personnes. Le plus chaleureux fut celui de la vieille Félicia, maintenant grabataire, qui remua la queue tout le temps de notre séjour.

Mon père ne se consolait pas de me savoir sur l'eau, plutôt que sur la bonne terre volcanique reçue de ses ancêtres, capable de nourrir comme autrefois douze ou quinze personnes. La Veyre bouillonnait comme une folle et sautait dans le lac pour prendre un bain bleu. « Ce pays, écrivait Sidoine Apollinaire à un de ses amis, est si riche en moissons, en prairies, en forêts, si beau en montagnes, en eaux dormantes ou sautillantes, que plusieurs étrangers, venus s'y installer pour quelques jours, y ont oublié leur propre patrie. »

Monsieur Méliodon avait pris sa retraite et quitté la commune ; personne ne put nous donner des nouvelles de Papianille. Les hommes passent, tombent, se remplacent comme les feuilles des arbres.

Nous revînmes le soir même dans Riom-le-Triste.

Je vécus entre vous deux, en bon père de famille, les onze semaines de mon congé. Il devait s'achever le 28 juillet 1976, date à laquelle je m'étais engagé à rejoindre à Dakar le *DLB 1601*, un navire poseur de pipe-lines qui devait me retenir neuf mois en mer. Nous goûtâmes ensemble un bonheur bourgeois qu'interrompaient à peine les courtes visites que tu rendais à tes tôlardes. Promenades, thés, concerts, théâtre, repas bi-hebdomadaires au restaurant. Le 14 juillet, nous célébrâmes comme il faut ton anniversaire supposé avec beaucoup de rires et beaucoup de bulles.

Vint la tempête du 20 juillet, inattendue comme un grain blanc. Encore un jeudi. Je ne sais pourquoi les tuiles choisissent ce jour-là pour me tomber sur la tête. Jeannette était en promenade avec Oursine Coupat. Je te voyais soucieuse depuis plusieurs jours. Tu étais sortie le matin même pour aller faire des courses. Tu rentras l'après-midi, vers 14 h 30, j'entendis dans l'escalier ton pas précipité. Tu poussas si rudement la porte qu'il me sembla que tu l'avais enfoncée. Tout de suite, tu te jetas sur moi, m'assenant de toutes tes forces des coups de parapluie. Le tout accompagné des plus atroces injures :

— Traître ! Judas ! Assassin ! Ordure ! Fumier ! Saloperie !…

Ce qui n'était pas mal pour une jeune personne élevée au couvent des Oiseaux.

— Qu'est-ce qui te prend ?… Qu'est-ce qu'il y a ?
— Il y a que je suis enceinte !
— Enceinte ?
— Aucun doute. Je viens de recevoir le résultat de l'analyse.

Et moi, l'air innocent :

— Enceinte de qui ?

Il y a des moments, je l'ai déjà dit, où je suis vraiment le dernier des dégueulasses. Elle me le confirma :

— Dégueulasse !… Comme je faisais une scène à la pharmacienne qui m'a vendu les pilules, elle m'a dit : « Apportez-moi celles qui vous restent. » C'est ce que j'ai fait. Et qu'a-t-elle trouvé au fond du flacon ? Des comprimés de Nautamine ! Et qui donc ici prend de la Nautamine contre le mal de mer ? Devine un peu ! Espèce de fourbe ! Malgré tes promesses ! Malgré nos accords !

Je baissai la tête, la mine repentie. J'osai dire que ce n'était pas un si grand malheur.

— Tu te fous de moi ?... Et maintenant, que vais-je devenir ?... Seule pendant neuf mois. Juste le temps de la grossesse ! Mais je sais ce que je vais faire : supprimer ce guignol, dont je ne veux pas.

— Je t'en supplie, pas ça ! Tu risques ta vie ! Tu risques la prison ! Maintenant que cet enfant est commencé, gardons-le. Je dois aller poser des pipe-lines au large de Dakar...

— M'en fous de tes pipe-lines !

— Je ferai de mon mieux pour raccourcir mon absence...

A partir de ce point, notre conversation ne fut plus qu'une suite de vociférations, de hurlements, d'onomatopées. Soudain, te rappelant comment j'avais réagi l'année précédente en trouvant la cage vide, tu te jetas sur le mobilier, tu entrepris de lacérer les rideaux, de briser la vaisselle. Toutes griffes dehors lorsque j'essayai de t'arrêter. Je me saisis du moins du téléphone que tu te préparais à réduire en poussière. Alors, pendant que tu t'employais à détruire d'autres objets, je décrochai le combiné, je formai le 17. Police secours. Pas besoin de se nommer. Les agents sont assez malins pour découvrir qui les appelle.

Quelques minutes plus tard, en effet, pin-pon ! pin-pon ! La voiture à gyrophare se range devant notre immeuble. Madame Coupat renseigne les flics :

— Au troisième étage !... Là-haut, c'est l'enfer !

Et voici deux poulets dans notre nid d'amour !

Un gros et un maigre. Laurel et Hardy. Ils contemplent le désastre.

— Qu'est-ce qui se passe ? demande Laurel.

— Madame est enceinte. Et en pleine crise de folie.

— Ça la rend folle ?

— Vous pouvez constater.

— Faut plutôt appeler le SAMU. Service psychiatrique, suggère Hardy.

Changement d'attitude : tu éclates en sanglots. Des sanglots secs, comme il y a des grains sans pluie. Le gros t'entoure de ses bras, te tapote les joues, t'appelle « Ma petite dame »... Il cherche à te persuader qu'une grossesse dans le mariage est une chose naturelle. Y a pas de quoi casser les meubles. Lui-même a cinq enfants : les enfants, c'est du bonheur ; et en plus, des bâtons de vieillesse ; ils vous secourent quand vous êtes « impuissants » ; il veut dire « impotents ». Le maigre prend le relais et me travaille au foie ; il me demande des détails sur notre vie sexuelle, s'étonne que ma femme ne consomme pas la pilule :

— La pilule, monsieur, voilà le salut. Moi, je suis marié depuis trois ans, et pas de gosse à l'horizon.

Il forme le chiffre zéro avec la main. Je vois la crosse de son pétard pointer le nez hors de l'étui. Chacun des deux gardiens de la paix y va de son sermon. Les écoles de police recommandent à leurs élèves d'intervenir « en finesse ». A la fin, ils nous tirent l'un vers l'autre :

— Tout va s'arranger. Allons ! Embrassez-vous.

Ils ont vidé les lieux. Et nous avons repris notre conversation. Nous n'avons plus beaucoup de temps, Jeannette va rentrer de sa promenade. Nous buvons une goutte de porto pour nous remonter. Aussitôt après, tu t'essuies la bouche et me présentes cet ultimatum :

— Tu donnes ta démission du pipe-line, tu cherches un autre bateau qui ne te retient pas plus de cinq mois. Sinon...

Tu fais un geste de dégoulinement que je refuse de comprendre :

— Sinon quoi ?

— Sinon, je me fais avorter.

— Tête de mule ! Mais on m'attend sur le *DLB* !

— Ecris, téléphone, trouve une bonne raison, débrouille-toi. Mais ne compte pas me faire changer d'avis.

Le plus incroyable : déjà, je me sens brûler d'amour paternel pour ce futur enfant qui n'est encore, dans son ventre, pas plus gros qu'un grain de riz. Je demande une nuit de réflexion, qui m'est accordée. Nous remettons de l'ordre dans l'appartement.

Nous dormîmes quand même ensemble cette nuit-là. En fait, je ne pus fermer l'œil. Un psychiatre riomois voulut bien reconnaître mon état dépressif, signer une attestation, que j'envoyai à l'Entreprise pour les travaux pétroliers maritimes propriétaire du *DLB 1601*. Je tombai à la charge de la Sécurité sociale.

Tu rayonnais. Jamais tu ne te montras plus aimante, plus sensuelle, plus béatrice qu'au cours de ces six mois de chômage.

Ayant adressé maintes demandes d'emploi à

diverses compagnies de navigation, je signai enfin un contrat de second mécanicien à bord du *Marion-Dufresne*, navire appartenant à la CGM, mais affrété par l'administration des TAAF (Terres australes et antarctiques françaises), chargé de ravitailler les îles Kerguelen, Crozet, Amsterdam, Saint-Paul, et d'assurer la relève de leurs personnels scientifiques. Mon absence annuelle ne devait pas dépasser neuf mois répartis en trois missions trimestrielles. Ce qui me laissait trois congés de trente jours. Départ prévu le 4 janvier 1977.

L'échographie nous révéla que tu donnerais à la mi-février le jour à un garçon. Ce qui fit bougonner ma mère :

— Autrefois, on ne savait rien jusqu'au dernier moment. Ça portait malheur de chercher à savoir.

Mon oncle charcutier accepta d'être son parrain et de lui donner son prénom de Saturnin.

Autour d'Aydat, je savourai cet automne et cet hiver dont j'étais privé depuis dix ans. J'aimais à me promener dans les chemins creux. A mettre mes pas dans ceux des vaches et des chevaux. A contempler les murets de pierres sèches qui soutenaient les champs ; à me dire : « Ceux qui les ont bâtis n'ont plus mal aux dents. » A la campagne, la solidarité des générations apparaît à chaque instant. A la ville, la dernière venue démolit ce que les précédentes avaient construit pour faire plus grand, plus propre, plus spectaculaire. De leurs prés, les vaches me regardaient passer avec intérêt. A Riom, sur le même trottoir, les passants s'ignorent.

Je vis les hêtres, les cerisiers devenir pourpres, les bouleaux se couvrir d'or. Dans les bois, les feuilles mortes bruissaient sous mes souliers lorsque, en compagnie de Gustou, je faisais la chasse aux bolets. Oh! nos glissades à ski, hors piste, sur les pentes de Combe-Grasse ou du Monténard! Oh! les cloches, les bergers, l'agneau, les cantiques de Noël retrouvés! Auguste nous accompagna à l'église malgré son communisme pour le plaisir d'être avec nous.

— Pardonnez-moi, osa-t-il un jour t'avouer, mais je ne crois ni en Dieu ni au diable. Est-ce que ça vous ennuie?

Tu éclatas de rire et lui avouas que tu en étais à peu près au même point que lui.

— Vous avez bien été pourtant élevée par les bonnes sœurs?

— C'est justement pour ça. Je me souviens de quelques-unes qui étaient vraiment bonnes. Mais d'autres m'ont donné trop de gifles, enfermée trop souvent dans la cave, fait assister à trop de messes, réciter trop de prières. La religion, je lui ai assez donné. Je ne lui donne plus.

— Nous sommes donc deux beaux païens dans la famille!

Et, de contentement, il t'embrassa sur les deux joues.

Quant à moi, je ne sais toujours pas très bien où j'en suis. L'abbé Septour, au catéchisme, était si convaincant lorsqu'il nous parlait des étoiles:

— Regardez-les, ce soir, au milieu de la nuit. Il y en a, on les a comptées, des milliards et des milliards. Certaines si éloignées que leur lumière nous parvient encore alors qu'elles sont éteintes. De même qu'une lettre peut atteindre le destinataire alors que l'envoyeur est décédé. Posons-nous cette question: à quoi servent-elles? A nous éclairer la nuit quand le ciel est sans nuage? Mais nous avons des lanternes et nous pouvons nous passer d'elles.

A guider les marins ? Mais ils ont la boussole. Elles servent seulement à nous montrer l'existence de Dieu. Car pour créer ces astres dont certains sont un milliard de fois plus grands que notre terre, il fallait un pouvoir infini, celui donc d'un Dieu tout-puissant. Mais je vous prouverai aussi l'existence de Dieu dans l'infiniment petit. Apportez-moi, la prochaine fois, chacun un brin de bruyère…

L'abbé Septour nous prouvait Dieu par la bruyère et par les étoiles. Entre l'une et les autres, je cherche encore et je doute.

12

Lorsque, en 1977, je gravis pour la première fois l'échelle de coupée du *Marion-Dufresne*, je ne soupçonnais pas que je m'engageais sur ce navire jusqu'à l'an 2000. Que j'userais le *Marion-Dufresne* numéro 1 (il devait prendre sa retraite en 1995) et que je passerais sur son successeur le *Marion-Dufresne* numéro 2. Le premier, long de 112 mètres, d'une jauge brute de 6 640 tonneaux, portant 83 passagers. Le second, long de 120 mètres, d'une jauge brute de 8 700 UMS (Unified Measurement System), portant 110 passagers. L'un et l'autre universellement connus dans le monde maritime, sans que je sache exactement qui fut leur parrain. Une plaque fixée au bar du second explique brièvement que les Dufresne, originaires de Saint-Malo, au service de la Compagnie des Indes, avaient pris possession pour Louis XIV de l'île de France, redevenue île Maurice en 1814. Naviguant vers l'est, Marion fut massacré par les Maoris en Nouvelle-Zélande.

Le numéro 1 assurait la quasi-totalité du ravitaillement des TAAF en hommes et en matériel. Il disposait également de câbles et de sondes qui lui permettaient de prélever des carottes dans le sol sous-marin jusqu'à trois mille mètres de profondeur, dans le cadre des campagnes océanographiques. Ajoutez une plate-forme d'hélicoptères, deux laboratoires réfrigérés, deux vedettes, un large porte-conteneurs, deux grues, une bigue de quarante tonnes. Il s'agissait donc d'un navire polyvalent : cargo, ravitailleur, paquebot, navire scientifique. Attaché au port de la Réunion, il faisait ordinairement six rotations annuelles dans la zone des TAAF et une ou deux liaisons avec Marseille pour motif de carénage ou de gros chargements. Je ne participais pas à tous ces voyages, mon contrat avec la CGM prévoyant, comme j'ai dit, trois périodes en mer de trois mois chacune. Il était doublé sur sa zone d'un bâtiment de la Marine nationale, l'*Albatros*, patrouilleur affecté à la surveillance des îles françaises de l'océan Indien contre le piratage et le braconnage ; il pouvait aussi porter secours entre les « quarantièmes rugissants » et les « cinquantièmes hurlants » où les bateaux doivent essuyer de rudes tempêtes.

Les îles Kerguelen, pointe méridionale extrême de notre zone, furent en principe découvertes en 1772 par le chevalier Yves-Joseph de Kerguelen-Trémarec. Il n'y posa cependant jamais le pied. Il commandait une expédition de deux navires, la *Fortune* et le *Gros-Ventre*, et crut révéler un continent nouveau, ce qui eût fait de lui un autre Christophe Colomb. Curieusement, il laissa le soin à un de ses subordonnés, l'enseigne de vaisseau Boisguehenneuc, accompagné de quelques hommes, d'en prendre possession au nom du roi Louis XV. L'enseigne fit ériger un cairn, un monticule de pierres, sur lequel il déposa une bouteille contenant le texte de la prise de possession. On cria trois fois : « Vive le Roy ! » On lâcha trois décharges de mousqueterie, on hissa le pavillon blanc. Puis on regagna le *Gros-Ventre*.

Kerguelen-Trémarec était parti, sur la *Fortune*, après leur avoir donné rendez-vous à l'île de France. La tempête sépara les deux bateaux. Le *Gros-Ventre* n'atteignit l'île qu'un an plus tard et en piteux état. Le chevalier avait déjà regagné la France où il racontait monts et merveilles. Il fut reçu à Versailles par Louis XV.

« Sa Majesté me demanda si je croyais que les terres que j'avais découvertes étaient habitées. J'eus l'honneur de lui répondre que la dureté du climat et la familiarité des oiseaux ne permettaient pas de le penser. Sa Majesté parut satisfaite de la manière dont j'avais rempli ma mission… J'ose appeler ce continent le troisième monde après celui de l'Eurasiafrique et celui des Amériques. Je dirais l'Australasie. S'il est habité, les naturels y vivent à l'état primitif, sans autres lois que celles de la nature, ignorant les artifices des hommes civilisés. Et j'aimerais mieux avoir une conversation avec un Australasien qu'avec le plus bel esprit de l'Europe [1]. »

Fortement sollicité par les uns et les autres, le chevalier se résigna, sans enthousiasme, à partir pour un second voyage. Contrarié par la brume, il erra plus d'un mois autour de son « continent » sans se décider à mouiller nulle part. Découragé enfin, il reprit la route de la France. Mais, pendant ce retour, éclatèrent à bord des désordres scandaleux. C'est

1. Mémoires et correspondances de Kerguelen-Trémarec.

que le chevalier avait embarqué avec lui une femme, Louise Seguin, dite familièrement Louison, dont il se réservait les faveurs. Au grand déplaisir de ses officiers. De plus, la nourriture, mal protégée, était devenue détestable. Les marins mouraient comme des mouches. En touchant terre, Kerguelen-Trémarec fut arrêté, traduit en justice, condamné à six ans de forteresse pour avoir « pacotillé » durant les escales et tenu une conduite scandaleuse.

L'archipel restait anonyme. En 1776, le capitaine James Cook fut chargé de partir du Cap « à la recherche d'îles récemment découvertes par les Français ». Le 25 décembre, il mouilla dans une baie au nord de l'île principale, qu'il nomma naturellement *Christmas Harbour*. « J'appellerais volontiers cette terre, à cause de sa stérilité, île de la Désolation, si je ne voulais enlever à monsieur de Kerguelen l'honneur qu'elle porte son nom. »

La grande île, d'une superficie égale à celle de la Corse, est une terre basaltique entourée d'une multitude d'îlots et pénétrée par de profondes échancrures. Ces accidents portent aujourd'hui des noms évocateurs : Tête d'Homme, Oreille de Chat, Pain de Sucre, Pouce, Téton. Ou ceux des découvreurs : anse du Gros-Ventre, mont Cook, îlot du Rendez-Vous, table de Boisguehenneuc, baie Larose. Ou celui d'accidents français : golfe du Morbihan, lac d'Armor, val Travers, table de Beaulieu, pointe de Penarc'h. J'y ai découvert, à ma grande surprise, une roche Tuilière et une roche Sanadoire, baptisées par un Auvergnat inconnu. Le point culminant, le mont Ross, atteint exactement l'altitude de notre Sancy, 1 884 mètres.

L'arche en est la principale curiosité. A l'est de Port-Christmas, elle ressemblait naguère à une énorme porte cochère, haute de plus de cent mètres, ouverte sur le vent. Le linteau s'est écroulé au début du siècle. Il reste les deux jambes formant un U majuscule.

La côte est parsemée de tombes, identifiées ou non. Avec ou sans croix. Des pirates, des naufragés, des malades, des pêcheurs, un mousse de onze ans dorment ici, battus par les flots. Un Allemand, Karl Hermann. Il appartenait à un bateau corsaire, l'*Atlantis*, qui, pendant la Seconde Guerre mondiale, après avoir coulé treize cargos anglais, jeta l'ancre à Kerguelen déserte pour s'abreuver en eau douce. Un des marins périt accidentellement. Sa tombe est creusée dans le rocher, près du bassin de la Gazelle. Le gouvernement allemand actuel verse chaque année quelques marks pour qu'elle soit entretenue et fleurie.

Car l'île est habitée. D'éléphants de mer, petits cousins des baleines par les mœurs, de l'éléphant de terre par la trompe. Tantôt ils grognent comme des cochons ; tantôt ils aboient comme des chiens ; tantôt ils semblent parler comme des chrétiens. Les manchots sont des oiseaux qui ont pris goût à la nage et ne savent plus voler. Avec leurs ailerons, ils ressemblent à des garçons de café en redingote noire et plastron blanc. Ils nagent à une vitesse stupéfiante, peuvent plonger en apnée jusqu'à trois cents mètres de profondeur. Les gorfous sauteurs, variété de manchots, portent aux tempes des aigrettes noir et jaune. Les gorfous dorés vivent sur les pentes herbeuses et tracent de véritables drailles jusqu'à la côte. Le mâle couve les œufs que la femelle a pondus ; il les installe sur ses pattes et s'accroupit dessus. Le pétrel géant est un charognard, le vautour des mers.

L'albatros, ce « prince des nuées, qui hante la tempête et se rit de l'archer », peuple surtout l'archipel Crozet. Ses ailes de géant atteignent trois mètres d'envergure ; il ne peut décoller du sol que si un vent assez fort le soulève.

L'un d'eux a fait la gloire de cette île. En 1887, un albatros s'abattit sur la côte australienne, mourant, épuisé par un vol incroyable. On eut la surprise de trouver, suspendue à son cou, une plaquette de fer-blanc avec ces mots : *treize naufragés français sont réfugiés au Crozet*. Distance : cinq mille kilomètres ! Un navire de secours fut envoyé ; mais les naufragés, à court de vivres et d'espérance, s'étaient enfuis et perdus. L'héroïsme de l'albatros avait été inutile.

Kerguelen est aussi habité par des animaux introduits d'Europe ; notamment de BLO et de chats. Les seconds mangent les premiers et sont mangés par les pétrels.

Les créatures humaines comptent une centaine d'unités : hivernants, scientifiques, militaires, administratifs. Auxquels s'ajoutent l'été des voyageurs ou des chargés de mission. Des activités économiques ont été entreprises : élevage, pêche, conserverie. Toutes ont fait fiasco. Rien ne réussit durablement dans les TAAF excepté les travaux scientifiques.

Aucune île pourtant n'a fait plus rêver que cet archipel. L'un voulait y établir une terre d'expiation, parce que le climat y est rude, mais sain : *Le condamné aux travaux forcés serait contraint de vivre, non de mourir* [1]. Deux Normands, les frères Boissière, espérèrent y implanter une société idéale

1. René de Sémalé, membre de la Société de géographie.

comparable à l'*Utopia* de Thomas Morus, île de tolérance, d'égalité et de paix. Qui n'a pas rêvé d'une île déserte ? Qui ne s'est jamais senti une âme de Robinson Crusoé ?

Je n'ai point parlé de la végétation qui s'accroche aux TAAF. Peu de chose, car les BLO introduits depuis un siècle ont tout mangé, excepté ce qu'ils n'aiment pas, lichens, fougères, champignons. Sur ces terres aux vents forcenés, les seuls arbres qui leur résistent, les phylicas, poussent sur l'île d'Amsterdam.

Toutes ces créatures, tous ces événements sont illustrés par les timbres-poste dont la vente constitue une des recettes notables de l'archipel et du *Marion-Dufresne*. Un des plus vendus relate le sacrifice de l'héroïque albatros.

Le 15 mars 1977, alors que je me trouvais au mouillage devant Port-aux-Français, capitale de la grande île avec ses cinquante habitants, j'appris la naissance de mon fils Saturnin, advenue trois semaines plus tôt. Tu ne t'étais pas trop pressée de m'en informer pour me punir d'être si loin. Sur le *Marion-Dufresne*, j'offris le champagne à tout l'équipage et nous procédâmes à un simulacre de baptême sur la tête d'un poupon d'étoffe. Ce fut une cérémonie fort joyeuse. Le soir, dans ma cabine, je m'examinai dans la glace pour voir le visage que j'avais pris depuis que j'étais un père de famille véritable. Pas seulement juridique. A la vérité, je n'y trouvai pas beaucoup de changement, sauf dans le sourire que je m'envoyai. Puis je me couchai, je fermai les yeux, je rêvai de mon fils.

Je n'ai fait sa connaissance que soixante-dix jours plus tard. Lorsque j'entrai dans notre appartement de la rue du Commerce à Riom, il dormait dans son berceau, un peu d'écume blanche sur les lèvres. Pas question de le réveiller. Tu me fis des recommandations :

— Quand tu le prendras dans tes mains, arrange-toi pour soutenir avec le haut du bras sa tête encore molle. Ne le serre pas trop. Serre assez cependant pour qu'il ne tombe pas. C'est très fragile. Ça se casse.

Je le regardai longtemps dormir. De temps en temps, il poussait un soupir. Sans doute, déjà, vivait-il un rêve.

Puis il s'agita, ouvrit les yeux. Je le pris avec toutes les précautions voulues. Je lui parlai doucement :

— Bonjour, mon fils. Bonjour, Saturnin. On a bien dormi ?

Il n'eut pas peur de moi. Je frottai mon gros nez contre son tout petit. Tu surveillais mes gestes. Nouvelle recommandation :

— Embrasse-le le moins possible. Il serait bon que tu te rases la moustache. Un nid à poussière.

C'est ce que je fis aussitôt, dans la salle de bains. Je t'offris même la primeur de mes joues rafraîchies. Jeannette était à présent une grande fille de onze printemps, qui en paraissait quatorze. Lorsque je lui donnai un baiser, elle l'accepta sans me le rendre et s'écarta aussitôt, comme si elle avait craint une récidive. En revanche, elle te manifestait une tendresse ostensible, s'asseyait sur tes genoux malgré tes protestations, faisait mine d'enfoncer sa tête dans ton cou pour s'endormir. Cette

354

attitude signifiait clairement que je n'étais plus pour elle qu'une vague connaissance ; que si sa mère voulait comme une galette partager son amour maternel, elle, Jeannette, en revendiquait la plus grosse part.

Vint l'habituelle distribution des cadeaux. A notre fille, un pot de confiture de bananes. A notre fils, un voile de dentelle malgache. A toi, un *wok* chinois pour faire cuire le riz, sorte de poêle profonde à manche court, avec son couvercle, sa spatule et sa brosse de bambou. Tu prétendis que maman Rôt avait le même, en plus grand, à Cholon.

— Mais le plus beau cadeau, dis-je timidement, c'est moi qui l'ai reçu.

Je désignais le berceau. Jeannette me tourna le dos.

A Aydat, Auguste et Augusta se montraient dingues de leur petit-fils. A tout instant, la grandmère se penchait sur son moïse comme sur la crèche de l'enfant Jésus. Le grand-père riait des yeux, du nez, des oreilles, de la bouche en le regardant gigoter après la toilette, pareil à un hanneton renversé.

Une ombre noire à ce tableau : j'avais les plus grandes peines à regagner les faveurs de Jeannette. Elle savait à présent que je n'étais pas son vrai père. Elle me narguait du coin de l'œil en commettant exprès des sottises, en se salissant à table, en cassant de la vaisselle, en gaspillant le pain.

— Pourquoi toutes ces miettes ? Ici, à Riom, nous n'avons pas de poules.

J'ai toujours nourri pour le pain une révérence sacrée, qui me vient du fond des âges, des anciennes famines, du paradis perdu. Alors, ostensiblement, je ramassais ces miettes dans le creux de ma main et je me les envoyais dans la bouche. La leçon, d'ailleurs, ne produisait aucun effet. Caractérielle, fille de caractérielle, elle me défiait des yeux à tout moment, sachant bien que je ne lèverais jamais la main sur elle, n'en ayant pas le droit naturel. Alors, je faisais mes sept possibles pour la séduire. Je ne pouvais sortir dans Riom sans lui rapporter un cadeau, un jouet, un livre, une friandise. Elle n'était même plus gourmande. Elle ne tient de moi ni mes qualités, ni mes vices, ni mes goûts, ni mes dégoûts.

Lorsque j'étais enfant, on m'aurait fait entrer dans une ratière pour une bouchée au chocolat. Ma tante Séraphine le savait bien qui m'en apportait une à chacune de ses visites. Le soir, dans mes prières chaudes, sous les couvertures, je disais à peu près :

— … ne nous laissez pas succomber à la tentation. Mais je vous préviens que si on m'offre une bouchée au chocolat, je craque…

13

Pourquoi au juste me suis-je donné à la mer ? A quelle fin profonde ? Les vaguelettes du lac d'Aydat y sont pour quelque chose. Mais il me semble d'abord que je voulais rompre ce lien héréditaire qui me retenait à la glèbe. A la fois nourrice et suzeraine. J'en avais assez de me sentir l'esclave d'un seul élément, ô combien limité ! — huit hectares ! —, alors que les trois autres, l'air, le feu, l'eau, m'offraient d'immenses perspectives. J'ai voulu me délivrer de la terre. Mais j'ai toujours su qu'en fin de voyage je reviendrais à elle. A moins que par un accident de parcours l'eau ne m'offrît son immense linceul.

C'est ce que nous vécûmes en 1983 lorsque, à bord du *Marion-Dufresne*, la mort vint saisir à l'improviste un membre de l'équipage. Rien n'avait laissé prévoir sa venue ni son choix. Car cette garce, cette pute, cette salope se plaît à s'inviter où on ne l'attend pas. En l'occurrence, elle jeta son dévolu sur un de mes mécaniciens, Louis Reboul, âgé de quarante-cinq ans, originaire de Bayeux.

Avant le repas de midi, il était en train de prendre sa douche. Elle entra dans la cabine sans frapper, sans crainte de se mouiller, et le saisit au cœur. Nous le trouvâmes ratatiné au fond du bac. Le médecin parla d'embolie. Le commandant, officier d'état civil, rédigea l'acte de décès à envoyer à sa famille. Tout le bateau fut douloureusement frappé par cette traîtrise. Il restait à procéder aux funérailles. Le charpentier aménagea une glissière sur le pont arrière. Reboul, cousu dans un drap, fut étendu dessus. Tandis que le bateau continuait sa course, l'équipage fit cercle autour de lui, sous le drapeau mis en berne. Nous n'avions pas d'aumônier. A sa place, le pacha prononça une courte oraison funèbre :

— Je ne sais si Louis Reboul croyait ou non en Dieu, en la vie éternelle. Mais je sais qu'il fut un compagnon honnête et généreux et que, si le paradis existe, il y sera accueilli. Je vous demande, chers amis, d'avoir pour lui un élan d'affection religieuse ou laïque, et de lui dire un dernier adieu par le geste qui vous conviendra.

Chacun de nous avança la main pour un signe de croix ou un simple effleurement du sac. Le charpentier-croque-mort lui accrocha aux pieds un lest qu'il avait composé en remplissant un seau de ciment durci. Puis il le poussa énergiquement sur la glissière, le projetant aussi loin qu'il put de la coque et du sillage. On perçut à peine le plouf ! que fit la mer en l'accueillant.

Tu ne t'ennuyais plus. Tu avais deux enfants à élever. Jeannette avait deux grand-mères, une vraie et une fausse. Quand elle eut treize ans, elle te convainquit sans beaucoup de mal d'aller rendre visite à madame Claire Vinay. Profitant de mes navigations estivales, tu entassas ta fille, ton fils et ton chien dans la 4L toujours vaillante et tu les transportas à Saint-Martin-d'Hères. Pendant quinze jours, le pauvre Rahou, perdu au milieu de l'océan Indien, fut loin de vos pensées. Mêmes voyages à quatorze ans, à quinze ans. Je ne me sentais pas le droit de vous les interdire, tu te serais d'ailleurs moquée de mes interdictions. Pour faciliter ces déplacements, je remplaçai même la vieille bagnole par une Peugeot 205 toute neuve.

Jeannette fit des études secondaires au lycée Virlogeux. Elle obtint son bac en 1985 avec mention. Dès lors, désireuse de se lancer dans une carrière théâtrale ou cinématographique, elle réclama son indépendance. Comme la Corse. Avec cette clause qu'elle désirait quand même être nourrie et entretenue par la métropole. Comme la Corse. Je lui accordai ce qu'elle voulait. Elle partit s'installer à Clermont pour suivre les cours du conservatoire et s'engager dans une troupe. De loin en loin, elle revenait à Riom nous rendre une visite et toucher sa subvention.

Rêvant de succéder à Michèle Morgan ou à Edwige Feuillère, elle avait plutôt la maigreur brune de Maria Casarès. Nous la vîmes jouer dans une pièce de Samuel Beckett, *Oh les beaux jours*, certainement géniale car je n'en compris pas un pétou. Elle y tenait le rôle de Winnie, une femme qu'on voit enterrée jusqu'à la ceinture dans un terrier de renard et qui, après avoir récité une prière en latin, se brosse les dents en récitant des paroles incohérentes :

— Hé oui… Bon sang !… Bon Dieu !… Pas mieux, pas pis !… Pas de douleur !… Presque pas !

Peut-être souffre-t-elle d'arthrose aux genoux. Avec plein de points d'exclamation et de points de suspension. C'est une situation que je n'ai jamais rencontrée de ma vie. L'auteur est tellement génial que l'Académie suédoise, craignant d'être en retard sur les intellos du monde occidental, lui a foutu le prix Nobel. Il paraît que cette pièce est le chef-d'œuvre du théâtre absurde. Elle veut démontrer que l'univers est absurde, c'est-à-dire, selon la définition du Larousse, *contraire à la raison*. Don José aime tellement Carmen qu'il la zigouille. Geste absurde. Mais j'ose affirmer, dans ma vision de mécanicien, que l'univers n'est pas absurde, pas contraire à la raison. L'univers est seulement compliqué. Il échappe à notre raison.

J'avais un peu honte de voir ma fille enfoncée dans un terrier de renard. J'admirais du moins sa mémoire prodigieuse, capable de retenir un monologue qui dure une bonne heure. Car, malgré les rares interventions d'un compère appelé Willie, il s'agissait bien d'un monologue. Le public riait. Ou se forçait pour rire. Ou admirait béatement. Ou dormait la bouche ouverte et les doigts de pied en éventail. Quand le rideau est tombé sur la taupinière, nous avons applaudi frénétiquement, ne voulant pas être en retard sur l'Académie suédoise.

D'après les autres pièces auxquelles Jeannette a prêté son talent, je me suis rendu compte qu'elle avait une vocation pour l'absurde. J'ai continué de la subventionner.

Pendant ce temps, Saturnin grandissait vaillamment. Il fut d'abord tendre et pâle comme le blé qui sort de terre, qu'une gelée peut flétrir. On tremblait pour sa santé. Puis il prit de l'épaisseur, de la taille, de la couleur. A Aydat, en compagnie du grand-père, il aimait les efforts physiques : sortir le fumier au bout de la fourche, scier le bois sur la chèvre, le fendre à la hache sur le plot de chêne, le transporter et l'empiler dans le bûcher. Il apprit jeune à traire les vaches et les chèvres, de même que les grands pianistes ont commencé dès l'enfance, et fut ensuite un trayeur virtuose. Il apprit à les panser, à les étriller, à les brosser. Il aimait l'odeur de la paille, du foin, des genêts à lapins, du charnier où dormait le cochon sacrifié sous sa couverture de sel. Avec une joie infinie, Auguste découvrait en lui ce goût pour la campagne qu'il n'avait pas trouvé chez son fils. Tout juste bon celui-ci à chier dans l'eau.

Il osa espérer — mais chaque rencontre confirmait cette espérance — que Saturnin prendrait sa suite un jour, agrandirait le domaine, vendrait son lait aux ramasseurs, entrerait dans une coopérative agricole, ferait partie d'un GAEC[1] ou d'une CUMA[2]. Il n'aurait pas à souffrir du chômage. Michelin allait de plan social en plan social, oubliant que, si la machine remplace l'homme, la machine doit nourrir l'homme. Dans notre marine marchande, afin de réduire son coût, les armateurs remplaçaient de plus en plus les marins français par des *crew men*, roumains, malgaches, philippins, aux salaires dérisoires, sans aucune protection sociale.

— Mais la terre, elle, disait et répétait Auguste, ne chôme que si tu l'abandonnes. Si elle ne t'enrichit pas, elle te donnera toujours, à toi et à ta famille, de quoi manger et te chauffer.

1. Groupement agricole d'exploitation en commun.
2. Coopérative d'utilisation du matériel agricole.

Quand il serait en âge, Saturnin serait inscrit à l'école d'agriculture de Marmilhat afin d'y apprendre les meilleures façons de pratiquer labourage et pâturage, qui sont toujours les deux mamelles de la France.

En attendant, je continuais de vadrouiller les mers, d'assurer à ma place des transports d'hommes et de marchandises.

En juillet-août 1988, le *Marion-Dufresne* subit à La Ciotat une épreuve de radoub sur laquelle je devais tenir l'œil. Deux mois de demi-vacances. Confiant Jeannette au théâtre, Saturnin à ses grands-parents, je t'invitai à me rejoindre. Nous avons touristiquement écumé les Bouches-du-Rhône. Depuis le moulin de Fontvieille où Alphonse Daudet n'écrivit pas ses *Lettres de mon moulin* jusqu'à Aigues-Mortes où Saint Louis s'embarqua pour deux croisades. Depuis Saint-Rémy-de-Provence qui inspira Van Gogh, triste locataire de l'hospice, jusqu'à l'étang de Berre sur les rives duquel Dufy et Picabia posèrent leurs chevalets. Naturellement, nous vagabondâmes dans Marseille et nous revîmes le *Kapok* où j'avais fait ta connaissance. Monsieur Ngo était à présent le *Con dan bép*. Il nous reçut bien, nous présenta sa femme et ses quatre enfants. Le temps passe, les rancœurs s'effacent, les amours se lassent.

Et je suis reparti. Pour d'autres tours du monde. A présent, je communiquais avec toi par satellite. J'avais l'impression que tu me parlais de la pièce à côté. Tu me donnais des nouvelles de mes parents, de nos enfants. Selon les plans prévus, Saturnin était effectivement entré à l'école de Marmilhat. Dans ce domaine, la grande mode est à l'agriculture biologique. Elle consiste à rejeter systématiquement tous les apports des XIXe et XXe siècles. Plus d'engrais chimiques, plus de traitements anticryptogamiques, antiparasitaires, plus de mécanisation. Tout ce qui pollue est interdit : le tracteur, la voiture, la mobylette. A bas les moteurs à explosion ! Vive les moteurs à crottin ! Les seuls engrais admis sont le fumier, les composts, la poussière de corne. Les doryphores sont cueillis à la main, comme les groseilles. Les arbres fruitiers sont épuceronnés de même. La fenaison doit se faire à la faux, la moisson à la faucille. Les chars à vaches assurent les transports. Les porcs sont engraissés aux patates et aux orties. La bouse remplace les mastics industriels pour soigner les blessures des arbres.

L'agriculture bio dérive de l'écologie, qui est devenue une nouvelle religion : la religion verte. Hors l'écologie, point de salut. Pour plaire à son petit-fils, Auguste accepta de ne plus fumer la pipe à l'intérieur de la maison. Augusta renonça aux lessives qui lavent plus blanc que blanc, se remit au savon de Marseille et à la cendre de bois.

Saturnin te convertit pareillement. Nous ne consommâmes plus que du sucre noir, du pain gris, des carottes crues, de l'orge mondé, de la viande bio, des yaourts bio, des œufs bio, des oranges sans conservateur, de la confiture sans additif. En buvant des tisanes de bourdaine pour faciliter le transit intestinal.

La navigation me permettait d'échapper à ces pénitences. A bord du *Marion-Dufresne*, les viandes, les poissons, les légumes surgelés satisfaisaient nos papilles grâce au talent de nos cuisiniers. Nous faisions honneur aux vins de France. Les fêtes nationales et les fêtes chrétiennes étaient célébrées ; même si les Noëls en mer restaient mélancoliques. Dépourvus d'aumônier, la plupart d'entre nous dépourvus aussi de religion, nous avions tout le reste : le sapin en matière plastique, la crèche en carton préfabriquée, la neige en stéarine, les étoiles en strass, le réveillon, le champagne. Nous levions nos verres en songeant à nos familles lointaines. L'un de nous osait entonner un cantique et beaucoup d'autres suivaient, même s'ils prétendaient avoir perdu la foi. (Comment perd-on la foi ? Comme on perd une clef, comme on perd son portefeuille ?) Et tous ces foutus incrédules perdus au milieu de l'océan Indien y allaient de bon cœur, parfois même les larmes aux yeux :

> *Les anges dans nos campagnes*
> *Ont entonné l'hymne des cieux,*
> *Et l'écho de nos montagnes*
> *Redit ce chant mélodieux :*
> *Gloria in excelsis Deo...*

Voyageant dans un triangle isocèle qui a pour sommet la Réunion, pour base la ligne Crozet-Kerguelen-Saint-Paul, plus Amsterdam, notre bateau se comportait comme un autobus qui transporte régulièrement des passagers et des bagages, qui a ses arrêts fixes : les uns descendent, d'autres montent ; le chauffeur descend aussi, boit un verre, lutine la servante, puis repart. Avec cette nuance que nos étapes avaient mille cinq cents ou trois mille kilomètres de longueur et que les arrêts pouvaient se prolonger plusieurs semaines. Peu d'incidents émaillaient cette routine, excepté les rencontres d'autres navires : on se saluait par mégaphone ou par radio. Excepté surtout les tempêtes abominables. Je ne raconterai point ces horreurs. Tant d'autres l'ont fait avant moi, lisez *Typhon* de Joseph Conrad.

Nous avons échappé aux flibustiers, qui sévissent principalement en mer de Chine, entre les îles de la Sonde, dans le détroit de Malacca, armés de grappins, de machettes, de kalachnikovs. Le seul pirate que j'aie rencontré était un Français. Las de vivre à la Réunion, mais n'ayant pas les moyens de payer son retour, il avait choisi le *Marion-Dufresne* pour le transporter gratis parce qu'il avait lu *Dunkerque* sous son nom, en petites lettres : ce qui indiquait le port d'immatriculation, non le port d'attache.

C'était au mois de mai. Notre homme se dit qu'il arriverait à Dunkerque vers la mi-juin. Profitant de notre séjour au Port-des-Galets, des facilités offertes au public pour visiter notre bord, il s'était dissimulé dans les cales, vêtu à la légère comme il convenait à la saison, muni de quelques provisions de nourriture. Mais lorsque nous fûmes en mer, il s'aperçut que nous nous dirigions vers le sud et non pas vers le nord ; que la température fraîchissait au lieu de s'échauffer. Il sortit de sa cachette. Le pacha le reçut honnêtement, lui donna une cabine. Tout le temps que dura notre périple triangulaire, il participa aux travaux de nettoyage et de débardage, partagea notre table et nos fortunes de mer. A notre retour à la Réunion, il fut remis à la police du port.

En 1989, nous fûmes impliqués dans un événement beaucoup plus dramatique. Nous naviguions au large d'Amsterdam, lorsque nous reçûmes des appels d'une flottille de pêcheurs coréens. Ils faisaient cercle autour d'un de leurs chalutiers et semblaient ne pas oser s'en approcher. Se fiant à notre volume, ils réclamaient notre intervention. Nous mîmes à l'eau une baleinière dans laquelle prirent place six hommes dont j'étais, en compagnie du médecin, sous les ordres du commandant en second. Nous nous dirigeons vers le bateau en panne en criant que nous venons à son secours, nous l'échelons, les pêcheurs n'opposent aucune résistance. Nous nous répandons dans le rafiot, nous interrogeons les hommes, non pas coréens, mais philippins. Dans leur mauvais anglais, ils nous expliquent que leur machine s'est soudain arrêtée, qu'ils n'ont pas su la remettre en marche. Etrange. Nous demandons :

— Qui sont les mécaniciens d'entre vous ?

Pas de réponse. Les mécaniciens ont disparu. Eux sont seulement *fishmen*. *No engine drivers*. A ce moment de notre dialogue, nous entendons des coups sourds montant des profondeurs. Nous descendons dans la cale, nous trouvons un Coréen. Un vrai Coréen. Officier du bateau. Le visage bleu d'ecchymoses. *God sends you*. C'est Dieu qui nous envoie. Il s'explique aussi. Les Philippins se sont mutinés contre leurs officiers coréens. Lui a réussi à leur échapper, à se dissimuler dans la soute.

— Où sont les autres officiers ?

— Morts. Tous morts. *Murdered*. Assassinés.

— Pourquoi ?

Il n'en a aucune idée. Nous le remontons sur le pont. Les Philippins sont très étonnés de son apparition. Nous demandons ce que sont devenus les autres officiers. Ils nous conduisent aux chambres froides. Les voilà tous, au milieu des poissons, le crâne fendu ou la gorge tranchée. Nous répétons la question :

— Pourquoi ?

Par gestes, par exclamations, par vocables, les Philippins nous expliquent qu'ils avaient à subir les mauvais traitements des Coréens. Le monde est ainsi fait : un pauvre trouve toujours un plus pauvre que lui qu'il s'offre la joie de tyranniser. Après l'avoir supporté longtemps, eux se sont révoltés.

Mais pourquoi ont-ils enfermé les corps dans les chambres froides au lieu de les jeter à la mer ? Ils ont quelque peine à exprimer leur raison. Nous croyons enfin comprendre que ces Philippins sont imprégnés de christianisme ; ils respectent morts les individus qu'ils haïssaient vivants ; ils ont voulu les ramener à Fusan où ces victimes recevraient d'honorables funérailles, tandis qu'eux-mêmes prendraient la poudre d'escampette. Tout a raté à cause du fuel-oil qui ne s'est pas laissé fluidifier.

Nous avons remorqué le bateau jusqu'à la Réunion, accompagnés par les autres unités de la flottille. Comme les lois de la mer nous y obligeaient, nous avons remis les mutins aux autorités coréennes. Je peux imaginer que le despotisme a pris sa revanche.

14

En 1995, le *Marion-Dufresne* numéro 1 a pris sa retraite. Son successeur, le *Marion-Dufresne* numéro 2, a trois cales au lieu de deux ; quatre grues au lieu de trois, dont une de cent soixante tonnes. Tout est doublé dans la machinerie, les moteurs, les arbres, les hélices, les groupes électrogènes. Il a soixante-dix jours d'autonomie, c'est-à-dire qu'il peut faire le tour du monde sans se ravitailler. Construit comme son prédécesseur aux ACH, il est dans les mers australes le plus prestigieux des ambassadeurs français. Nous sommes donc mariés ensemble jusqu'à l'an 2000, date à laquelle je prendrai, moi aussi, une retraite comme on dit bien méritée.

Parmi tous les caps que j'ai doublés, le plus émouvant a sans doute été celui de la cinquantaine, cette même année 95. Nous l'avons célébré aux îles Kerguelen, au large de Port-aux-Français où j'avais trouvé en arrivant un télégramme : « JOYEUX ANNIVERSAIRE À BIENTÔT BÉA JEANNETTE SATURNIN AUGUSTE AUGUSTA. »

Au forum du *Marion*, qui a remplacé l'ancien

carré, en compagnie des passagers et passagères, il y a eu ce qu'il fallait de champagne, de bougies et un énorme moka. Cadeau-surprise : mon portrait exécuté à l'huile par le bosco d'équipage, qui a un certain talent de pinceau. Nous avons dansé, les passagères allaient d'un cavalier à l'autre. J'ai bien caché mon émotion sous ma veste. Mais je pensais à toi et à vous tous. Dans deux ans, tu franchiras toi-même ce cap de Bonne Espérance. Rien de grave. Les femmes d'aujourd'hui ont l'âge de leur choix et l'outrage des ans est longtemps réparable. Tu mets pourtant une obstination perverse à le souligner :

— As-tu remarqué cette ride qui se creuse entre mes sourcils ?... T'es-tu rendu compte que j'ai pris trois kilos depuis ton dernier congé ?

— Que m'importe ! Ce sont trois kilos que j'aimerai comme les autres.

Tu as cette manie de te dénigrer. Sans doute ne t'es-tu jamais estimée bien haut, fille de je ne sais qui, élevée pour on ne sait quelle destination. Folle Avoine tu ne l'es plus cependant, mais Avoine Sage, appréciée du voisinage, de tout Aydat, de tout Riom, de toute l'Auvergne. Une fois, deux fois, trois fois tu as pensé me quitter. Une fois, deux fois, trois fois tu t'es laissé retenir, parce que je suis ton ancre de miséricorde. Celle qui t'empêche de retourner aux errements et aux persécutions.

Bientôt donc, je prendrai ma retraite en même temps que le XXᵉ siècle. Un siècle qui a produit des horreurs et des merveilles. Un siècle inqualifiable. Nous entrerons dans le siècle de notre sérénité.

Jeannette est toute gagnée au théâtre. Elle a quitté Riom pour Paris. Elle n'a plus besoin de nous. Saturnin est sorti de Marmilhat muni de son diplôme. Il a installé des serres sur les terres d'Auguste qui restaient en friche ; il y pratique la culture des légumes selon les principes écologiques. Il produit aussi des plantes aromatiques, romarin, basilic, menthe, citronnelle, angélique, benjoin, origan, dont il tire des bouquets, des poudres, des confitures. Son grand-père l'assiste dans ses travaux. Pour l'en récompenser, Saturnin l'autorise à humer du tabac à priser qui n'enfume personne. En lui, Auguste a exactement accompli le rêve qu'il avait cultivé sur moi.

Il supportait vaillamment le poids des années. Nous espérions bien nous trouver tous réunis pour franchir la passe de l'an 2000.

Mais il y a eu la Noël 96.

Je me chauffais le nombril sous le soleil des tropiques. Je n'ai donc pas assisté à ces événements que tu m'as racontés par le menu. Dans l'hémisphère Nord sévissait une grippe méchante. Le virus de cette pestilence est un vrai Fregoli : il change de costume, de figure, de couleur selon les remèdes qu'on lui oppose. Si bien que ces derniers ne le reconnaissent pas et frappent à côté. Auguste et Augusta avaient bien pris la peine de se faire vacciner chaque automne. Et pourtant…

Vers le milieu de décembre, mon père ressentit les premiers symptômes : fièvre, toux, migraine. « Ce n'est rien du tout, se dit-il en bon Auvergnat dur au mal. Juste un peu de rhume. Suffit de rester au chaud et de boire des tisanes. » Sa femme lui en préparait aux feuilles de houx et à l'ortie blanche. Il crachait sur les tisons de la cheminée pour se nettoyer les bronches. Vous étiez tous autour de lui, sa femme, sa bru, son petit-fils. Saturnin voulait appeler le médecin de Saint-Amant-Tallende. Et lui :

— Mais non. Pas la peine. J'en ai passé d'autres. Faut que le mal se fatigue.

Pour prouver sa force, il s'envoyait des coups de poing dans la poitrine, qui sonnait comme un tambour.

Le 24, il ne put se lever. Il respirait difficilement. Sa température ne décrochait pas de 39,5 °C. On appela enfin le médecin. Ce fut un remplaçant, le docteur habituel était en vacances aux Baléares, les médecins ont bien le droit de se reposer comme les autres.

— Une mauvaise grippe, annonça-t-il.

— Elle n'est pas espagnole, au moins ? fit Auguste se rappelant que sa mère en était morte en 1918.

— Non, plutôt asiatique, à ce qu'on dit. D'où qu'elle vienne, il faut qu'on vous transporte au CHU de Clermont. Tout de suite.

— Je peux faire le transport, proposa Saturnin.

— Non, j'aime mieux appeler une ambulance. Il sera mieux protégé pendant le voyage.

Il composa un numéro téléphonique.

— Elle est là dans dix minutes.

En attendant, il rédigea ses instructions aux docteurs du CHU. La voiture arriva dans les temps. Le malade y fut installé, bien au chaud sous des couvertures.

— On t'accompagne, dit Saturnin.

371

Il te laissa à la garde de la maison et des bêtes. Et toi :

— Soyez tranquilles. Je suis devenue une vraie paysanne.

Il chargea la grand-mère dans la 205 et les voilà partis. Theix la laitière, Varennes et ses vauriens, Saulzet-le-Chaud où les lapines font des levrauts, Ceyrat et ses rats, Beaumont et ses cornards ; chaque village a sa réputation. Quand ils arrivèrent, Auguste était déjà installé dans une chambre individuelle.

— Je vais être comme un prince.

Il était 3 heures de l'après-midi. Une infirmière lui disposa sur la tête une sorte de casque de scaphandrier. Oxygène.

Vers 17 heures, l'interne de service vint l'examiner. Il ordonna des piqûres. Sous son casque transparent, Auguste respirait la bouche ouverte, comme un poisson rouge dans un aquarium.

A 18 heures, une aide soignante apporta un plateau-repas, qu'il refusa de la main. Augusta et Saturnin ne voulurent pas non plus y toucher. Un peu par manque d'appétit, un peu parce qu'ils ne voulaient pas accepter ce modeste plaisir pendant que leur malade souffrait. Durant quatre heures, ils n'eurent pas d'autre occupation, pas d'autre souci que de voir les efforts qu'il faisait pour respirer.

A 22 heures, une autre femme en blanc enleva le casque. Affaissé dans son oreiller, Auguste parut s'assoupir. Un grand murmure montait de la ville, une rumeur de bagnoles. Tout le monde allait, qui à la messe de minuit, qui à un réveillon. Il n'y manquait qu'Abel, le pauvre d'esprit avec sa salière-poudreuse.

Saturnin réussit à somnoler un peu sur une

chaise, la tête appuyée au mur. Augusta demeura toute la nuit penchée sur Auguste, mais pas trop près, pour ne pas gêner son souffle.

Tant crie-t-on Noël qu'il vient. Jouez hautbois, résonnez musettes. Le lendemain, une troisième femme blanche se montra pour prendre la température sous l'aisselle. Elle jeta un coup d'œil au malade, déclara qu'il respirait mieux, que les antibiotiques commençaient à produire de l'effet. Elle lui cala deux oreillers sous le dos, dessina un graphique sur la feuille de soins, puis disparut.

Un grand silence régnait dans la maison. La plus grande partie du personnel, en congé, se remettait des fatigues du réveillon. On n'a pas idée d'être malade un 25 décembre !

De la main, Auguste fit signe à sa femme d'approcher, de s'asseoir sur la chaise près de son lit. Il avait les joues rouges jusqu'aux oreilles. Il chuchotait. Elle dut se pencher, lui faire répéter :

— Je voudrais…

— Qu'est-ce que tu voudrais, mon pauvre homme ?

— … que tu me redises ce que nous avons mangé…

— Mangé ?

— A notre dîner de noce. Le menu… A Aurières… S'il te plaît.

Elle l'avait raconté cent fois. Et maintenant, elle ne le trouvait plus. Elle se concentra, une main sur les yeux. Elle retrouva des choses, peu à peu :

— Y avait d'abord un potage au vermicelle… Des radis… Non, avant, un plat de charcuterie, saucisson, pâté, jambon salé… C'est après, les radis… Ensuite, du gigot… Ensuite… je me rappelle plus.

— Mais si… mais si…

— Ensuite, de la morue à la poêle, avec des pommes de terre… Du riz au lait… De la salade… Des fromages… De la pompe aux pommes… J'ai oublié le pot-au-feu, avec de la moutarde… Deux bols de moutarde.

— Personne n'a eu faim, dit le malade en riant un peu. Ç'a été une belle noce.

Il chercha sa main, la trouva. La sienne brûlait.

— On a été heureux ensemble, hein, Gusta ?

— Pour sûr, mon pauvre homme.

Elle se retenait de pleurer. Puis il se tut, cherchant à respirer un peu, au prix de grands efforts.

— Je vais appeler quelqu'un, dit Saturnin. Pour qu'on te mette l'oxygène.

— Pas besoin… Pas besoin…

Il ferma les yeux. Penchée sur lui, Augusta aurait voulu lui souffler dans la bouche comme on fait aux noyés. Malgré le refus de son grand-père, Saturnin sortit, appelant, courant dans les couloirs, pour qu'on vînt lui porter secours. Frappant à toutes les portes. Sans trouver personne. Si, pourtant, une balayeuse noire qui promenait son aspirateur.

— Un médecin ! cria-t-il. Où y a-t-il un médecin ?

Les médecins avaient trop fêté la naissance du Christ. Ils dormaient à présent dans les bras de leur femme ou de leur copine. Pour se remettre de leur gueule de bois. Saturnin court encore. Il revient désespéré. Il revient pour entendre un étrange dialogue :

— Pour te faire plaisir, a dit Auguste le communiste à Augusta la chrétienne, fais-moi réciter le *Notre Père*.

Il déforme les paroles parce qu'il est dur d'oreille.

374

Auvergnat pur et dur jusqu'au bout. Elle rirait ou s'indignerait en d'autres circonstances.

— Notre Père qui êtes z'aux cieux…

— Notre Père… qui êtes z'aux z'yeux…

— Z'aux cieux.

— Z'aux cieux.

— Que votre nom soit sanctifié…

— Que votre nom soit sans tickets…

— Sanctifié.

Il a complètement oublié les mots appris au caté- chisme d'Aydat soixante-dix ans plus tôt.

— Que votre règne arrive…

— Que votre règne arrive…

Et comme ça jusqu'à l'Ainsi-soit-il.

Par manque d'oxygène, Auguste Mercier mou- rut vers les 11 heures du matin. Oui, c'est une fâcheuse idée que d'attraper une méchante grippe au temps de Noël. Surtout si elle est asiatique.

Augusta n'est pas restée seule dans sa ferme. Elle a maintenant la compagnie permanente de son petit-fils âgé de vingt-deux ans au moment où j'écris ces lignes. Il ne se soucie pas encore de prendre une fiancée.

— Attention ! lui recommande-t-elle. Ne va pas la chercher en Indochine, les femmes de là-bas sont trop différentes de nous. Prends une Auvergnate.

Toujours raciste. Il répond qu'il a le temps. Il semble que la compagnie de ses plantes à parfums lui suffise. Il cultive des roses, des tulipes, des jacinthes biologiques.

A chacun de mes congés, je viens avec toi pas- ser près d'eux plusieurs semaines. Tout nous accueille chaleureusement, non seulement ma mère et mon fils, mais les vaches, mais les murs, mais la casquette d'Auguste pendue à un clou, mais la photo de la noce encadrée où l'on mangea de si bonnes choses, mais la rivière, mais le lac. Il est vrai que je suis le premier héritier naturel d'Auguste, que le domaine appartient aux Mercier depuis Vercingétorix, qu'Augusta, venue d'Aurières les mains vides, n'a droit à rien si ce n'est à une part de l'usufruit. Je suis donc le seul maître ; vous êtes mes hôtes. En fait, ces détails n'entrent jamais dans nos conversations. Nous vivons comme des fourmis dans la même fourmilière sans nous demander à qui elle peut appartenir.

Nous allons fréquemment rendre visite à Auguste. Le cimetière, en légère pente, enveloppé par un virage de la route qui monte à La Garandie, est bien exposé au midi et les morts n'y ont pas froid aux pieds.

Depuis son veuvage, Augusta s'est replongée plus que jamais dans la dévotion. Cela lui permet d'espérer des retrouvailles éternelles, un jardin où nous serons un jour tous réunis, rempli de fleurs et d'arbres bio, où voltigeront des anges bio. Elle ne manque pas une messe dominicale à l'église Saint-Barthélemy. Un jour, elle voulut se confesser. Mais le curé actuel, Nénesse, l'envoya sur les roses de son petit-fils :

— Qu'avez-vous besoin de vous confesser, chère Augusta ? Je me demande bien, à votre âge, quels péchés vous avez pu commettre ! Allez en paix. Je vous donnerai le bon Dieu sans confession.

Et elle, très vexée :

— Mais si, mais si que je fais des péchés ! Et des gros !

A cette insistance, il a bien voulu l'entendre dans

son placard. A mesure qu'elle lui avouait ses fautes, il produisait derrière son grillage un petit rire moqueur :

— Vous croyez que le bon Dieu se préoccupe de ces histoires de gourmandise ?

Il ne voulut pas lui donner de pénitence. Lorsqu'elle s'agenouilla sur la marche de la sainte table et qu'elle reconnut à ses côtés un certain nombre d'Aydatoises dont elle savait bien les mœurs et qui n'étaient point passées par le confessionnal, elle leva au ciel des yeux indignés :

— Seigneur ! Seigneur ! Qu'est devenue votre religion !

Pour venir à Son secours, sans doute, elle s'est remise à fréquenter le pèlerinage d'Orcival. A chaque fête de l'Ascension, elle demande à Saturnin de l'y transporter. La fête attire de plus en plus de monde, croyants, touristes, gens du voyage. La télévision y monte de temps en temps, des groupes folkloriques, c'est tout bénéfice pour le commerce. La presse locale s'en mêle et titre ses comptes rendus : *Orcival une Mecque auvergnate*. Les parkings ne suffisent plus à recevoir les cars et les voitures. La Sainte Vierge produit certainement ici le plus grand concours populaire du département après la foire de Cournon. Le conseil municipal, composé majoritairement de négociants et d'agriculteurs, encourage tout ce qui attire du monde. Un conflit s'est formé au sein de cette assemblée lorsque Paul Vantalou, restaurateur et inventeur d'une recette originale, a proposé de planter à dix kilomètres à la ronde des panneaux publicitaires ainsi conçus : *Orcival, sa basilique, sa Vierge en majesté, son andouillette aux girolles*. Tout le monde a besoin de pub, même la Sainte Vierge, même le bon Dieu. Mais il ne faut pas monopoliser. Les collègues de Paul Vantalou ont protesté :

— Pourquoi pas *son saucisson à l'ail* ? a demandé le charcutier.

— Pourquoi pas *sa gentille, apéritif à la gentiane et à la myrtille* ? a demandé le liquoriste.

Vantalou a donné sa démission du conseil. Il n'y a pas eu d'autres panneaux que ceux de la DDE. *Orcival* se suffit à lui-même, a confirmé le curé. Vallée de l'Ours ou vallée de l'Orque jadis. De nos jours, vallée de l'Espérance.

Qu'espérons-nous maintenant, après tant de voyages, tant d'orages traversés, ô ma Multiple ? Vieillir ensemble sous le parapluie de la Sérénité. Loin des pingouins et des manchots, loin des maisons flottantes sur la rivière Sai Gon. Nous souriant l'un à l'autre de nos rides, de nos yeux encore éblouis. Joue contre joue, cœur contre cœur. Depuis son veuvage, ma mère t'a enfin prise en affection et vous vous accordez maintenant presque sur tout ; tu apprécies sa cuisine et elle accepte la tienne. Jeannette et Saturnin sont nos enfants bien-aimés, chacun sur la voie qu'il s'est choisie. Tu justifies pleinement ton prénom : tu arroses de bonheur ceux qui t'entourent comme le jardinier arrose ses laitues.

Ceyrat 1999.
Année du Chat
dans le calendrier
vietnamien.

Au cœur de l'Auvergne
avec Jean Anglade...

"Chroniques auvergnates"

Les ventres jaunes (n° 1960)
La bonne rosée (n° 2090)
Les permissions de mai (n° 2162)

L'histoire de l'étonnante et séculaire communauté des couteliers de Thiers à travers la chronique de la vie d'une famille. Cette belle série romanesque est un hommage de Jean Anglade à sa ville natale.

"Il était une fois moi, Irène Seguin..."

Le jardin de Mercure (n° 3265)

Au début du XXᵉ siècle en Auvergne, la fille d'un gardien d'observatoire, qui vit avec les siens au sommet d'une montagne pelée et coupée du monde, se prend de passion pour la météorologie...

"Portrait d'un bougnat"

Le voleur de coloquintes (n° 1188)

Un Auvergnat quitte la ferme où il est né et découvre la ville, la guerre... mais il n'oublie ni ses racines ni sa philosophie, et reste, malgré tout, le "bougnat".

Il y a toujours un Pocket à découvrir

Au cœur de l'Auvergne
avec Jean Anglade…

"L'enfant de la République"

Un parrain de cendre (n° 4607)

Dernière née d'une famille limousine de douze enfants, Gastounette a l'honneur d'avoir Gaston Doumergue, le président de la République, pour parrain ! Mais la vie suit son cours et, dès quatre ans, Tounette doit mener son troupeau de quarante moutons…

"Le voyage d'un maître fondeur à Moscou"

Le saintier (n° 10516)

En 1732, Pardoux Mosnier, digne descendant d'une grande famille de fondeurs de cloches auvergnats, part à Moscou pour participer à la réalisation de la Czar Kolokol, la plus grosse cloche du monde…

"Révolution russe en Creuse"
Y'a pas de bon Dieu (n° 4361)

La vie de Jeannette Auguste, enfant trouvée recueillie par un curé de Corrèze : une jeunesse pieuse, un mariage sans amour avec un coiffeur de la Creuse, la guerre… jusqu'au jour où, en 1917, des troupes russes arrivent en renfort tandis que la révolution bolchevique gronde.

Il y a toujours un Pocket à découvrir

Au cœur de l'Auvergne
avec Jean Anglade…

"Les trois fils du gendarme Cervoni"

Un lit d'aubépine (n° 10145)

Entre 1902 et 1945, le destin des trois fils d'un gendarme corse en poste dans un village d'Auvergne : l'aîné prêtre, le second officier, le cadet voyou…

"Le roman des amours enfantines"

La soupe à la fourchette (n° 4362)

En 1943, pour des raisons d'alimentation, les enfants marseillais sont envoyés dans les campagnes auvergnates. C'est ainsi que la petite Zénaïde arrive dans le Cantal, chez les Rouffiat, et se lie d'amitié avec leur fils Adrien.

"Retour aux sources auvergnates"

La maîtresse au piquet (n° 10233)

Une jeune institutrice dévouée, en poste dans un quartier défavorisé de la banlieue parisienne, décide de refaire sa vie en Auvergne…

Il y a toujours un Pocket à découvrir